LES GUERRES
SECRÈTES
DU MOSSAD

Du même auteur chez Nouveau Monde éditions :

Le livre noir de la CIA (avec Gordon Thomas), 2007.
Comment on devient espion, 2008.
1979, Guerres secrètes au Moyen-Orient, 2009.
Histoire secrète du XXe siècle, 2011.
Sexus economicus, 2011.

Édition : Sabine Sportouch
Corrections : Catherine Garnier
Maquette : Pierre Chambrin

© Nouveau Monde éditions, 2012
21, square St Charles – 75012 Paris
ISBN : 978-2-84736-658-7
Dépôt légal : mai 2012
Imprimé en France par Normandie Roto

Yvonnick Denoël

LES GUERRES
SECRÈTES
DU MOSSAD

nouveau monde éditions

Introduction

Un matin de janvier 2011, plusieurs journalistes israéliens eurent la surprise de recevoir une invitation à rencontrer le directeur du Mossad Meir Dagan, qui s'apprêtait à quitter ses fonctions. Une telle invitation était sans précédent, c'est pourquoi tous acceptèrent. Les journalistes choisis reçurent pour instruction de se présenter au jour et à l'heure dite sur le parking d'un multiplexe de cinéma, au nord de Tel-Aviv. Ils ne devaient en aucun cas apporter d'ordinateur, de téléphone portable ou d'enregistreur. Ils étaient avertis qu'ils seraient fouillés. Tout ce qu'ils avaient le droit d'apporter était un bloc de papier et un stylo. Le moment venu, ils virent arriver des 4x4 aux vitres teintées qui les conduisirent vers une destination inconnue. C'était la première fois dans l'histoire du Mossad que celui-ci convoquait une conférence de presse.

Une fois les contrôles passés, les journalistes furent assemblés dans un petit auditorium. Peu après Meir Dagan, le chef du Mossad depuis 2002, fit son entrée. Petit homme corpulent, natif de l'ex-URSS, c'était un vétéran de toutes les guerres d'Israël depuis 1967. Il avait commencé sa carrière dans l'unité d'élite Sayeret Metkal, avant de diriger un commando infiltré chargé de lutter contre les groupes terroristes palestiniens. Meir Dagan était un compagnon historique d'Ariel Sharon : à la fin des années 1960, ce dernier était général de Tsahal et commandait l'armée du Sud chargée de contenir les attaques terroristes menées par les Palestiniens depuis la bande de Gaza. En 1970, Sharon forma l'unité de renseignement Rimon, placée sous les ordres du jeune capitaine Dagan, qu'il nommerait trente-cinq ans plus tard à la tête du Mossad. Cette unité était chargée d'effectuer en territoire palestinien des missions d'infiltration sous couvertures diverses, qui permettraient de capturer et d'éliminer des terroristes présumés. Certains hommes de Dagan poussèrent l'audace jusqu'à se faire passer pour des combattants palestiniens, qui paradaient en 4 x 4, kalachnikov à la main. Dagan combattit encore dans des unités d'élite en 1973, puis lors de la guerre du Liban. Il fut blessé deux fois au combat, dont une très gravement au dos.

Devant les journalistes, Dagan commença son discours par une allusion à cet épisode : « Il y a des avantages à être blessé au dos. Ça vous donne le droit à un certificat médical comme quoi vous avez bien une colonne vertébrale[1]. » C'est pour son côté « barbouze brutale » – pour reprendre un mot affectueux d'Ariel Sharon, et pour remplacer un précédent directeur – Ephraïm Halevy – jugé trop diplomate pour le Mossad, que Dagan avait été placé par son mentor à la tête de l'agence en 2002. Sharon aurait alors dit à Dagan qu'il voulait « un Mossad avec un couteau entre les dents ». Globalement, la mission était accomplie : les nombreuses opérations contre les terroristes islamistes que Dagan lança dès son premier mandat lui valurent rapidement le surnom de « Superman d'Israël » dans la presse arabe. Mais pour cette fois, il s'apprêtait à faire mentir son surnom.

Devant un auditoire médusé, Dagan se lança ce jour-là dans un discours critiquant sévèrement les responsables du gouvernement pour avoir envisagé une idée aussi folle qu'attaquer les installations nucléaires iraniennes. « L'usage de la violence d'État a des coûts insupportables… L'hypothèse de travail selon laquelle il est possible de stopper le programme nucléaire iranien par une attaque militaire est erronée. Il n'existe pas une telle capacité militaire. Il est possible de leur infliger un retard, mais

---

1. Propos rapportés par Ronen Bergman dans « *Will Israel Attack Iran?* », *New York Times Magazine*, 25 janvier 2012.

pour une période très limitée.» Et, ajouta-t-il, il y aurait à cela des conséquences très graves pour la population d'Israël. Attaquer l'Iran provoquerait une nouvelle guerre avec le Hezbollah et le Hamas. Les civils se retrouveraient en première ligne.

Les journalistes prenaient des notes en échangeant de brefs regards incrédules avec leurs voisins. Personne n'avait souvenir d'une telle opposition frontale et publique d'un patron du Mossad contre le Premier ministre dans toute l'histoire d'Israël. Dagan ne mâchait pas ses mots, et il n'avait pas l'intention d'en rester là après sa mise à la retraite décidée par Benyamin Netanyahou.

Quatre mois plus tard lors d'une conférence à l'université de Tel-Aviv, Dagan affirma : «Le fait que quelqu'un a été élu ne signifie pas qu'il est intelligent !» Et il qualifia l'idée de bombarder des installations nucléaires iraniennes de «projet le plus stupide que j'aie jamais entendu». Faisant remarquer que les installations iraniennes sont dispersées sur au moins une douzaine de sites, il estimait que la nature nécessairement massive de l'attaque pourrait mener à une guerre durable avec l'Iran, «le genre de choses dont on sait quand elles commencent, jamais quand elles finissent». Les journalistes qui avaient assisté au point de presse informel quelques semaines plus tôt étaient tous présents ce jour-là, et cette fois ils purent citer les propos de Dagan comme les siens, ce qui déclencha une tornade médiatique en Israël et partout dans le monde.

Plusieurs anciens directeurs du Mossad, Ephraïm Halevy, Zvi Zamir et Danny Yatom, soutinrent le droit de Dagan à défendre son point de vue (toujours diplomate, Halevy précisait qu'il n'aurait personnellement pas utilisé les mêmes termes que Dagan à propos de Netanyahou…). Et le vétéran du Mossad Rafi Eitan (85 ans), célèbre pour avoir commandé l'opération de capture du criminel de guerre nazi Eichmann, apporta également son soutien à l'analyse de Dagan. Comme on pouvait s'y attendre, le ministre de la Défense Ehud Barak reprocha au contraire à

Dagan d'avoir fait publiquement état de son opinion, estimant qu'il n'était pas sage d'avoir ce genre de débat devant les médias. Cela ne devait en rien calmer les ardeurs contestataires de Meir Dagan, qui se vit bientôt retirer son passeport diplomatique (tous les patrons du Mossad disposent d'un tel passeport qui facilite leurs déplacements internationaux, et l'usage veut qu'ils puissent le conserver un an après leur départ du service). Quelle que soit l'issue du projet d'attaque aérienne contre l'Iran, cette polémique venait de consacrer les anciens patrons du Mossad comme un véritable contre-pouvoir au sein d'Israël : à eux seuls, une poignée d'hommes qui ne s'entendaient pas entre eux étaient capables d'ouvrir un débat public d'ampleur nationale et de mettre sur la défensive un Premier ministre pourtant porté par les sondages d'opinion.

Mossad, la machine à fantasmes

Ce n'est là qu'une des particularités de ce service d'exception, qui bénéficie d'un statut prestigieux en Israël, au point qu'un passage en son sein est un atout pour se lancer en politique ou dans les affaires. Le Mossad est l'un des piliers sur lesquels repose la sécurité d'Israël. Ses réussites sont célébrées à l'infini, ses échecs auscultés avec anxiété. À l'extérieur, le Mossad a fait couler depuis sa création une énorme quantité d'encre, inversement proportionnelle aux informations fiables dont on dispose sur son compte. Pour s'en faire une idée, il suffit d'effectuer une requête – dans quelque langue courante que ce soit – sur le mot-clé « Mossad » dans un moteur de recherche, et de parcourir quelques-unes des millions de réponses. Si on ne prête qu'aux riches, alors le Mossad est le plus riche des services secrets du monde entier : il ne se passe pas un jour sans que plusieurs articles ne lui attribuent telle ou telle action occulte propre à expliquer les bouleversements du monde. Tout y passe, depuis les attentats du 11 septembre 2001 jusqu'aux révolutions arabes, aux tueries de Mohamed Merrah, etc. Fantasmes peu convaincants aux yeux des professionnels du renseignement, mais qui trouvent une audience.

Il n'est pourtant pas nécessaire de s'écarter des faits vérifiables : l'histoire du Mossad telle qu'on la connaît à travers notre enquête, et celles qui ont précédé, est à bien des égards hors normes et romanesque. Aucun autre service n'a à son actif autant d'assassinats : plusieurs centaines depuis le massacre des athlètes israéliens pendant les JO de Munich en 1972. Car contrairement à une idée répandue, les espions américains et soviétiques se sont assez peu tués entre eux pendant la guerre froide, et encore moins ces vingt dernières années. Aucun autre service ne semble à ce point soumis aux pressions de la politique de son pays. Aucun autre service ne fait preuve d'une telle audace dans ses opérations, au point de risquer d'énormes scandales quand elles dérapent : on l'a vu lors de l'assassinat d'un cadre du Hamas à Dubai en 2009. Enfin, aucun service ne remplit autant de missions à la fois : espionnage, contre-espionnage, antiterrorisme, mais aussi diplomatie secrète avec des pays officiellement ennemis d'Israël, sauvetage de populations juives menacées de mort dans leur pays, soutien à l'industrie israélienne d'armement, etc. Au point qu'on pourrait qualifier le Mossad de « couteau suisse » du renseignement.

Cette polyvalence s'explique par des raisons historiques. Le Mossad que nous connaissons a été fondé en décembre 1949 par Reuven Shiloah, conseiller du Premier ministre Ben Gourion, et placé sous l'autorité du ministère des Affaires étrangères. Shiloah voulait une structure capable de coordonner celles existantes et d'améliorer la collecte du renseignement. Il en devint le premier directeur. En 1951, Ben Gourion et Shiloah décidèrent d'une réorganisation et l'agence fut directement rattachée au Bureau du Premier ministre, avant d'être baptisée Mossad[1] en 1963.

---

1. La dénomination complète est : *Ha Mosad Le Modi'in u-le takfidim Mehuyadim*, qui signifie « Institut pour les renseignements et les affaires spéciales ».

Avec les années, les tâches du Mossad se multiplièrent, incluant le recueil de renseignement à l'étranger.

La structure actuelle en donne une idée complète (voir l'organigramme en annexe). Le quartier général à Tel-Aviv comprend plusieurs grands départements opérationnels :

– *Tsomet*, le plus important, est chargé du recueil de renseignements à l'étranger.

– *Nevioth* est en charge des écoutes, filatures, cambriolages et autres pratiques secrètes.

– *Metsada*, plus connu sous son précédent nom de *Césarée*, s'occupe des opérations paramilitaires, des sabotages et bien sûr des assassinats (c'est le rôle en son sein de l'unité *Bayonet* également appelée *Kidon*).

– Le département du renseignement a en charge l'analyse et la collecte à l'intérieur du pays. Il héberge le LAP (*Loh'ama Psikhologit*), qui mène la guerre psychologique.

– *Tevel* est le département d'action politique et de liaison avec les autres services de renseignement (y compris ceux de pays qui n'ont pas de relations diplomatiques avec Israël).

– *Tsafririm* s'occupe de la sécurité des Juifs partout dans le monde. Il a notamment pris en charge les opérations « Moïse » et « Salomon » qui ont permis d'exfiltrer les Juifs éthiopiens vers Israël.

À cela viennent s'ajouter des département de support : DRH et comptabilité, entraînement, technologie, recherche, etc. L'ensemble ne représente guère plus de 2 000 personnes, mais dispose de moyens énormes au regard de l'effectif. On verra dans cette enquête qu'en plus du budget officiel, le Mossad a su se constituer au fil du temps des « caisses noires » destinées à financer les opérations les plus secrètes.

Le Mossad est l'héritier de plusieurs milices de défense et de renseignement créées à l'époque du mandat britannique sur la Palestine. La plus importante d'entre elles était la Haganah (dont le service de renseignement, le SHAI fut créé en 1940), qui s'efforça d'infiltrer aussi bien les forces britanniques qu'arabes. La Haganah assura, pendant et après la guerre, l'émigration des Juifs d'Europe vers Israël. Après l'indépendance d'Israël, le SHAI fut dissous et ses membres affectés au renseignement militaire, dont la principale tâche était de suivre et d'évaluer la menace militaire des pays environnants. Pendant les premiers mois d'Israël, c'est le département politique du ministère des Affaires étrangères qui fut chargé du recueil de renseignement et d'action clandestine à l'étranger. Le Mossad prit la relève en avril 1949. Toutefois, depuis 1979, le ministère des Affaires étrangères s'est à nouveau équipé d'un centre de prévision et de recherche politique. Depuis 1999, Israël s'est doté d'un Conseil national de sécurité qui permet de coordonner et de superviser les activités de renseignement. Il dépend du Premier ministre.

Entre coopérations et rivalités

Le Mossad n'est que l'une des trois principales agences israéliennes de renseignement, avec le Shin Bet (également appelé Shabak), service de sécurité intérieure comparable au FBI, au MI5 britannique ou à la DCRI française, et le Aman, service de renseignement militaire. Dans les ouvrages inspirés par des anciens du Mossad, le rôle du Shin Bet et du Aman est souvent minoré voire ignoré. Nous essaierons au contraire de lui redonner toute sa place, essentielle pour la compréhension de bien des opérations. Comme on le verra dans cet ouvrage, ces trois agences ont souvent dû travailler ensemble et ont souvent eu des relations tumultueuses. Beaucoup d'opérations présentées du point de vue du Mossad sont en fait des opérations conjointes. En cas d'échec, les services se renvoient souvent les responsabilités. Sur certains dossiers, ils peuvent même être concurrents, voire se gêner entre eux : nous en livrerons quelques exemples. Des unités d'élite de l'armée (comme la fameuse Sayeret Metkal) sont aussi mises à contribution lors de missions secrètes pour le compte du Mossad ou du Aman. D'autre part, il arrive que soit créé tel ou tel « service parallèle » pour accomplir des tâches qui ne doivent pas être imputées aux services traditionnels. On en aura un exemple avec le Lakam, bureau de liaison scientifique dont certains agissements sont encore inconnus à ce jour. En 2000, on a appris l'existence d'un autre service fondé dans les années 1970 : le DSDE. On en sait très peu de choses, sinon qu'il est en charge de la sécurité du ministère de la Défense, des installations nucléaires (incluant le réacteur de Dimona), et aussi de la chasse aux taupes dans les autres services.

Israël est un petit pays, entouré de nations hostiles. La plus grande partie de ses effectifs militaires est constituée de réservistes, qu'il est impossible de mobiliser sur de longues périodes sans effets désastreux pour l'économie du pays. C'est pourquoi les services israéliens ont une pratique hypertrophiée des opérations spéciales, c'est-à-dire mêlant renseignement et actions paramilitaires, au premier rang desquelles les assassinats ciblés, avec des réussites et des fiascos spectaculaires. Les échecs sont donc inévitables, en partie compensés par une communication intensive sur les opérations réussies : ces dernières ne sont que rarement assumées au niveau officiel mais distillées sous forme de récits épiques. Ceux-ci s'adressent à la fois aux ennemis d'Israël, qu'il s'agit de convaincre de la toute-puissance du Mossad, et aux citoyens de l'État hébreu, qu'il s'agit de rassurer et parfois de convaincre à la veille d'élections.

Le Mossad est aussi connu pour ses recrutements de sources bien placées partout dans le monde, y compris en pays ennemis. Certaines sont déjà connues, mais nous en dévoilerons d'autres parfois très surprenantes. Enfin, le Mossad et le Aman se positionnent parmi les meilleures agences du monde en termes de technologies d'écoutes : l'unité 8200 du Aman est considérée comme comparable à la NSA américaine, bien que beaucoup plus petite. Et elle peut s'appuyer sur des satellites parmi les plus avancés de leur catégorie… et sur un accès officieux aux données recueillies par d'autres services.

Malgré tous ces atouts et certaines supériorités, le renseignement israélien n'aurait pas pu accumuler seul autant de faits d'armes. La coopération avec les agences de renseignement occidentales a toujours été essentielle, comme on le verra : de ce point de vue, les services français ont d'ailleurs été, à la naissance d'Israël, les meilleurs soutiens du Mossad et du Aman avant que les relations se distendent à la fin des années 1960. L'alliance avec les services américains, CIA, FBI et NSA, a ensuite pris une importance majeure. Dans la lutte contre le Hamas ou le Hezbollah, le Mossad dispose de moyens limités et ne peut être présent dans tous les points chauds du globe. Sans la puissance des services américains, qui peuvent agir à la fois en Amérique du Nord et en Amérique du Sud, le combat serait beaucoup plus inégal. La relation n'a jamais été exempte de tensions et de coups tordus entre les alliés, mais a toujours perduré pour des raisons politiques et par intérêt mutuel bien compris. Beaucoup d'autres services de pays occidentaux comme la Grande-Bretagne, le Canada ou l'Allemagne ont eux aussi des relations à la fois de coopération et de méfiance envers le Mossad. Les premiers chapitres dévoileront nombre d'aspects encore peu connus de ces collaborations.

Contrairement à ce que l'on pourrait penser, le Mossad a toujours cherché à maintenir des contacts très discrets avec des services en principe ennemis, soit directement, soit grâce à des intermédiaires. Ce fut le cas avec le KGB, pour obtenir à certaines époques que les Juifs d'URSS soient autorisés à émigrer. Cela fut presque toujours le cas avec la Jordanie ou le Maroc, dont les souverains ont accepté de maintenir un dialogue discret avec Israël. Ce fut encore le cas avec des services comme le MIT turc, à qui le Mossad proposa tout simplement ses services dans la lutte contre le PKK à seule fin de renouer une relation diplomatique précieuse pour Israël dans la région. Le Mossad apparaît ainsi parfois comme une agence de sous-traitance qui échange son savoir-faire contre des retombées politiques et économiques pour Israël.

De nombreux ouvrages ont couvert les premières décennies du Mossad, avec leur lot d'opérations «héroïques» telles que la capture du nazi Eichmann, le vol d'un Mig soviétique, l'enlèvement de vedettes françaises sous embargo à Cherbourg, etc. C'est le cas notamment de *Histoire secrète du Mossad* de Gordon Thomas, qui a paru dans la présente collection[1] et a connu un succès mondial. Nous ne retracerons pas de nouveau ces affaires, hormis celles sur lesquelles nous sommes en mesure d'apporter du neuf. Ce nouvel opus se concentrera donc sur la période la plus récente, marquée par une tension extrême sur plusieurs fronts, et une multiplication d'actions secrètes.

Jusqu'au début des années 1980, le décor était relativement stable : des pays arabes globalement hostiles mais tenus en respect par une combinaison de supériorité militaire et de renseignement efficace ; des mouvements palestiniens désordonnés dont les actions terroristes étaient certes meurtrières mais ne constituaient pas une menace sérieuse contre l'existence d'Israël ; des opinions européennes plutôt propalestiniennes tandis que leurs services de renseignement coopéraient pleinement avec le Mossad. Bref, malgré des accidents de parcours, on pouvait considérer que les services israéliens maîtrisaient les menaces. Cette situation changea singulièrement au cours des années 1980 : la révolution iranienne de 1979 et l'invasion du Liban en 1982 firent bouger les lignes. L'OLP fut affaiblie et les services israéliens mirent du temps à comprendre que de nouveaux dangers, plus sophistiqués, étaient en train de se mettre en place avec le Hezbollah, bras armé de l'Iran au Liban et bientôt en Irak, le Hamas, qui concurrençait l'OLP dans les territoires palestiniens. Deux nouveaux ennemis bien plus disciplinés et meurtriers, qui adoptèrent tous deux la

1. Nouveau Monde éditions, 2006.

tactique relativement inédite des attentats-suicides et utilisèrent des moyens technologiques de pointe. Des ennemis d'autant plus difficiles à neutraliser qu'il s'agissait d'organisations non étatiques, clandestines, dont les responsables étaient mal identifiés et bougeaient beaucoup. Notre enquête montrera qu'après deux décennies de tâtonnements et de frappes peu concluantes, le Mossad a finalement trouvé le meilleur terrain possible pour affronter ces nouveaux ennemis : celui des « coups tordus » économiques et financiers.

Les enjeux pour le Mossad se sont multipliés depuis les années 1990 : s'assurer de la pérennité du soutien américain, lutter contre la prolifération nucléaire, notamment iranienne, bloquer les livraisons d'armes à destination des territoires palestiniens, que ce soit par mer ou par tunnels, protéger ses sources et en trouver de nouvelles dans le maelström des révolutions arabes, frapper ses ennemis au portefeuille, etc. C'est l'histoire récente de ces combats clandestins, de défis sans cesse renouvelés, d'affrontements toujours plus féroces, que nous allons suivre.

Chapitre 1

Les amis français

« Saviez-vous qu'après la guerre j'ai eu une aventure avec Martine Carol? Et que je l'ai quittée sans prévenir pour aller vivre dans un kibboutz? Elle ne me l'a jamais pardonné!» Malgré les apparences, l'homme qui parle ainsi n'est pas un mythomane. Un excentrique, certainement. Curieux personnage qu'Alfred T.! Aujourd'hui retiré dans un petit village du Midi, ce nonagénaire aussi alerte que vert dans son expression a vécu mille vies[1]. À commencer par de nombreuses missions en France, en Algérie et en Suisse pour le compte du BCRA, les services secrets de la France libre. Il a eu l'occasion de côtoyer « Wild Bill » Donovan, le chef de l'OSS américain, ainsi qu'Alan Dulles, chef de poste de l'OSS à Berne et futur patron de la CIA. Après la guerre, Alfred rejoint la DGER (bientôt rebaptisée SDECE, l'ancêtre de la DGSE) tout en reprenant des études de médecine débutées à Alger pendant la guerre. En décembre 1947, son service lui demande de se présenter pour un rendez-vous à la DST. «Un planton me conduit auprès du directeur et je retrouve dans son bureau un ancien de Londres qui, à la Libération, s'est lancé dans la politique. Il me serre la main et le directeur nous convie à prendre place chacun dans un fauteuil. À brûle-pourpoint, il me demande: "Êtes-vous juif? avez-vous de la famille juive?"

---

1. Malgré l'ancienneté des affaires évoquées, ce témoin tient à l'anonymat, persuadé qu'il risquerait des poursuites judiciaires s'il était reconnu!

Comme je réponds par la négative, il enchaîne : "Les Anglais vont quitter la Palestine, ce qui va inévitablement entraîner un affrontement entre les deux communautés juive et arabe. Le souci de la France est d'aider les Juifs à tenir tête aux Arabes. Donc, vous allez partir tous les deux comme spécialistes pour les aider à organiser leur défense. Voici pour chacun une lettre destinée à l'Agence juive de Paris, qui se trouve avenue de la Grande-Armée." Il conclut l'entretien en nous souhaitant bonne chance et appelle un planton qui nous raccompagne vers la sortie. Puis je reviens aux services où mon interlocuteur, le lieutenant-colonel, me tient ces paroles : "Vous êtes, à ce que je sais, étudiant en médecine externe. En plus, vous allez partir en Palestine pour aider les Juifs à se créer un pays. Donc, vous y partez comme toubib. À vous de vous démerder. Je vais vous établir un pseudo-diplôme de médecin." Nanti de ce document, j'ai donc passé pratiquement deux années à exercer la médecine en Israël, au sein de la Haganah[1] ! »

Quand les services français aidaient à la création de l'État d'Israël…

Sur place, Alfred croise d'autres « collègues » venus de France, soit à titre personnel, soit envoyés par leur service, tel ce « lieutenant de la DGER qu'il avait connu dans les services, à Paris ou à Alger. Il est juif tunisien. Il est arrivé en Israël avec sa femme et ses deux enfants. C'est la bête noire du commandant qui finira par le vider du bataillon. Quelque quinze ans plus tard, je retrouverais à Bruxelles ce lieutenant de la DGER, gérant d'un restaurant. Je lui ai demandé s'il était toujours dans les services, Mossad ou SDECE. Il n'a pas répondu mais a juste eu un petit sourire qui en disait long ».

---

1. Entretiens avec l'auteur, janvier 2009-juin 2010.

Quel a été l'impact réel de ces espions discrètement envoyés en Israël ? Difficile à dire, d'autant que leurs missions n'avaient rien d'officiel, au point qu'aujourd'hui encore aucune étude sur la DST n'en fait mention. Même si ce soutien n'a sans doute pas été décisif, il marque le début d'une politique continue et cohérente de la IVe République : jusqu'à l'arrivée du général de Gaulle, la France, et à travers elle ses services secrets, a fait preuve d'une solidarité sans faille avec Israël. Des socialistes aux gaullistes, l'État juif naissant bénéficie d'une immense sympathie au sein du personnel politique. Nombre d'anciens de la Résistance ou des Français libres se sentent solidaires des camarades juifs aux côtés desquels ils se sont battus et dont ils approuvent le nouveau combat. Et la révélation des horreurs de la Shoah donne à beaucoup un sentiment de culpabilité diffuse, qu'ils compensent par un appui au programme sioniste.

Ce faisant, les responsables français n'hésitent pas à raviver le vieil antagonisme franco-britannique, deux ans à peine après la fin de la guerre. Il est vrai qu'entre-temps le cabinet Churchill a laissé place aux travaillistes, beaucoup moins bien disposés envers le projet d'État juif. C'est sans doute au moment de l'affaire de l'*Exodus* que la tension a été la plus forte entre les deux alliés.

« L'*Exodus* partira cette nuit… »

Dans la nuit du 10 au 11 juillet 1947, un bateau transportant près de 4 600 réfugiés juifs quitte discrètement – et illégalement – le port de Sète et prend la mer avec pour destination la Palestine. Son nom va devenir mondialement célèbre : *Exodus*. Ce départ est rendu possible par un des plus formidables coups de main qu'ait fournis la DST à la naissance d'Israël, une aide aujourd'hui encore méconnue.

Au cours de l'été 1946, Roger Wybot, patron de la toute jeune Direction de la surveillance du territoire, est prévenu qu'un mystérieux poste clandestin émet des messages codés dans les environs de Paris. Le poste est repéré dans un établissement pour enfants du Vésinet. Le personnel de l'institution est arrêté, mais se mure dans un silence obstiné. C'est André Blumel, haut fonctionnaire du ministère de l'Intérieur et ancien collaborateur de Léon Blum, qui les identifie comme des agents de la Haganah, l'organisation clandestine juive qui préfigure le Mossad. Fervent sioniste, Blumel les fait libérer et va jusqu'à offrir à la Haganah d'héberger son poste clandestin dans la villa de sa mère ! Avec l'accord du ministre de l'Intérieur Depreux, Roger Wybot passe un marché avec l'équipe de la Haganah : la DST les laisse poursuivre leurs émissions à condition d'avoir le code utilisé et de pouvoir suivre les messages en clair. Pour éviter à l'équipe de la Haganah de prendre des risques inconsidérés, la DST forme ses hommes à l'action clandestine et les tient informés des éventuelles menaces qui pèsent sur eux. Une sorte de neutralité bienveillante, qui ne va pas du tout de soi, car le mouvement juif est alors en pleine guerre avec le MI6 britannique. Celui-ci s'efforce d'empêcher l'émigration massive de Juifs en Palestine, et surveille tous les mouvements d'achat, de location et de transfert de navires affrétés par l'Agence juive pour transporter les émigrés (la Royal Navy doit pour sa part stopper ceux qui parviendraient à prendre la mer). En s'interposant dans cette guerre de l'ombre, la DST froisse nécessairement les alliés britanniques. Les pressions politiques sont considérables. Les diplomates anglais en poste à Paris passent le plus clair de leur temps à protester auprès du Quai d'Orsay et de Matignon au nom de l'amitié franco-britannique, demandant qu'on suspende toute émigration juive au départ de la France vers la Palestine.

Les agents du MI6 qui interviennent dans cette affaire connaissent bien la France, et pour cause : beaucoup sont des anciens du SOE (Special Operations Executive), parachutés en France pendant la guerre pour des missions clandestines, pourchassés par la Gestapo. Aujourd'hui ils deviennent les chasseurs. De Paris aux ports du Midi, ils ont pour tâche première d'infiltrer la Haganah dont le quartier général est situé à Paris, mais qui dispose de bureaux à Milan, Prague, Bratislava, Budapest et Vienne. L'organisation juive a mis sur pied des filières de transport clandestin allant de l'Europe de l'Est à la France et l'Italie : grâce à elles, des centaines de rescapés de la Shoah parviennent jusqu'à Marseille, où un camp est établi avec l'accord du gouvernement français. Le MI6 vise également les transports d'armes à destination de la future armée israélienne, qui s'effectuent en majorité au départ de la France. C'est ainsi que des pilotes britanniques de la base d'Istres se livrent régulièrement à des reconnaissances aériennes au-dessus des ports du Midi, et qu'un yacht espion basé à Saint-Tropez sillonne les abords de Marseille... Les informations recueillies sont centralisées par le capitaine Frederic Courtney, agent du MI6 sous couverture de négociant en vins installé à Cassis. Position qui lui permet de passer le plus naturellement du monde beaucoup de temps dans les bistrots des ports avoisinants. Courtney va jouer un rôle de premier plan dans l'affaire de l'*Exodus*.

Si nécessaire, son équipe a toute latitude pour poser des bombes, comme cela a été fait en temps de guerre dans les ports nazis. Elle reçoit le renfort d'un groupe des forces spéciales placé sous le commandement de Cathal O'Connor, un Irlandais arabophone. Ils sont chargés de repérer tous les bateaux en partance pour la Palestine et de déposer des bombes sous-marines. Une douzaine d'entre eux vont être endommagés, dont le *York* et le *Crescent*, basés à Venise et Marseille. Au départ, la Haganah met ces attentats sur le compte de saboteurs arabes avant de comprendre ce qui se passe.

Pendant ce temps, le poste du MI6 à Washington a pour mission prioritaire de surveiller toutes les acquisitions de navires sur le territoire américain. Et il ne tarde pas à signaler : « Navire nommé *President Warfield*[1], départ ce jour [25 février] de

---

1. *President Warfield* est le nom sous lequel a été acheté aux États-Unis le navire qui deviendra l'*Exodus*.

Baltimore. Direction les Açores pour faire le plein. Destination finale indiquée: Marseille[1].» Aussitôt Ernest Bevin, le patron du Foreign Office accompagné de Duff Cooper, l'ambassadeur anglais à Paris, fait pression sur Georges Bidault, le ministre des Affaires étrangères, pour qu'il fasse bloquer le navire à son arrivée... sans résultat. Dans un rapport au Foreign Office, l'ambassadeur Cooper prévient ses chefs que toute action musclée contre les immigrants eux-mêmes ou le plastiquage du navire serait très mal vu par l'opinion publique française «qui y verrait une nouvelle persécution contre les victimes du nazisme cherchant refuge sur leur terre d'origine». Toute action «explosive» est donc écartée pour le moment.

Mais l'*Exodus* est mis sous surveillance vingt-quatre heures sur vingt-quatre: chaque jour des avions britanniques le survolent à basse altitude pour prendre des photos aussitôt transmises à l'ambassade. Au sol, la DST file plusieurs agents britanniques, qui eux-mêmes tentent de prendre en filature les agents de la Haganah venus inspecter le navire. Le navire est déplacé quelques semaines dans le port de *Porto Venere*, pour être préparé au voyage en Italie, avant de revenir de nuit s'ancrer dans le port de Sète pour embarquer ses passagers. Son arrivée est aussitôt signalée par un agent au sol qui informe le MI6 à Marseille. La RAF et la Royal Navy sont immédiatement mises en alerte. Au petit matin, une colonne de soixante-dix camions chargés de réfugiés défile sur le port: ceux-ci embarquent aussi vite que possible. La police française leur fait signe de passer sans inspecter leurs passeports. Cela vaut mieux car la plupart sont des faux... Pendant ce temps, au Quai d'Orsay à Paris, le ministre britannique Bevin harangue Georges Bidault: l'*Exodus* ne doit pas prendre la mer, d'ailleurs il n'a pas de certificat pour transporter des passagers. Bidault est contraint de donner des ordres pour stopper le départ, au moins provisoirement. Selon

---

1. Archives du MI6. L'auteur remercie Gordon Thomas pour sa documentation sur l'action des services britanniques.

les Mémoires de Georges Wybot, c'est le patron de la DST qui prend sur lui d'autoriser le départ nocturne de l'*Exodus*, contrevenant aux ordres « officiels » du gouvernement[1]. Les réfugiés partent pour une incroyable odyssée, rendue célèbre par le film *Exodus* d'Otto Preminger (1960). Ils seront ramenés des semaines plus tard à Port-de-Bouc, sur les « bateaux cages » de la Marine anglaise, et sous la menace des armes.

De sourde et feutrée qu'elle était jusqu'ici, l'opposition entre MI6 et DST devient ouverte et sans merci, raconte Wybot : « J'en arriverai à prendre des mesures sévères pour réprimer les activités britanniques illégales en France et pour assurer, par ricochet, la protection des réseaux de transmission des convois d'émigrants, de matériel et d'armement juifs pour la Palestine. Un beau matin, le capitaine Minshall Merlin, l'espion du yacht de Saint-Tropez, déplorera brusquement la disparition de sa valise bourrée de photos et de documents. Récompense à qui la trouvera. Il ne la reverra plus, c'est de bonne guerre. Le réseau français de Courtney sera démantelé par la brigade de la DST de Marseille. […] Une correspondance particulièrement révélatrice échangée entre Courtney, un correspondant de l'AFP et un employé de la mairie de Sète, sera saisie. Enfin, le 7 novembre suivant, Courtney lui-même sera expulsé du territoire, par arrêté ministériel[2]. » De leur côté, les espions juifs renvoient l'ascenseur : lors d'une embuscade près de Jérusalem, un commando juif met la main sur un trésor d'archives britanniques concernant la guerre secrète menée par les agents de Sa Majesté contre la présence française au Moyen-Orient. Copie est immédiatement transmise à la DST, qui identifie ainsi une bonne partie du réseau arabe du MI6…

Surtout, les chefs des réseaux juifs aidés par la France deviendront par la suite des responsables de haut niveau de l'État d'Israël et de ses services secrets. C'est le début

---

1. Philippe Bernert, *Roger Wybot et la bataille pour la DST*, Presses de la Cité, 1975.
2. *Op. cit.*

d'un compagnonnage chaleureux. Wybot sera consulté sur l'organisation des services de renseignement de l'État hébreu, et il enverra son adjoint Stanislas Mangin donner des cours de contre-espionnage à Tel-Aviv. Un investissement qui portera ses fruits quelques années plus tard, pendant la guerre d'Algérie.

Israéliens et Français complotent pour tuer Nasser

Au milieu des années 1950, la France est sans doute l'allié le plus proche d'Israël. Un jeune protégé de Ben Gourion, du nom de Shimon Peres, joue – en qualité de directeur général du ministère de la Défense – les ambassadeurs officieux pour négocier l'achat d'armements pour Israël qui ne bénéficie pas encore de la bienveillance américaine en la matière. Chars AMX 30, Mystère Dassault, obusiers… : Israël achète tout ce que produit l'industrie française. C'est le résultat d'un lobbying persistant. Francophone, Shimon Peres passe beaucoup de temps à Paris, après avoir été au début des années 1950 le responsable des achats d'armements à New York. C'est à cette époque qu'il a commencé à cultiver l'appui financier des millionnaires. Lors d'un voyage au Canada, il démarcha ainsi Samuel Bronfman, le fondateur du groupe de spiritueux Seagram. Ce dernier accepta de lever des fonds dans la communauté juive mais obligea Peres à changer sa garde-robe pour avoir le droit d'assister à la soirée de gala ! Devenu en 1953, à même pas 30 ans, directeur général du ministère de la Défense, Peres entreprend sans complexe de développer une diplomatie parallèle à celle du ministère des Affaires étrangères tenu par sa prestigieuse aînée Golda Meir ! En France, Peres est vite reçu en ami dans plusieurs ministères, et cela grâce aux bons offices de Georges Elgozy, un intellectuel et économiste juif né en Algérie, ami de Malraux et de Camus, ex-conseiller à Matignon. Il faut à Peres plusieurs mois de mondanités avant de faire une rencontre décisive, en la personne d'Abel Thomas, directeur de cabinet du ministre des Armées

Bourgès-Maunoury. Thomas est un ancien de la France libre dont le frère est mort à Buchenwald en 1945. Étoile montante du Parti radical-socialiste, il éprouve une sympathie naturelle pour la cause sioniste et propose de lui-même à Peres de le présenter à son ministre et à d'autres officiels. Il ira jusqu'à lui obtenir une audience avec Guy Mollet, le président du Conseil. Dans ses Mémoires, Abel Thomas racontera plus tard sa relation amicale avec un Shimon Peres accueilli « en famille » à l'hôtel de Brienne, dans lequel « il entrait par une porte dérobée comme un discret ami personnel, pour ne pas alerter gendarmes mobiles et aides de camp[1] ». Peres a même installé dans la capitale un de ses collaborateurs, Joseph Nahmias, comme agent de liaison permanent avec les autorités françaises. L'instabilité ministérielle de la IVᵉ République nécessite une veille permanente auprès du personnel politique français. Ces contacts sont aussi excellents pour l'industrie française, en premier lieu pour la maison Dassault qui vend à Israël ses Mystère IV, Mirage III et leurs successeurs. Les relations avec le ministère français de la Défense permettent aussi de lancer un programme d'accueil d'officiers israéliens à l'École de guerre et dans certaines bases aériennes. Pendant ces années, Peres, souvent présent en France, débute une carrière parallèle de recruteur hors pair de collaborateurs bénévoles de haut niveau pour les services israéliens, mais aussi d'agents d'influence non juifs.

Pierre Guillain de Bénouville, proche de De Gaulle et pilier du RPF, tout en restant l'ami de François Mitterrand, est l'un d'entre eux. En tant que bras droit de Marcel Dassault, il fait tout son possible pour Israël, même quand la relation avec la France vient à se tendre comme on le verra plus loin. Dans son livre posthume d'entretiens avec Laure Adler, il ne dissimule d'ailleurs pas son engagement depuis la naissance d'Israël[2] :

---

1. Abel Thomas, *Comment Israël fut sauvé. Les secrets de l'expédition de Suez*, Albin Michel, 1978.
2. *Avant que la nuit ne vienne*, Grasset, 2002.

«On murmure que vous avez fait des cadeaux aux Israéliens, notamment au moment de la guerre de 1967, est-ce vrai?

– Oui. J'en ai fait un qui me paraissait inoubliable à l'époque car je n'avais pas du tout d'argent. Je leur ai donné le premier canon de 75 qu'ils ont eu. Moi-même. Je le leur ai apporté.

– Vous avez eu des relations constantes sur le plan de l'approvisionnement militaire?

– Constantes.

– Vous avez fait des chèques aussi?

– Oui, je me suis beaucoup occupé d'eux. Dans beaucoup de circonstances.»

Cet engagement, que Bénouville explique par des raisons spirituelles, est d'autant plus spectaculaire que dans les années 1930 il avait beaucoup fréquenté l'Action française et les milieux d'extrême droite. La guerre a bouleversé sa vision du monde.

Du côté des services, la connexion DST-Mossad n'est pas exclusive d'autres collaborations, bien au contraire. Devenu complice de Roger Wybot, Isser Harel, le patron du Mossad, entame aussi un rapprochement avec le SDECE, avec en guise d'offrande des notes sur l'activité de la Ligue arabe et les trafics d'armes entre Libye, Égypte et Algérie. Cette relation nouvelle va notamment permettre au Mossad d'organiser depuis Paris des filières d'émigration de Juifs marocains et tunisiens. Tout laisse à penser en effet qu'avec les décolonisations qui s'annoncent en 1954-1955, on se dirige vers l'indépendance de ces deux territoires. Le nationalisme arabe, attisé par le grand ennemi d'Israël qu'est alors l'Égypte risque de mettre en danger les communautés juives d'Afrique du Nord. Mais jusqu'à présent les autorités coloniales françaises ne laissaient pas les Juifs émigrer en nombre. Le rapprochement en cours permet de faire sauter ce verrou. Le 27 avril 1955, «Jacques» (*alias* Yaacov Caroz), responsable du poste parisien du Mossad, rencontre Francis Lacoste, le haut-commissaire pour le Maroc, à Casablanca. Ils se mettent d'accord sur un quota de 700 migrants par mois[1]. En réalité, ce chiffre est largement dépassé puisqu'on estime à 60 000 le nombre de Juifs ayant pu quitter le Maroc entre 1955 et 1956. Mais au milieu de l'année 1956, le sultan Mohammed V cède aux pressions antisémites de son entourage et fait boucler les camps de migrants, sous la surveillance des services marocains. À partir de là, les filières d'émigration deviennent complètement clandestines et sont gérées de A à Z par le Mossad, qui infiltre à plusieurs niveaux les services secrets marocains à coups de pots-de-vin. Les meilleurs faussaires de l'agence sont mis à contribution pour fabriquer de faux papiers. Près de 500 personnes sont ainsi exfiltrées chaque mois par bateaux clandestins et débarquées à Marseille, d'où elles gagneront ensuite Israël. Cette fois-ci, les Britanniques sont plus coopératifs, à l'image des Espagnols. À la mort de Mohammed V en 1961, son successeur Hassan II se montrera beaucoup plus compréhensif, ce qui marquera le début d'une nouvelle entente secrète entre le Maroc et Israël (coopération en matière de renseignement). Bien entendu, rien de tout cela n'aurait été possible sans la bienveillance des services français. C'est le SDECE qui a joué les entremetteurs entre le Mossad et Hassan II. De même, en Tunisie, les Français aident le Mossad à organiser le départ des Juifs qui souhaitent quitter le pays. Cette réussite ne passe pas inaperçue dans la communauté du renseignement israélien.

Isser Harel voit bientôt marcher sur ses plates-bandes le Aman, l'organisme de renseignement militaire lui aussi à la recherche d'une relation privilégiée avec les Français. Le Aman discute tout naturellement avec son homologue militaire, le 2ᵉ Bureau, mais aussi avec le SDECE, à la grande irritation du Mossad. L'axe franco-israélien du renseignement va s'approfondir avec la crise de Suez et la guerre d'Algérie.

Le début de la révolte algérienne en 1954 crée une forte demande de renseignement sur le FLN et son allié égyptien, que

---

1. Ian black et Benny Morris, *Israel's Secret Wars*, Grove Press, 1991.

le Mossad connaît bien. En mai 1955, le SDECE est chargé d'éliminer les chefs du FLN, sans grand résultat. Un an plus tard, le Aman propose de fournir, grâce à une source bien placée, des renseignements en temps réel sur les déplacements des hommes-clés du FLN, incluant Ben Bella lui-même. Les Français sautent sur la proposition : renseignements contre fournitures d'armes. En octobre 1956, les renseignements israéliens permettent d'intercepter l'*Athos*, un navire sous pavillon soudanais, transportant 70 tonnes d'armes à son bord. Une semaine plus tard, c'est l'avion de Ben Bella qui est intercepté par les Français lors d'un vol entre le Maroc et la Tunisie[1]. De son côté, le Mossad n'hésite pas à envoyer à Alger un agent très discret, Avraham Barsilai, qui va repérer, armer et entraîner de jeunes Juifs de Constantine désireux d'en découdre avec le FLN[2]. Tandis que plusieurs Israéliens sont chargés de faire la liaison avec le cabinet du ministre résident à Alger pour organiser au mieux l'émigration de ceux qui le souhaitent.

Mais c'est surtout en direction de l'Égypte que la coopération entre espions français et israéliens marque l'année 1956. Dès avant la crise de Suez, une opération commando est ainsi programmée pour faire sauter la station de radiodiffusion égyptienne, Radio Le Caire. Dans la région, c'est à la fois la plus puissante techniquement, par la force de son émetteur, et la plus en pointe contre les « colonialistes occidentaux » et leur « créature », l'État d'Israël. Ses encouragements à la résistance du peuple algérien contre le colonialisme français sont insupportables pour les autorités françaises et désignent l'émetteur comme une cible de choix pour une action de sabotage. Les laboratoires du Aman mettent au point une charge explosive de 15 kilos, livrée dans un

---

1. L'origine du renseignement reste incertaine mais les sources israéliennes créditent le Aman. Voir le compte-rendu qu'en livre le colonel Parisot dans Sébastien Laurent, *Les espions français parlent*, Nouveau Monde éditions, 2011.
2. Témoignage d'Avraham Barsilai dans *Maariv* et *Le Quotidien d'Oran*, 26 mars 2005, cité dans Pierre Péan, *Carnages, les guerres secrètes des grandes puissances en Afrique*, Fayard, 2010.

attaché-case transitant à Paris entre les mains du service «action» du SDECE[1]. La mallette est envoyée par la valise diplomatique à l'ambassade de France au Caire, où l'attendent d'autres membres du service «action». Pendant ce temps arrive au Caire un agent israélien d'origine allemande. Sa couverture? C'est un représentant de la société Telefunken chargé de démarcher Radio Le Caire. Les ingénieurs égyptiens se montrent intéressés par ses produits et lui font visiter leurs installations. Ce qui permet de repérer le meilleur endroit pour placer la bombe. Il n'y aura plus qu'à revenir de nuit pour placer l'engin. Mais l'ordre d'exécution se fait attendre. Or, plus l'agent du Aman reste au Caire, plus il risque d'éveiller les soupçons.

Un matin, l'agent est réveillé par une immense clameur. De son balcon, il découvre une foule en liesse au bord du Nil. Nasser vient de nationaliser le canal de Suez! Contre toute attente, l'ordre qui arrive bientôt de Paris n'est pas de placer la bombe: l'opération est purement annulée. L'agent israélien se voit confirmer l'ordre de quitter Le Caire sans plus attendre. Et c'est ainsi qu'à l'insu même des diplomates français, en pleine crise armée entre l'Égypte et la France, les caves de leur ambassade ont dissimulé pendant plusieurs mois une bombe qui aurait pu détruire tout l'immeuble! Lorsque les hommes du SDECE finissent par récupérer la mallette par la voie diplomatique, ils poussent un soupir de soulagement.

La nationalisation du canal, qui menace un passage essentiel du transport maritime dans une région sensible, change la donne géopolitique. Britanniques, Israéliens et Français se réunissent à plusieurs reprises pour concevoir l'opération «Mousquetaire» destinée à reprendre le contrôle du canal et, pourquoi pas, précipiter la chute de Nasser. À cette occasion, le Aman partage très largement avec le renseignement militaire français ses renseignements sur l'équipement et l'ordre de bataille de l'armée

---

1. Uri Dan, *Mossad, cinquante ans de guerre secrète*, Presses de la Cité, 1995.

égyptienne. De prime abord, l'opération conjointe est un succès : le 29 octobre, Israël envahit la bande de Gaza et le Sinaï. France et Grande-Bretagne demandent aux deux parties de se retirer à 15 kilomètres du canal. L'Égypte refusant, les troupes françaises et britanniques sont parachutées sur le canal après une vague de bombardement les 5 et 6 novembre. Mais très vite, sous la pression de l'Union soviétique et des États-Unis, les trois alliés doivent se résoudre à évacuer.

Nasser triomphe ; il annonce qu'il fera dans quelques jours un discours de victoire à Port-Saïd. Amers d'avoir été si vite lâchés par les politiques, et en particulier par les Britanniques, le Mossad et le SDECE ne veulent pas en rester là. Ils élaborent un plan plus qu'audacieux : faire sauter Nasser pendant son discours !

Les Israéliens occupent encore le Sinaï. Ils en profitent pour faire traverser pendant la nuit le canal de Suez par trois agents porteurs d'un stock de TNT. Ceux-ci sont récupérés sur l'autre rive par une équipe du service « action » du SDECE, à bord d'un 4 x 4. L'équipe roule pendant la nuit jusqu'à la place principale de Port-Saïd. Elle creuse à côté du monument officiel une tranchée dans laquelle sont enterrés les 300 kilos de TNT. La charge sera déclenchée à distance par un détonateur français. Seul problème : lorsque les troupes adverses se sont retirées, Nasser n'est pas venu faire de discours comme annoncé. Il a bien fait une apparition quelques mois plus tard mais le Premier ministre Ben Gourion a refusé le déclenchement de l'explosion en raison du risque, avéré, de nombreuses victimes civiles. Par la suite, le Mossad a élaboré seul de nombreuses opérations visant à assassiner Nasser, sans jamais aller jusqu'au bout. Et le stock de TNT est resté plusieurs années enterré sous la place de Port-Saïd…

Complots contre de Gaulle

Yitzhak Shamir, ancien chef des opérations du groupe extré-miste Stern (groupe qui a été autrefois vigoureusement combattu par les Français!), est à Paris le nouveau responsable du Mossad au début des années 1960, en remplacement de Yaacov Caroz qui conserve toutefois des liens avec Paris jusqu'à son éviction en 1965 (il doit quitter le Mossad peu après son patron Isser Harel, remplacé par Meir Amit en 1964). Après 1965, ce sera au tour de Schlomo Cohen d'occuper le poste parisien, le plus important en Europe de l'Ouest. En effet, c'est depuis Paris que sont gérés la plupart des agents et sources en pays arabes, notamment en Égypte et en Syrie.

La collaboration entre agences françaises et israéliennes reste étroite dans les années 1956-1965. Les Français permettent aux Israéliens de débusquer une taupe du KGB au sein de leurs propres services. Un officier des services polonais fait défection en France. Il remet à la DST la liste des agents polonais implantés en Europe et dans plusieurs pays. Ses indications permettent d'orienter l'enquête sur un membre de la section opérations du Shin Bet, l'homologue de la DST. En charge de missions photographiques pour son service mais aussi pour le Mossad, c'est le plus naturellement du monde qu'entre deux missions, il «tirait le portrait» de ses collègues de bureau. Et c'est ainsi qu'un double des photos se retrouvait dans les fichiers du KGB... Ce qui peut expliquer pourquoi nombre d'entre eux, en mission à Moscou, faisaient l'objet d'une surveillance agressive de la part des services soviétiques.

En France, menace russe mise à part, la guerre d'Algérie demeure la préoccupation essentielle. Le retour au pouvoir du général de Gaulle semble d'abord marquer un durcissement dans la lutte contre les indépendantistes algériens et les renseignements glanés par le Mossad et le Aman restent appréciés à la centrale du boulevard Mortier[1]. Ben Gourion conseille même à de Gaulle de procéder à une partition de l'Algérie, les Français devant conserver la région côtière...

Mais ce n'est pas la voie suivie par le général qui, dès 1960, décide d'avancer vers une solution négociée. En 1961, le

---

1. Sur les détails de cette lutte, voir Constantin Melnik, *De Gaulle, les services secrets et l'Algérie*, Nouveau Monde éditions, 2010.

référendum approuvant le principe d'autodétermination des Algériens et l'ouverture de pourparlers avec le gouvernement provisoire de la République algérienne changent le contexte. En réaction, l'OAS est créée cette même année pour lutter contre l'abandon de l'Algérie. La rumeur court dans les rédactions que le Mossad soutient les tenants de l'Algérie française. Selon le *Jerusalem Post* du 11 janvier 1962, des commandos juifs seraient à la manœuvre dans la région d'Oran pour liquider des chefs musulmans, mais aussi des officiers français légalistes luttant contre l'OAS. Va-t-on vers une rupture entre les deux alliés ? Selon le témoignage d'Isser Harel[1], une personnalité française de premier plan a bel et bien proposé aux Israéliens de faire assassiner de Gaulle lors d'une visite en Algérie par un Arabe israélien manipulé par le Mossad ! En échange de quoi Israël aurait reçu gratuitement toutes les armes dont elle avait besoin pendant des années... Lorsqu'elle est prévenue de cette démarche, Golda Meir alors ministre des Affaires étrangères fait prévenir Ben Gourion qui donne ordre à l'ambassadeur d'Israël à Paris d'alerter l'Élysée. C'est le colonel de Boissieu, gendre du président et chef de son cabinet militaire, qui recueille la nouvelle et alerte les services. Moins d'un mois plus tard, le putsch des généraux est déclenché à Alger. Si de Gaulle avait été abattu à ce moment, le putsch avait de bonnes chances de réussir. Recevant quelques mois plus tard Ben Gourion à Paris, le général lui témoignera une reconnaissance chaleureuse.

---

1. Michel Bar-Zohar, *J'ai risqué ma vie, Isser Harel, le numéro 1 des services secrets israéliens*, Fayard, 1971.

Courte échelle atomique

Un aspect inattendu des discussions franco-israéliennes au plus haut niveau pendant la crise de Suez est qu'elles ont donné naissance à une coopération scientifique très poussée, qui a permis aux deux partenaires d'atteindre l'indépendance dans le domaine atomique. La décision est prise pendant la conférence de Sèvres, du 22 au 24 octobre 1956, entre Maurice Bourgès-Maunoury (ministre des Armées), Guy Mollet (président du Conseil) et Shimon Peres. La France fournira à Israël un petit réacteur à uranium et de l'eau lourde. La livraison d'un deuxième réacteur est décidée un an plus tard : le 3 octobre 1957 est signé un nouvel accord pour construire un réacteur de recherche de 24 mégawatts. Ce sera l'usine de Dimona, dans le désert du Néguev. La France achète à la Norvège 4 tonnes d'eau lourde qui sont transférées secrètement en Israël par l'armée de l'air, sous condition de ne pas revendre ce stock à un pays tiers. Quelques années plus tard, Israël sera en mesure de fabriquer sa bombe, ce qui ne sera jamais reconnu officiellement[1]. Ce programme n'a pas échappé aux services américains, qui ont laissé faire en toute connaissance de cause. Début 1961, une note de la CIA signale : « Il y a de nombreuses preuves que la France fournit les plans, les matériels, l'équipement, une assistance technique, et forme le personnel israélien[2]. » En échange, estiment les experts de la CIA, les Israéliens apportent aux Français une aide à leurs recherches atomiques. L'arrivée du général de Gaulle au pouvoir ne va pas interrompre la collaboration, une majorité de ses collaborateurs étant pro-israéliens, à l'image du Premier ministre Michel Debré.

---

1. Voir Pierre Péan, *Les deux bombes. Comment la France a « donné » la bombe à Israël et à l'Irak*, Fayard, 1982, et Roger Faligot et Jean Guisnel, *Histoire secrète de la Vᵉ République*, La Découverte, 2006.
2. « The French-Israeli Relationship », 26 janvier 1961, cité dans Vincent Nouzille, *Des secrets si bien gardés*, Fayard, 2009.

Les Israéliens ont également besoin de missiles de longue portée pour compléter leur panoplie. Le ministère des Armées les envoie chez Marcel Dassault, qui va concevoir à leur demande un engin ultramoderne, d'une portée de 500 kilomètres, tout en informant le chef de l'État de ce programme. Après 1969, les Israéliens continueront seuls à fabriquer ce missile promis à un grand avenir sous le nom de Jéricho.

Petites fâcheries entre amis

L'affaire Ben Barka va marquer à plusieurs titres un tournant dans les relations franco-israéliennes. L'enlèvement, puis l'assassinat de l'opposant marocain Mehdi Ben Barka en plein cœur de Paris ouvre une crise sérieuse entre les alliés. On l'a vu, depuis l'arrivée d'Hassan II sur le trône du Maroc en 1961, le Mossad bénéficie d'une relation privilégiée avec les services marocains, qui va jusqu'à assurer pour eux des stages de formation. En 1965, le général Oufkir, ministre de l'Intérieur et patron des services marocains, rencontre Meir Amit et sollicite l'aide du Mossad pour éliminer Ben Barka, condamné par contumace pour complot contre le roi. Ben Barka est attiré à Paris par un agent du Mossad sous prétexte de rencontrer un producteur et réalisateur intéressés par un documentaire. À la sortie de la brasserie Lipp, il est enlevé avec l'aide d'agents du SDECE. Il est détenu dans une villa appartenant à une figure du milieu puis tué en présence d'Oufkir. Son corps n'a jamais été retrouvé. Le scandale est énorme et oblige à ouvrir une enquête qui aboutira à la purge de certains éléments pro-OAS du SDECE. Les services français restent discrets sur la participation du Mossad à l'opération, mais n'en pensent pas moins. À Tel-Aviv, Isser Harel qui a été remplacé par Meir Amit à la tête du Mossad, mais qui s'est remis en selle comme conseiller du Premier ministre, ouvre une controverse contre son successeur pour avoir compromis le service dans une sordide opération et mis en péril la relation privilégiée avec les Français. Menaçant de faire un scandale, Meir Amit, pourtant mis en cause par une commission d'enquête confidentielle, parviendra à sauver son poste tandis que Harel prendra la porte l'année suivante.

Côté français, l'affaire Ben Barka ne suffit pas à elle seule à expliquer un refroidissement prolongé. La guerre des Six-Jours porte un coup de canif plus profond dans une relation devenue moins intense depuis la fin de la guerre d'Algérie. Pendant la crise de mai 1967, de Gaulle demande à Israël de ne pas mener d'attaque préventive contre ses voisins arabes. Après l'attaque foudroyante d'Israël, le général décide d'instaurer un embargo contre la vente d'armes, et en particulier des avions Mirage qui ont fait merveille pendant les combats. Une attaque commando des forces spéciales israéliennes sur l'aéroport de Beyrouth en décembre 1968, en réplique à des attentats palestiniens contre les avions d'El Al, envenime la situation : de Gaulle ordonne de durcir les conditions de l'embargo et interdit la livraison de cinq vedettes tout juste sorties des chantiers de construction mécanique de Normandie, et pourtant déjà payées par Israël.

L'embargo décrété par de Gaulle ne pénalise pas trop les Israéliens en matière aérienne car, avec une conception très extensive de l'entretien technique, Bénouville fait envoyer par les usines Dassault d'énormes quantités de «pièces détachées» qui, une fois assemblées, deviennent des Mirage tout neufs! Ce trafic n'est pas ignoré des autorités politiques qui laissent faire, comme le racontera plus tard Georges Pompidou : «On laissait passer en fermant les yeux sur tout ce qui était pièces de rechange[1].» Encore plus audacieux, alors que les échanges ont beaucoup baissé en 1970, un mystérieux intermédiaire se faisant appeler M. Jackel se présente au ministère de la Défense sud-africain comme un représentant des établissements Dassault et propose une affaire étonnante : Dassault souhaite continuer à vendre ses

---

1. Cité par Éric Roussel, *Georges Pompidou*, Perrin, collection «Tempus», 2004.

avions à Israël par l'intermédiaire des Sud-Africains! La firme française vient de recevoir une offre de la Libye pour acquérir cinquante Mirage et va devoir exécuter la commande... sauf si l'Afrique du Sud passe une commande similaire, auquel cas on sera heureux de la servir en priorité et de reporter *sine die* la commande libyenne[1]... Pour faire une telle offre, il faut à coup sûr être très au fait des arcanes de la diplomatie la plus secrète.

L'affaire ne se fera pourtant pas. Les Israéliens sont inquiets de voir que désormais Dassault prospecte avec la bénédiction ou sous l'impulsion des autorités françaises un pays ennemi comme la Libye, avec qui un contrat sera signé début 1970. Le Mossad fera sortir l'information à la veille d'une visite du président Pompidou aux États-Unis, provoquant des manifestations de mouvements juifs américains sur son passage. Ce qui suscite l'irritation du Premier ministre Chaban-Delmas, rappelant que pour la seule année 1969 la France a livré 200 tonnes de pièces détachées de Mirage à Israël, ce qui permet de construire trente avions[2]. Devant la menace d'étendre l'embargo aux pièces détachées, la tempête médiatique se calme subitement.

Désormais, les services israéliens sont en première ligne pour obtenir par la ruse les armes auxquelles leur pays n'a plus accès. Deux opérations illustrent ce changement. Après l'embargo de 1967, l'armée de l'air israélienne prend conscience que son leadership aérien est menacé. L'ensemble du monde arabe échaudé par la guerre des Six-Jours veut s'équiper de Mirage! Pour rester à la pointe, Israël doit développer son propre avion de combat. Évidemment, impossible de partir de zéro. La solution est simple : dérober les plans du Mirage III. Pas à Paris, où ils sont trop bien gardés et où une opération ratée ferait scandale. Mais en Suisse, où des Mirage III sont produits sous licence. Une

---

1. Archives du ministère des Affaires étrangères sud-africain, mémo «*Supply of Mirages to Israel*» du 16 janvier 1970, 1/8/5, vol. 2, cité par Sasha Polakow-Suransky, *The Unspoken Alliance, Israel's Secret Relationship with Apartheid South Africa*, Pantheon, 2010.
2. V. Nouzille, *op. cit.*

opération conjointe est montée par l'armée de l'air, le Mossad et le Lakam (Bureau de liaison scientifique, sorte de Mossad bis dédié comme son nom l'indique à l'espionnage scientifique). La cible : un ingénieur suisse d'origine juive, Alfred Frauenknecht. Il agira à la fois par idéologie et par besoin d'argent. Avec l'aide de son neveu, il va photocopier de nuit pas moins de 200 000 pages de plans et spécifications techniques. Il est repéré à la toute fin de sa mission et arrêté en 1969. Les tribunaux suisses le condamnent à quatre ans et demi de prison, mais il sera libéré au bout d'un an. Grâce à lui, l'industrie israélienne progresse à pas de géant et produit en un temps record son propre avion de chasse, le Nesher, qui ressemble comme un frère au Mirage. Après quelques années de modifications, ce modèle deviendra le célèbre Kfir, lui aussi promis à un beau succès d'exportation.

Autre dossier chaud : les cinq vedettes lance-missiles que les Israéliens ont payées d'avance sont toujours bloquées à Cherbourg. Les négociations n'aboutissant pas, on ira les chercher par la ruse, en les rachetant sous couvert d'une fausse société norvégienne de prospection pétrolière. L'opération se déroule pendant les fêtes de Noël 1969[1].

Ces coups de main, qui témoignent du savoir-faire des services israéliens, ont un revers : l'ambiance n'est plus vraiment amicale avec les collègues français. Bien sûr, le contact n'est pas rompu, et même des amitiés discrètes permettent encore d'obtenir certaines informations, mais on a atteint un point bas dans la coopération. Selon un ancien du Mossad, à la fin des années 1960, la station européenne du Mossad, qui coordonnait toutes les opérations en Europe de l'Ouest, est tout simplement « expulsée » de Paris : les Français demandent poliment mais fermement aux Israéliens d'aller s'installer ailleurs. Le choix se portera sur la capitale la plus proche, à savoir Bruxelles. Le Mossad ne conservera qu'une

---

1. Voir Gordon Thomas, *op. cit.*

équipe réduite à Paris, pour le suivi des affaires françaises[1]. Du point de vue israélien, cette fâcherie est moins grave qu'elle aurait pu l'être une décennie plus tôt. En effet, les services français ne sont plus les partenaires privilégiés en matière de renseignement. Désormais, et pour longtemps, le Mossad vit une lune de miel avec les services américains.

---

1. Certains anciens responsables de la DST estiment cependant qu'au début des années 1980, l'équipe du Mossad à l'ambassade était trop nombreuse pour se consacrer aux seules opérations françaises.

Chapitre 2

Les amis américains

Dès la fin des travaux du 20ᵉ congrès du Parti communiste d'URSS en février 1956, la rumeur commença à courir dans les services secrets occidentaux qu'un virage radical venait d'être pris par le Premier secrétaire Nikita Khrouchtchev: rien moins que la critique des excès et du culte de la personnalité de son prédécesseur Joseph Staline! En juin, la rumeur se transforma en information lorsque le *New York Times* publia un des plus beaux scoops de son histoire: le texte intégral du discours secret de Khrouchtchev! Ce texte comportait une critique encore plus virulente qu'annoncée des crimes staliniens. Et il causait un embarras considérable aux communistes du monde entier. Les responsables du journal affirmèrent qu'ils avaient reçu ce texte du Département d'État, mais on se demanda longtemps d'où ce dernier tenait ce document authentique, aucun journaliste ni délégué étranger n'ayant pu assister au discours.

La réponse est que ce document fut un cadeau du Mossad pour entrer dans les bonnes grâces de la puissante CIA (véritable source du *Times*). En remettant ce texte aux Américains sans leur demander de contrepartie immédiate, le Mossad jusqu'ici tenu pour un «petit» service, en faisait ses obligés. Il se garda bien d'expliquer par quel canal il l'avait obtenu, ce qui lui valut une réputation d'omniscience. Rien n'interdisait en effet de penser que le Mossad disposait d'une source haut placée au sein du

Parti communiste d'URSS, organisme resté jusque-là inviolable. La vérité est moins grandiose, puisque la fuite résulta d'une série de hasards et d'imprudences.

En dehors de l'URSS, seuls les responsables suprêmes des partis communistes «frères» d'Europe de l'Est avaient reçu une copie numérotée du texte. Le secrétaire général du Parti communiste polonais, Edouard Ochav, fut si ému par le contenu qu'il commit l'imprudence d'en distribuer copie à ses plus proches collaborateurs pour discussion interne. Parmi les destinataires figurait une responsable du parti qui avait elle-même un gros faible pour Victor Grayewsky, un journaliste polonais d'origine juive. Elle lui laissa consulter le dossier pendant quelques heures. Ce dernier, désabusé par le système communiste, envisageait depuis quelque temps d'émigrer en Israël. Il se rendit déguisé à l'ambassade d'Israël muni d'une copie du précieux document, qui fut promptement photocopié avant d'être restitué à sa propriétaire.

Ce premier «scoop» du Mossad fut gagné d'une courte tête : quelques jours plus tard, Frank Wisner, alors directeur adjoint de la planification à la CIA reçut une autre copie du document, communiquée par les services français. À quelques jours près, le SDECE aurait pu se tailler à Langley et Washington une réputation considérable !

Par la suite, les émigrés juifs arrivant d'URSS en Israël restèrent une source précieuse de renseignements sur la vie quotidienne dans l'empire soviétique. Chaque arrivant était soigneusement débriefé par le Mossad, qui repérait les éléments les plus prometteurs pour peupler ses services en spécialistes des pays de l'Est. Le Mossad récupérait aussi les papiers officiels, titres de transport, cartes de rationnement et tous types de documents pouvant être fort utiles à des agents infiltrés derrière le rideau de fer. Ces trésors étaient partagés avec la CIA. De son côté, cette dernière, toujours sous le charme de ses amis israéliens, fournissait de l'équipement d'espionnage de haute technologie, des stages de formation, et surtout partageait ses renseignements sur le monde arabe. L'agent de liaison entre les deux agences fut un personnage des plus fantasques : James Jesus Angleton fut quasiment l'interlocuteur exclusif du Mossad de 1951 au début des années 1970 et resta célébré après sa mort comme un véritable ami d'Israël.

Myope, courbé et toujours vêtu de noir, cet ancien étudiant en littérature intégra l'OSS pendant la Seconde Guerre mondiale puis contribua, comme envoyé des services américains, à la victoire des chrétiens-démocrates aux élections de 1948 en Italie. Il créa, en 1954, le bureau de contre-espionnage de la CIA. Pendant vingt ans, il veilla à empêcher toute pénétration des services américains par le KGB, développant une paranoïa impressionnante qui lui fit briser la carrière de nombre de ses collègues[1].

C'est pendant son séjour en Italie qu'Angleton était entré en contact avec les futurs cadres du Mossad, alors occupés à organiser l'émigration juive en Terre promise. Ces contacts soigneusement entretenus devaient conduire à le désigner comme agent de liaison avec les Israéliens. Seul habilité à leur parler, Angleton orientait parfois leurs renseignements dans la direction que lui dictait son anticommunisme viscéral. Au début des années 1960, il affirma que « ses amis du Mossad » pensaient comme lui que la rupture diplomatique entre la Chine et l'URSS n'était qu'une ruse. De leur côté, les responsables du Mossad prêtaient toujours une oreille attentive à ses analyses parfois confuses, trop heureux d'avoir trouvé en lui un avocat inconditionnel, prêt à défendre leurs besoins. Certains au sein de la CIA ne manquèrent pas de dénoncer la trop grande complicité entre Angleton et ses « amis », au point de le qualifier parfois d'« agent coopté » des Israéliens.

Angleton sut exploiter à fond le scoop du discours de Khrouchtchev pour construire au sein de la CIA la réputation du Mossad.

---

1. Voir Gérald Arboit, *James Angleton, le contre-espion de la CIA*, Nouveau Monde éditions, 2007.

Ce crédit allait s'avérer nécessaire pour digérer la crise de Suez en 1956. On l'a vu, l'intervention franco-israélo-britannique pour libérer le canal de Suez nationalisé par Nasser fut décidée sans l'aval préalable des États-Unis. Lorsque la CIA s'aperçut que des mouvements de troupes israéliennes se préparaient, Angleton se voulut rassurant et affirma qu'il s'agissait de «simples manœuvres». On le crut pendant quelques heures, avant que l'évidence ne s'impose d'elle-même.

Furieux d'avoir été trompé, et surtout de passer pour mal informé aux yeux du président Eisenhower, Allen Dulles, le patron de la CIA, appela personnellement Isser Harel pour lui passer un savon qui dut être efficace, puisqu'on ne reprit pas de sitôt le Mossad à mentir aussi effrontément à ses alliés américains. Le canal CIA-Mossad devait rester la courroie de transmission privilégiée entre les deux pays en temps de crise, au détriment des diplomates.

Bien entendu, les Américains étaient au courant de la «relation privilégiée» entre services français et israéliens, et s'en accommodaient. Officiellement, ils n'étaient pas au courant des accords de coopération secrète sur le nucléaire... En réalité cette coopération leur fut connue au minimum depuis 1958[1]. L'essentiel de la recherche nucléaire israélienne se faisait au sein de l'Institut Weizmann, en grande partie financé par le gouvernement des États-Unis!

Opération «KK Mountain»

Dans une forme complémentaire d'association, le Mossad devint dans la deuxième moitié des années 1950 une sorte de sous-traitant de la CIA dans certaines parties du monde que les Américains avaient du mal à pénétrer, ou pour accomplir certaines missions avec lesquelles la CIA ne souhaitait pas se

---

1. Voir Jeffrey Richelson, *Spying on the Bomb*, Norton, 2006.

salir les mains[1]. Ce fut le programme « KK Mountain », dont la première phase fut mise en place avec les services secrets turcs en faveur de la police secrète du Shah d'Iran, la Savak, fin 1958. Il s'agissait de former et d'équiper le service iranien, et d'assurer un échange de renseignements entre les services. Cette première opération permit d'instaurer une forte coopération économique et, plus tard, des postes d'écoutes aux frontières de l'URSS.

Les services rendus par le Mossad étaient rémunérés directement par la CIA en fonds secrets : dans les années 1960, le programme « KK Mountain » représentait un budget annuel de 10 à 20 millions de dollars. Il fut étendu à plusieurs autres pays. Au-delà des aspects financiers, cette opération permit de développer une alliance stratégique durable avec l'Iran et la Turquie, deux puissances du monde musulman, permettant de faire contrepoids à l'encerclement d'Israël par des pays arabes ouvertement hostiles. Cette stratégie d'alliances périphériques devait se développer par la suite en Afrique et en Asie.

L'alliance israélo-iranienne bénéficia à un homme d'affaires israélien proche des services secrets. Yaacov Nimrodi, né en 1927 à Jérusalem au sein d'une famille issue du Kurdistan irakien, fut recruté dès son adolescence par le SHAI. Sa connaissance de l'arabe le fit affecter à des missions secrètes en Jordanie pendant la guerre d'indépendance. Il rejoignit ensuite le Aman (renseignement militaire), où il eut l'occasion de rencontrer le jeune Ariel Sharon dont il devint l'ami. De 1955 à 1968, Nimrodi fut placé en poste à Téhéran comme attaché militaire, où il fut l'architecte de la relation secrète entre services israéliens et iraniens, tout en orchestrant la rébellion kurde en Irak à partir de 1961. L'agitation kurde contre le régime irakien se faisait avec le plein accord des services américains. Jusqu'en 1975, quand le Shah passa un accord avec Saddam Hussein, les Kurdes d'Irak furent alors brusquement abandonnés à leur sort incertain.

---

1. Le Mossad ne fut pas le seul dans ces années : les services secrets allemands et jordaniens faisaient de même.

À Téhéran, Nimrodi qui avait un accès direct au Shah faisait office de représentant permanent d'Israël. Il recevait ministres et hauts gradés de l'armée iranienne et leur prodiguait de luxueuses faveurs. En 1968, il décida de quitter l'armée qui ne lui offrait pas de poste à sa mesure, et mit à profit son carnet d'adresses à Téhéran pour devenir le point de passage obligé des entreprises israéliennes en Iran. Toutes les affaires du pays se réglaient moyennant de confortables commissions pour lui.

Affaires africaines

Nimrodi ne fut pas le seul à s'épanouir dans le cadre du programme «KK Mountain». En effet, celui-ci fut étendu pour couvrir plusieurs pays africains. Cela répondait au désir des Américains de contrer l'influence soviétique sur le continent noir, mais aussi à une préoccupation stratégique d'Israël. Dans la deuxième moitié des années 1950, Moscou soutenait la Syrie et l'Égypte, alors que les États-Unis affectaient encore de tenir la balance égale entre Israël et ses voisins arabes, espérant ramener ces derniers dans leur orbite. Le congrès des pays non-alignés de Bandung en 1955, auquel Israël fut d'abord invité avant d'être rayé de la liste sous la pression des pays arabes, eut l'effet d'un électrochoc : il fallait absolument contrer le lobbying des Arabes dans les pays en voie de développement, faute de quoi l'État juif se trouverait isolé. Ce furent Reuven Shiloah et Isser Harel qui développèrent la stratégie des alliances périphériques, consistant à rechercher des alliés au-delà du cercle des pays arabes hostiles à Israël. La Turquie, l'Iran, mais aussi nombre de pays africains répondaient parfaitement à cet objectif. Récemment décolonisés, ils avaient besoin d'assistance technique et militaire, sans compter la nécessité de former des services secrets. Un domaine dans lequel le Mossad avait quelques lumières.

L'homme-clé des opérations en Afrique noire, David Kimche, fut l'une des stars du Mossad dans les années 1960 et 1970. Il bâtit sa réputation en développant un impressionnant réseau de points d'entrée dans l'entourage de nombreux chefs d'État, à l'égal des Français et des Britanniques. C'est ainsi qu'en Éthiopie fut développée une relation privilégiée avec le très anticommuniste empereur Hailé Sélassié. L'endroit était idéalement situé pour tenir à l'œil des pays voisins comme le Soudan, et suivre les décolonisations. L'Éthiopie étant à l'époque un pays d'élevage, le Mossad s'installa sous le paravent d'une société d'import-export nommée Incoda. Voici le récit d'un ancien du Mossad : « Incoda était la base du Mossad en Afrique. Nous y tenions une énorme cache d'armes... Nous servions de couverture dans les deals du Mossad. Quand ils devaient envoyer quelqu'un dans un pays arabe, ils le faisaient à travers nous. Nos navires transportaient le courrier aux espions postés dans les pays arabes[1]. » En échange de son hospitalité, le Mossad soutenait fermement l'empereur contre les tentatives de coups d'État. Après son départ en 1974, le nouveau régime marxiste n'expulsa pas le Mossad, jugé utile pour maintenir un canal de communication indirecte avec les Américains, moyennant quelques fournitures d'armes.

L'Éthiopie ne fut pas, loin de là, le seul pays où Kimche exerça ses talents dans le cadre de « KK Mountain ». Au fil des indépendances, la crainte des États-Unis de voir l'Afrique tomber dans l'escarcelle des communistes grandissait. La présence de conseillers militaires et agricoles israéliens pouvait aider à prémunir les nouveaux régimes contre les séductions soviétiques. Du point de vue de la CIA, il était intéressant que les Israéliens lui servent de faux nez, car cela permettait d'éviter les accusations d'impérialisme. Israël, qui avait lutté pour acquérir son indépendance, était crédible comme allié anticolonialiste, et intéressé par le développement de relations économiques, offrant des débouchés pour son industrie.

---

1. Témoignage recueilli par Benjamin Beit-Hallahmi dans *The Israeli Connection*, Pantheon books, 1987.

Mais il devint vite évident que les chefs d'État attendaient surtout des armes et du savoir-faire militaire. Au Sénégal, en Côte d'Ivoire, au Rwanda, en Ouganda, au Zaïre, les Israéliens furent accueillis à bras ouverts. Bien avant de devenir chef d'État à la faveur d'un coup d'État aidé par la CIA en 1964, le général Mobutu, alors chef des armées, fut accueilli en Israël dans le cadre d'un exercice au cours duquel lui fut remis l'insigne des parachutistes israéliens qu'il arbora fièrement pendant la suite de sa visite.

Un agent du Mossad nommé Meir Meyouhas cultivait l'amitié du général depuis plusieurs années. Son renvoi du service en 1960 pour avoir détourné l'argent d'une mission ne l'empêcha pas de s'installer au Zaïre et d'y rester « l'homme des Israéliens » jusqu'à la chute du dictateur, tout en faisant fortune à ses côtés. En Ouganda, le Mossad cultiva également l'amitié d'Idi Amin Dada alors qu'il n'était encore qu'un chef d'état-major à la sauvagerie bien connue. En février 1971, le président ougandais Obote, que Britanniques et Américains trouvaient de plus en plus antipathique à cause de ses projets de nationalisation de sociétés occidentales, forma le funeste projet de limoger Idi Amin Dada. Le MI6 et le Mossad firent alors savoir à ce dernier qu'il avait toutes les raisons de réagir avant sa chute, et qu'on saurait l'aider dans son entreprise. Le militaire une fois au pouvoir, ce fut le début d'un eldorado commercial en matière de vente d'armes.

La CIA et ses alliés ne s'émurent pas outre mesure des massacres que commit Amin Dada sur son peuple entre 1971 et 1979, abattant personnellement pas moins de trois cents personnes. En 1972, il décida d'attaquer la Tanzanie voisine, où l'ex-président Obote s'était réfugié, et il réclama aux Israéliens des avions de chasse américains. Ceux-ci ne pouvant ou ne voulant lui donner satisfaction furent expulsés. Cependant le départ de la délégation militaire ne marqua pas la fin des opérations de « KK Mountain » dans la région et en Ouganda. Les contacts accumulés dans le pays furent très précieux lorsqu'il fallut monter une opération pour libérer un avion d'Air France pris en otage par un commando palestinien et détourné sur l'aéroport d'Entebbe, en Ouganda, en 1976. Le désormais fameux « raid d'Entebbe » ne put réussir que par la conjonction de contacts sur place, le soutien logistique du Kenya assuré par un conseiller britannique du président Kenyatta, et les informations fournies par les services français sur la base des témoignages des premiers Français libérés par les terroristes.

En Angola, le Mossad fut également mis à contribution par la CIA pour combattre la guérilla marxiste du MPLA (Mouvement populaire de libération de l'Angola) au début des années 1970. Les Israéliens étaient réticents à l'idée d'envoyer des combattants, mais ils fournirent volontiers du matériel et une assistance technique aux équipes de la CIA, parfois frustrées de recevoir du matériel de mauvaise qualité selon les souvenirs de l'ancien chef de poste John Stockwell[1].

Une liaison dangereuse

Les Israéliens s'investirent enfin fortement dans une alliance étonnante avec l'Afrique du Sud. Ce régime d'apartheid, dont certains dirigeants étaient d'anciens fervents supporters du nazisme, était *a priori* assez éloigné des idéaux portés par les pères fondateurs de l'État juif. Cependant, il abritait une large communauté juive. Et c'était un important producteur d'uranium, ce qui avait déjà conduit l'administration Truman à faire preuve d'une grande mansuétude à son égard. L'administration Eisenhower ne fut pas en reste, qui offrit à Pretoria dans le cadre du programme « Des atomes pour la paix » son premier réacteur nucléaire à des fins de recherche, pour des applications strictement civiles. Pendant ce temps, on s'en souvient, Israël développait son propre programme nucléaire

---

1. John Stockwell, *In Search of Enemies*, Norton, 1978.

avec la France. Et avait besoin de se procurer discrètement du *yellowcake*, un composé d'uranium pouvant être enrichi au niveau nécessaire pour produire des armes atomiques. L'Afrique du Sud commença à en vendre de petites quantités à Israël dès 1962. Mais au bout de quelques années, Israël avait besoin d'acquérir une très grosse quantité de ce composé. C'est en 1968 que fut montée par le Mossad une opération des plus audacieuses : il s'agissait de se procurer rien moins que 200 tonnes de *yellowcake* sur le marché noir et faire venir la marchandise en Israël sans laisser de trace[1].

La collaboration entre le Mossad et le BOSS, son homologue sud-africain, débuta en 1964 et se traduisit par l'envoi de matériel d'écoutes sophistiqué, l'échange d'informations sur les mouvements palestiniens en contact avec l'ANC, mais aussi par des formations aux méthodes de guerre psychologique et d'assassinats ciblés développées par le Mossad. On retrouve ainsi sa signature dans la pratique, nouvelle pour le BOSS, des colis piégés envoyés aux leaders de l'ANC en exil.

L'alliance avec un régime d'apartheid devait valoir à Israël un sérieux revers diplomatique pendant la guerre de Kippour en 1973, lorsque vingt et un pays africains rompirent leurs relations diplomatiques avec l'État juif, en double signe de solidarité avec les États arabes et de réprobation envers l'alliance sud-africaine.

Autre inconvénient, cette coopération fut la source d'une des fuites les plus désagréables de toute l'histoire du renseignement israélien. La relation avec les Israéliens en matière militaire se traduisait par des visites fréquentes de hauts gradés de part et d'autre, comme en janvier 1975, lorsqu'un groupe d'officiers israéliens fut accueilli sous la houlette du patron du renseignement militaire sud-africain pour discuter des menaces chinoise, russe et palestinienne. Lors d'une autre réunion la même année fut conclu l'achat par l'Afrique du Sud de deux

---

1. Voir Pierre Péan, *Les deux bombes*, Fayard, 1991.

cents tanks et de quantités importantes de munitions pour un total de près de 200 millions de dollars. Le problème est que rien de ce qui se disait dans ses réunions n'échappait aux services du renseignement militaire russe, le GRU, qui disposait depuis le début des années 1960 d'une taupe de haut niveau en Afrique du Sud.

Dieter Gerhardt, un officier supérieur de la Marine sud-africaine, commandant la base navale de Simonstown, fréquentait pour son travail le centre d'écoutes de Silvermine qui surveillait pour le compte de l'OTAN les communications maritimes et sous-marines de tout le continent. Il avait accès à de nombreux documents discutant l'alliance israélienne, mais aussi à tous les rapports de renseignement diffusés dans le cadre de l'OTAN. Il était né en Afrique du Sud de parents allemands. Son père, sympathisant nazi, fut emprisonné durant la Seconde Guerre mondiale avec des militants nationalistes. À l'adolescence, le jeune Dieter s'opposa aux idées familiales et à l'ordre établi, avant d'intégrer tout de même l'École navale et de devenir officier. C'est lors d'un stage de formation au collège naval de Plymouth en Angleterre qu'il fut « recruté », manière peut-être de donner un exutoire à sa révolte de jeunesse. Non content d'assister aux visites d'officiers israéliens, Gerhardt eut l'occasion de participer à une visite en Israël cette même année 1975. Les réunions auxquelles il participa sur place, au ministère, au sein des labos de recherche et développement, et même au très secret Lakam le convainquirent qu'Israël prenait désormais ses dispositions pour élargir sa palette de production d'armes, et s'appuyait sur l'Afrique du Sud pour cofinancer cet effort. Gerhardt prit d'abondantes notes qu'il envoya dès son retour à Moscou. En 1977, Gerhardt suivait naturellement les développements du programme nucléaire sud-africain. Il parvint à s'introduire dans le centre de recherche de Kalahari et à prendre des photos des installations, qui furent transmises au GRU. Quelques semaines plus tard, l'ambassadeur soviétique présentait au président

Jimmy Carter – alors en pleines vacances – des preuves que les Sud-Africains préparaient, avec la complicité d'Israël, un test atomique souterrain dans le désert de Kalahari. Un avion espion fut envoyé qui confirma l'information.

Les Russes alertèrent de la même façon les Européens, surjouant l'indignation, pour que ces derniers fassent pression à leur tour. Les Sud-Africains durent démanteler en catastrophe leur installation et promettre qu'il n'y avait aucun test nucléaire en vue. Ce n'est que des années plus tard lorsque Gerhardt fut découvert et arrêté que les responsables israéliens comprirent que nombre de leurs secrets militaires les plus sensibles avaient été livrés à l'ennemi[1]. C'est le Mossad qui, au terme d'une enquête serrée de plusieurs mois, désigna Gerhardt comme le coupable des fuites. Une équipe le suivit deux années de suite avec son épouse pendant leurs vacances annuelles en Europe de l'Ouest. À chaque fois, ils brouillaient les pistes en enchaînant les séjours dans plusieurs capitales avant de s'envoler pour Moscou avec de faux passeports britanniques ou canadiens. Dans la capitale soviétique, les correspondants du Mossad virent le couple lors d'une sortie dans une loge officielle du Bolchoï. Peu après leur retour, le Mossad remit un dossier complet à ses homologues du BOSS, le service sud-africain.

Pour Israël, la relation avec l'Afrique du Sud, premier client de son industrie militaire mais bientôt sous le coup d'un embargo international, devenait compliquée à gérer. Il fallait à la fois donner des gages verbaux de condamnation de l'apartheid, tout en préservant l'essentiel de la relation commerciale. Et en conseillant les Sud-Africains sur la meilleure façon de restaurer leur image dans les médias occidentaux. Dès 1976, le ministre de l'Information Connie Mulder et son adjoint Eschel Rhoodie lancèrent une campagne médiatique au financement quasi illimité. Suivant les conseils d'un ancien agent de la CIA et d'un

---

1. Voir Sasha Polakow-Suransky, *The Unspoken Alliance, Israel's Secret Relationship with Apartheid South-Africa*, Pantheon Books, 2010.

homme d'affaires proche des services israéliens[1], ils achetèrent des journaux, financèrent des partis d'extrême droite, payèrent des lobbyistes à Washington et subventionnèrent même des campagnes électorales aux États-Unis pour faire battre des sénateurs démocrates farouchement anti-apartheid. Tout cela pour un résultat des plus limités en termes d'image. Comme Mulder et Rhoodie utilisaient pour cela les fonds secrets du ministère, blanchissaient l'argent ministériel via des comptes en Suisse et même en mettaient un peu de côté pour eux au passage, le scandale finit par leur éclater à la figure, prenant dans le pays une ampleur équivalente à celle d'un Watergate.

Le lien commercial et militaire entre Israël et l'Afrique du Sud ne devait pas disparaître de sitôt. Mais il n'était plus possible de l'assumer dans la durée. Le résultat de cette contradiction fut qu'au milieu des années 1980 le besoin de renouer des liens avec d'autres États africains l'emporta sur le risque de se fâcher avec l'Afrique du Sud. En août 1986, Shimon Peres accomplit la première visite officielle d'un Premier ministre israélien en Afrique depuis les années 1960, se rendant au Cameroun en compagnie de David Kimche, l'ex-monsieur Afrique du Mossad, pour rencontrer le président Paul Biya. Kimche avait déjà préparé le terrain en effectuant plusieurs déclarations publiques contre l'apartheid – qui reflétaient d'ailleurs le fond de sa pensée. Peres déclara à Paul Biya dans le blanc des yeux : « Un Juif qui accepte l'apartheid n'est plus un Juif. Les Juifs et le racisme ne vont pas ensemble. » Cette même année, le Congrès américain votait une loi qui prohibait en pratique la vente d'armes à l'Afrique du Sud, sous peine de sanctions de la part des États-Unis. Il allait encore falloir quelques années pour détricoter la relation privilégiée, puis une indéniable souplesse pour en rebâtir une avec le nouveau régime incarné par Nelson Mandela, mais ceci est une autre histoire...

---

1. Il s'agit d'Arnon Milchan. Voir le chapitre « Les businessmen du Mossad ».

L'activisme des services israéliens en Afrique noire pendant les années 1960 fit sans conteste le bonheur de la CIA, mais il suscita aussi l'agacement des Français, eux-mêmes très présents sur le continent. C'est ce qu'illustre une note rédigée en 1966 par le colonel Mehay, conseiller militaire français en République centrafricaine, pour décrire l'activisme israélien dans le pays : « Dans la ligne de sa politique visant à assurer partout en Afrique francophone des appuis contre l'offensive musulmane, Israël s'est relativement taillé, en RCA, une place de choix. La représentation de Tel-Aviv, dynamique, envahissante, qui a érigé la flagornerie en système et dont les agents dans ce pays sympathisent tous ouvertement avec les États-Unis, a fait le siège des présidents successifs de la Centrafrique. La tactique a consisté à inciter, en toute occasion, les dirigeants de la RCA à s'émanciper, autant que possible, de la "tutelle" de l'ancien colonisateur, à entretenir la méfiance à notre égard, à leur conseiller de marcher dans le sens de l'Afrique nationaliste. [...] Israël s'était ainsi acquis, à peu de frais, des positions solides, au point de nous gêner en certains domaines, notamment dans celui des services de sécurité, voire dans celui de la formation d'une armée pionnière[1]. »

De telles situations se sont reproduites dans la plupart des pays du « pré carré africain », ce dont le général de Gaulle était régulièrement tenu informé aussi bien par les rapports de l'état-major que par son conseiller Afrique Jacques Foccart. Si ces conflits latents sont demeurés non dits, il est évident qu'il ont joué un rôle dans le refroidissement des relations entre services français et israéliens.

En 1966, le Mossad accomplit un nouvel exploit dont il fit bénéficier ses amis américains : il parvint à recruter le pilote syrien d'un Mig-21, et à le convaincre de faire défection avec

---

1. Rapport annuel 1966 du Conseiller militaire, Service historique de la Défense, 10 T640, cité dans S. Laurent (dir.), *Les espions français parlent, archives et témoignages inédits des services secrets français*, Nouveau Monde éditions, 2011.

son appareil. L'armée de l'air israélienne en tira le plus grand profit, avant de transmettre l'avion en pièces détachées à l'armée américaine. Cette belle prise fut essentielle dans la victoire de 1967, lors de laquelle les avions israéliens s'adjugèrent rapidement la maîtrise du ciel. De leur côté, les Américains qui rêvaient depuis longtemps d'étudier cet appareil furent ravis du cadeau. 1967 devait marquer un nouveau départ dans la relation américano-israélienne, cette fois sur le plan militaire. Par sa victoire, Israël s'imposait comme un allié stratégique des États-Unis face aux pays arabes alliés de l'URSS. Les Américains ouvrirent alors les vannes du soutien militaire et financier, ce qui tombait à pic pour prendre le relais de l'alliance française.

1973 : «faible probabilité de guerre»

À 13h55, le samedi 6 octobre 1973, jour chômé de Kippour, les armées syrienne et égyptienne attaquaient Israël, prenant son armée totalement par surprise. Depuis trois ans, tout était calme aux frontières du pays. L'affaire semblait entendue : après la raclée de 1967, les pays arabes ne se risqueraient pas de sitôt à attaquer. Les rapports du renseignement israélien se suivaient, monotones, pour qualifier de «faible» le risque de conflit avec les voisins arabes. Dans les nombreuses polémiques qui allaient suivre les combats, les dirigeants de Tsahal ne manqueraient pas d'accuser le Mossad et le Aman de leur avoir fourni de mauvais renseignements. La vérité est un peu plus complexe. Il est vrai que dans les premières années 1970, le Mossad avait considérablement réorienté ses forces en direction du terrorisme palestinien, désormais international. Cette stratégie s'imposait d'elle-même car depuis l'été 1968, des groupes palestiniens aidés par des militants européens multipliaient les prises d'otages et détournements d'avions El Al. En septembre 1972, le massacre d'athlètes israéliens aux Jeux olympiques de Munich avait considérablement choqué l'opinion publique, et Israël avait décidé par la voix de Golda Meir d'exercer une vengeance implacable sur tous les membres du commando palestinien Septembre noir. Est-ce à dire que le service avait négligé la menace des voisins arabes? Pas tout à fait.

Trente-six heures avant l'assaut, le service israélien bénéficia en effet d'un renseignement de premier ordre, qui aurait pu changer le cours des événements s'il avait été exploité à fond. Le 5 octobre à 2 h 30 du matin, Zvi Zamir, le patron du Mossad, était réveillé par un message urgent d'un de ses agents les plus précieux. Un seul mot figurait sur la feuille: *tsnon* (guerre). C'était le code convenu pour annoncer une guerre imminente. Zamir informa quelques collaborateurs et son homologue du renseignement militaire, Eli Zeira. Les deux hommes convinrent de ne pas informer tout de suite le Premier ministre. On ne pouvait rien faire de l'information sans en savoir plus sur le lieu et l'heure.

Les Russes étaient sans doute mieux informés que les Israéliens: le même jour à 6 h 35, le chef du Aman reçut un rapport selon lequel tous les navires soviétiques étaient en train de quitter en catastrophe les ports égyptiens et de gagner la haute mer. Dans le même temps, les familles des conseillers militaires russes affluaient à l'aéroport pour quitter le pays.

Zamir décida très vite de prendre un avion pour aller rencontrer lui-même l'auteur du message en Europe. Le chef de cabinet de Zamir décrirait plus tard cet agent comme «un des meilleurs agents qu'un pays ait jamais eu en temps de guerre, une source miraculeuse[1]». Entre minuit et 1 heure du matin le samedi, Zamir téléphonait à Zeira pour l'informer que l'attaque serait déclenchée le jour même, avant le coucher du soleil. Ce dernier hésita avant de relayer l'information vers 3 heures 45, situant de façon incorrecte le moment de l'attaque au «coucher du soleil». De leur côté, les militaires hésitèrent aussi à prendre en compte l'information car la même source avait déjà annoncé

---

1. Dans *Yediot Aharonot*, 24 novembre 1989.

plusieurs fois par le passé une semblable attaque. Ce qui pouvait signifier que le président Sadate avait hésité avant de renoncer plusieurs fois jusqu'au jour fatidique... ou bien que la source était mal informée ou manipulatrice[1]. Quoi qu'il en soit, les chefs militaires discutèrent encore pendant la matinée sur ce qu'il convenait de faire de ce renseignement. Ils furent donc bel et bien pris par surprise lorsque l'attaque débuta en début d'après-midi et non à la tombée de la nuit.

Quelle était donc cette source « miraculeuse » ? Aujourd'hui encore c'est un secret parmi les mieux gardés du renseignement israélien. Nous sommes toutefois en mesure de lever le voile sur cette source : c'est à Londres que s'était rendu Zvi Zamir pour la rencontrer. Et elle n'était pas britannique, mais égyptienne. Il s'agissait de Ashraf Marwan, gendre de Nasser et conseiller du président Sadate. Marwan (nom de code « l'Ange ») avait proposé ses services au Mossad en 1969. Il avait accès aux informations les plus sensibles au sein du cabinet Sadate et transmettait les minutes des délibérations du cabinet, l'ordre de bataille de l'armée égyptienne, les échanges stratégiques avec l'allié soviétique[2]... Dès 1972, Sadate avait pris la décision d'attaquer. D'où les premiers avertissements lancés par Marwan. Le fait qu'ils n'aient pas été suivis d'effet, et surtout l'anonymat observé par le Mossad sur l'identité de sa source, explique pourquoi les chefs de Tsahal n'en ont pas tenu compte.

D'autres signaux auraient pu servir d'avertisseur s'ils étaient parvenus aux analystes du Mossad. C'est ainsi que début 1973, un analyste de la CIA du nom de Fred Fear qui consultait des masses de documents statistiques sur l'armée égyptienne s'étonna de récents achats massifs de ponts mobiles. Ceux-ci ne pouvaient

---

1. Ian Black et Benny Morris, *Israel Secret Wars*, *op. cit.*
2. Le 26 juin 2007, le corps d'Ashraf Marwan fut retrouvé sans vie au pied de l'immeuble où ce retraité de 63 ans résidait dans le quartier chic de Mayfair à Londres. Il aurait fait une chute de quatre étages. L'enquête conclut au meurtre mais sans pouvoir désigner le ou les assassins. Marwan travaillait alors à la rédaction de ses Mémoires. On ne retrouva aucun des fichiers sur son ordinateur.

être utilisés que sur le Nil (mais à quelles fins ?) ou sur le canal de Suez. Fear en conclut qu'une attaque se préparait contre Israël. Il établit alors un rapport dans lequel il décrivait les points les plus probables pour établir ces ponts et calculait combien de troupes pourraient les franchir pendant les premières vingt-quatre heures. Son rapport fut dûment archivé par ses supérieurs qui n'y prêtèrent pas plus d'attention. Dans les premières heures de la guerre de Kippour, alors que la CIA n'avait encore aucun renseignement tangible à offrir aux dirigeants du pays, le rapport fut promptement désarchivé et présenté à la Maison Blanche comme un compte-rendu de ce qui se passait sur le terrain ! Fred Fear reçut tout de même une promotion après ce coup d'éclat.

Les États-Unis reçurent une autre information de très grande valeur les avertissant du conflit à venir : Henry Kissinger lui-même fut informé par le roi Hussein de Jordanie et par un émissaire du président Sadate que, sauf signe diplomatique très fort de la part des États-Unis, les pays arabes attaqueraient bientôt Israël. Pourquoi Kissinger n'a-t-il rien fait à ce moment-là alors que l'administration Nixon était la plus pro-israélienne de l'histoire ? Sa préoccupation majeure à l'époque était d'éviter toute escalade avec les Soviétiques et de parvenir un jour à réconcilier Égypte et Israël pour sortir les Égyptiens de l'orbite communiste. S'il considérait comme crédible la prédiction du roi Hussein, Kissinger devait immédiatement en informer Israël. Mais si le gouvernement d'Israël prenait à son tour au sérieux cette annonce, il déclencherait immédiatement une attaque préventive, comme en 1967, obligeant les États-Unis à le suivre dans le conflit. En confinant Israël dans le rôle de l'agressé, Kissinger estimait préserver les chances d'un accord à moyen terme.

Plus étonnant encore, on sait maintenant que le 25 septembre 1973, douze jours avant le début de la guerre, le roi Hussein se rendit clandestinement à Tel-Aviv pour rencontrer Golda Meir et lui annoncer que l'impasse diplomatique entre Israël et les pays arabes risquait de déboucher sur une guerre à très court terme.

Golda Meir, Moshe Dayan et la plupart de leurs conseillers furent d'avis qu'il n'y avait là pas grand-chose de neuf et que rien de ce que disait le roi n'annonçait une attaque imminente.

Toutefois la défaite tactique initiale des Israéliens alla au-delà de ce que Kissinger avait imaginé et conduisit les États-Unis à un soutien d'urgence massif.

Dans la nuit du 9 octobre, l'ambassadeur israélien mis sous pression par le Premier ministre Golda Meir appela à deux reprises Henry Kissinger pour l'avertir qu'Israël risquait une défaite imminente si Washington ne venait pas à son aide. Dans les premières soixante-douze heures de combat, l'État juif avait perdu quarante-neuf avions de chasse et près de cinq cents tanks. S'il était acculé, il n'aurait plus d'autre solution que de jouer la carte de l'arme atomique… dans les douze heures! Une telle menace dissipa les dernières brumes du sommeil chez Kissinger. Une réunion d'urgence fut convoquée avec le président Nixon et les responsables du Pentagone. Ces derniers étaient persuadés qu'Israël finirait par l'emporter et qu'il valait mieux ne pas s'en mêler pour ne pas irriter les pays arabes.

Le président Nixon perdit vite patience et trancha: «Foutaises… dites-leur qu'on envoie tout de suite tout ce qui peut voler!» Un immense transfert aérien de 20 tonnes d'armes fut mis en œuvre dans les quarante-huit heures, tandis qu'en effet l'armée israélienne parvenait à reprendre l'initiative et à encercler la 3e armée égyptienne avant de marcher sur Le Caire. La démonstration venait d'être faite du pouvoir dissuasif, pour une puissance régionale, de l'arme nucléaire, fût-elle clandestine. Washington ne voulait pas que les Israéliens soient acculés et songent, ne serait-ce qu'un instant, à faire usage de l'arme atomique, même à titre de démonstration dans le désert. Arrivé à un tel point, on serait entré dans l'inconnu.

Espionnage entre amis

En novembre 1979, l'ambassade américaine à Téhéran fut envahie par des étudiants islamistes. L'équipe de la CIA hébergée par l'ambassade n'eut même pas le temps ou la présence d'esprit de détruire ses archives, comme le prévoyait la procédure[1]. Parmi les documents «sensibles» saisis dans leurs coffres figurait la copie d'un rapport secret de la CIA intitulé : «Israël : un survol du renseignement extérieur et des services secrets». En principe, un tel rapport n'aurait jamais dû se trouver là. Mais la confiance des responsables de la CIA dans l'inviolabilité de leurs postes à l'étranger était telle qu'ils autorisaient une large diffusion. Résultat : les services secrets de la jeune république islamique, et après eux ceux de tout le monde arabe purent y découvrir l'organigramme du Mossad et du Shin Bet, apprendre combien de personnes ils employaient dans chaque département, et surtout quels étaient leurs objectifs prioritaires en matière de collecte de renseignements à l'étranger. En premier venait le recueil d'informations sur les capacités militaires des pays arabes. Juste ensuite, la collecte de renseignements sur la politique américaine, en particulier en ce qui concernait Israël. En troisième lieu (avant, donc, l'espionnage du bloc communiste) la collecte d'informations scientifiques aux États-Unis et dans les autres pays occidentaux. En d'autres termes, selon l'analyse de la CIA elle-même, les services israéliens comptaient dans leurs priorités l'espionnage scientifique, notamment dans le domaine militaire, essentiel pour bâtir une industrie israélienne capable de rivaliser sur les marchés mondiaux.

Ces orientations allaient être illustrées quelques années plus tard par deux affaires majeures montrant bien le paradoxe des relations américano-israéliennes : on s'espionne tout en travaillant ensemble. Deux opérations conduites non pas par le Mossad,

---

1. Voir Yvonnick Denoël, *1979, guerres secrètes au Moyen-Orient*, Nouveau Monde éditions, 2009.

afin de ne pas compromettre la relation vitale de ce service avec la CIA, mais par un curieux service que l'on a déjà croisé dans les alpages suisses en quête des plans du Mirage III, ou dans le port de Cherbourg : le Lakam, ou « Bureau de liaison scientifique », parfois qualifié par la presse israélienne de « Mossad bis ».

Le Lakam, d'abord baptisé « Bureau des missions spéciales » au sein du ministère de la Défense, fut créé par Shimon Peres en 1957 pour aider le ministère dans sa quête d'armement de pointe, essentielle pour la défense du jeune État juif. Au milieu des années 1960, le bureau prit le nom qu'on lui connaît. Dirigé par Benjamin Blumberg, il disposait désormais d'un vaste réseau d'attachés scientifiques en poste aux États-Unis, en France, en Grande-Bretagne, en Italie, en Allemagne, au Japon... tous compétents dans au moins une spécialité cruciale pour Israël. Ils étaient chargés de tenir grands ouverts leurs yeux et leurs oreilles, d'assister aux conférences, de surveiller toutes les publications, de fréquenter le plus possible les scientifiques locaux et de prévenir Tel-Aviv de toute opportunité qui pouvait se présenter. Ils s'appuyaient notamment sur les scientifiques juifs ou israéliens en poste dans les universités locales, leur demandant d'abord de menues faveurs, comme le texte d'un article à paraître, puis de plus en plus grandes, comme les résultats d'expériences en cours. Ils essuyaient rarement un refus. Avec le temps, ils pouvaient se risquer à réclamer la copie d'un plan confidentiel ou un échantillon de matériau. Au pire, la cible refusait mais ne signalait pas leur activité, consciente d'avoir déjà été trop loin.

Au début des années 1960, la CIA avait découvert la première grosse opération du Lakam, pensant avoir affaire au Mossad. Le chef de poste de la CIA à Tel-Aviv eut vent d'un arrivage illégal d'uranium enrichi et parvint à remonter la piste jusqu'à la société NUMEC (Nuclear Materials and Equipement Corporation) en Pennsylvanie, et son patron le chimiste Zalman Shapiro, un ancien du programme nucléaire américain « Manhattan ». La CIA se persuada rapidement que NUMEC était en fait une création des Israéliens pour alimenter leur programme nucléaire. Mais l'affaire fut étouffée malgré un dossier accablant et NUMEC dut simplement payer une amende.

Après la guerre des Six-Jours en 1967, le Lakam vit ses missions élargies. La technologie avait joué un rôle essentiel dans la victoire contre les armées arabes. Mais Israël rencontrait de nouvelles difficultés : l'embargo sur les exportations d'armes imposé par la France mais aussi par d'autres pays européens mettait en réel péril la suprématie militaire israélienne. Même si l'allié américain prenait dans une certaine mesure le relais, la conclusion était nette : Israël devait désormais développer à marche forcée sa propre industrie d'armement. Pour cela les principaux groupes existants (Israel Aircraft Industry, Rafael et Israel Military Industry) acceptèrent de se cotiser pour démultiplier le budget du Lakam. En échange de quoi ce dernier accomplirait pour eux des missions de recherche « à la demande ». Bien entendu, ces entreprises acceptaient aussi de servir de couverture à certains de ses agents. L'un des hommes-clés de ce partenariat public-privé inédit se nommait Al Schwimmer. Ancien officier de l'armée de l'air israélienne, il dirigeait désormais Israel Aircraft Industry (IAI) et éprouvait une véritable fascination pour le monde des services. Il avait suivi de près l'opération du Lakam en Suisse pour acquérir les plans du Mirage. À partir de ces plans, il avait développé le projet d'avion de chasse israélien Kfir, inauguré en grande pompe le 29 avril 1975. Son succès signifiait qu'Israël allait désormais devenir un acteur qui compte sur le marché mondial de l'armement. Voyant son activité dopée par cette réussite, Schwimmer était de ceux qui poussaient le Lakam à viser encore plus haut.

Cette extension du domaine de l'espionnage scientifique fut volontiers acceptée par les autres services comme le Aman ou le Mossad, ce qui avait de quoi surprendre quand on connaît les rivalités qui les animaient. Les autres agences faisaient le calcul qu'il valait mieux laisser les autres prendre le risque de l'espionnage en pays ami, afin de ne pas compromettre leurs relations de travail avec les services de ces pays. En cas de pépin, il serait préférable de prétendre avoir tout ignoré des agissements de ce « petit service parallèle » qui avait outrepassé ses attributions de sa propre initiative. C'est exactement ce qui se passa dans l'affaire Pollard.

Dès les années 1970, le FBI avait observé avec attention le nombre croissant de scientifiques et hommes d'affaires israéliens en visite sur le territoire américain, et avait choisi de placer certains d'entre eux sous surveillance permanente dans le cadre du programme « Scope[1] ». La CIA n'était même pas informée de ce programme en raison de ses liens étroits avec le Mossad. Le FBI alla jusqu'à placer des micros au sein de l'ambassade d'Israël à Washington. Les résultats de ces écoutes lui permirent d'expulser plusieurs dizaines d'indésirables en 1973. La CIA exigea alors qu'il soit mis fin au programme « Scope ». Elle avait trop besoin des renseignements que lui livrait le Mossad. Mais le FBI ne cessa pas pour autant toute surveillance de ce côté.

Nommé par Ariel Sharon à la tête du Lakam en 1981, Rafi Eitan avait encore développé le budget de sa boutique et recruté de nouveaux agents, certains issus du Mossad. Selon les fichiers du FBI, Eitan faisait partie de l'équipe qui avait acquis de façon « limite » un important stock d'uranium dans l'affaire NUMEC à la fin des années 1960. Il ambitionnait de passer du stade artisanal au stade industriel de l'acquisition de renseignement. En quelques années, il parvint en effet à décupler la production de son service. Mais cela impliquait de prendre beaucoup plus de risques qu'auparavant. Jonathan Pollard se révéla de loin l'agent le plus productif que le Lakam ait jamais recruté. Ce Juif américain qui s'ennuyait ferme dans son bureau du ministère de la Marine avait rencontré un officier de renseignement de l'armée de l'air israélienne, alors en formation à l'université de

---

1. Voir Peter Schweizer, *Les nouveaux espions*, Grasset, 1993.

New York, et s'était spontanément proposé de lui fournir copie d'informations intéressant la défense d'Israël mais que les services américains gardaient pour eux. Pollard livra ainsi des centaines de milliers de pages de dossiers confidentiels sur les forces militaires au Moyen-Orient, la politique d'armement américaine et bien d'autres sujets. Il finit par éveiller l'attention de ses collègues et, se sentant découvert, demanda l'asile à l'ambassade d'Israël. L'officier de sécurité de permanence ce jour-là ne le connaissait pas et ne parvint pas à obtenir d'instruction claire à son sujet. Il lui refusa donc l'entrée et les hommes du FBI le cueillirent à sa sortie[1]. L'enquête montra que Pollard n'était sans doute pas la seule source du Lakam dans l'administration : les officiers traitants de Pollard lui réclamaient en effet des documents en citant des cotes précises que seul pouvait connaître quelqu'un ayant accès aux index de fichiers, ce qui supposait un haut niveau de responsabilité, sans doute du côté du Pentagone. Mais Pollard n'en savait pas plus et l'enquête n'aboutit à aucune autre inculpation.

Devant le scandale médiatique et politique que provoqua cette affaire fin 1985, le gouvernement israélien annonça la dissolution du Lakam, dont les bureaux au ministère de la Défense furent fermés, tandis que Eitan était renvoyé. Il ne se retrouva cependant pas à la rue, puisqu'il fut nommé président de la firme Israel Chemicals, qui bénéficiait des renseignements du Lakam depuis de nombreuses années.

Contrairement aux assurances données aux services américains après cette affaire, le Lakam ne fut pas démantelé mais poursuivit tranquillement ses activités. Selon le contre-espionnage américain, il subsistait dans les années 1980 environ trente-cinq agents sur le territoire américain, répartis entre les postes de New York, Washington et Los Angeles. Une autre affaire, bien moins médiatisée, montra d'ailleurs que l'on en était revenu au *business as usual*.

---

1. Pour un récit détaillé de cette affaire, voir Gordon Thomas, *op. cit.*

Avant qu'éclate l'affaire Pollard, le Lakam était parvenu à effectuer une très belle prise en la personne de Melvin Paisley, secrétaire adjoint à la Marine. L'homme avait fait toute sa carrière chez Boeing, où il était connu pour être le spécialiste des coups tordus et opérations à la limite de la légalité. C'était à lui qu'on avait à faire pour offrir des pots-de-vin ou des prostituées aux clients, pour corrompre un haut gradé ou faire poser des micros chez un concurrent. Grâce à son carnet d'adresses, il rejoignit après l'élection de Ronald Reagan la nouvelle administration et grimpa rapidement les échelons jusqu'au poste de secrétaire adjoint, qui équivalait au titre de vice-ministre. De là, il avait la haute main sur les achats d'armements pour son ministère et brassait des contrats de plusieurs milliards de dollars. Ronald Reagan qui donnait la priorité au budget de la Défense avait justement décidé de constituer une flotte de six cents navires de guerre. Inutile de dire que Paisley était en position idéale pour s'enrichir. L'enquête du FBI menée en 1987 devait révéler que Paisley communiquait à des entreprises «amies» toutes les informations nécessaires pour arriver en tête des réponses aux marchés publics. Début 1985, un agent du Lakam entendit dire que Paisley pouvait se laisser convaincre de livrer des secrets touchant aux armements de la Marine moyennant finances. Le Lakam avait alors parmi ses instructions de s'intéresser au projet d'avion tactique avancé de la Marine américaine : il s'agissait d'un bombardier qui serait capable d'opérer à partir d'un porte-avions, avec une longueur de décollage et d'atterrissage des plus réduites. Al Schwimmer, le patron d'IAI, était évidemment à la source de cet intérêt. Il proposa d'envoyer le dirigeant d'une de ses filiales, Mazlat, rencontrer Paisley sous couvert d'une démarche commerciale. Ce premier contact organisé par le Lakam eut lieu seulement deux semaines avant l'arrestation de Pollard, et fut suivi de beaucoup d'autres, postérieurs au scandale. Le responsable de Mazlat tenta d'obtenir de juteux marchés de drones en corrompant Paisley, qui lui donna tranquillement la voie à suivre : il suffisait que Mazlat s'attache les services d'un consultant de ses amis pour augmenter ses chances de sélection. Il ne faisait pas de doute que Paisley avait des intérêts dans la société de ce consultant. Le deal était simple et clair : moyennant un million de dollars à verser sur un compte en Suisse, Mazlat se retrouverait en pole position. L'agent du Lakam qui chapeautait ces rencontres ne perdit pas non plus son temps : Paisley accepta sans sourciller de lui fournir, à la demande, des dossiers confidentiels sur les technologies de pointe alors à l'étude dans les bureaux du ministère. Il suffirait que Mazlat verse les rémunérations convenues sur le même compte suisse. Le Lakam put ainsi acquérir les dossiers d'un nouveau système d'espionnage tactique, le Joint Service Imagery Processing qui permettait de transmettre et d'évaluer en temps réel les données captées pendant les vols de reconnaissance. Quelques mois plus tard, l'armée israélienne développait son propre programme de système d'images télécommandé, similaire au système américain.

Mais la lune de miel fut de courte durée. Côté Mazlat, les premiers drones livrés à l'armée américaine ne firent pas forte impression : ils accumulaient les problèmes techniques et certains se perdirent en mer. Du coup, le contrat fut suspendu, de même que les versements de Mazlat à Paisley. En avril 1987, Paisley démissionnait de son poste pour rejoindre la société de consultants de son ami. Il espérait pouvoir continuer ses activités, disposant de suffisamment d'amis bien placés dans l'administration, qu'il avait lui-même nommés à leur poste. Mais sa réputation commençait à lui valoir la suspicion du service d'enquêtes internes du ministère de la Marine. En 1988, une perquisition dans ses bureaux permit d'établir qu'il se livrait à un vaste trafic d'informations en faveur des fournisseurs du ministère. On découvrit à cette occasion ses liens avec Mazlat. En 1989, l'étau se resserra grâce à la dénonciation d'un fournisseur de la Défense. Paisley était désormais démasqué. Contrairement à ce qui s'était passé avec l'affaire Pollard, on décida de ne pas exploiter l'affaire sur le plan médiatique : les connexions israéliennes de Paisley furent donc passées sous silence quand son inculpation fut annoncée. Les États-Unis avaient de multiples intérêts communs avec les services israéliens, comme venait de le démontrer l'affaire « Iran-Contra » dans laquelle Israël avait vendu des armes à l'Iran à la demande de l'administration Reagan, dans l'espoir d'obtenir la libération d'otages américains du Liban. Puisqu'il était de toute façon hors de question de rompre avec Israël, il ne servait à rien de créer un nouveau scandale.

L'affaire Paisley aurait pu passer pour un cas isolé, la suite malheureuse d'un dossier entamé avant la dissolution du Lakam. D'autres affaires, dont toutes n'ont pas été révélées à ce jour, montrèrent qu'il n'en était rien. En août 1986 à New York, un jeune collaborateur de l'attaché scientifique israélien, Ronen Tidhar, fut arrêté pour tentative de cambriolage alors qu'il essayait de pénétrer dans un bâtiment de Long Island dédié à la fabrication de pièces détachées pour avions. Le consulat condamna son comportement mais réclama sa libération en menaçant d'invoquer l'immunité diplomatique. La même année, trois officiers de l'armée de l'air israélienne en stage chez Recon Opticals, un fabricant de caméras de reconnaissance aérienne qui fournissait l'armée israélienne, furent interpellés alors qu'ils tentaient d'envoyer en Israël quatorze cartons bourrés de documents et de pièces détachées destinés à la firme israélienne Electronics Optics Industries (El Op). Le Département d'État préféra laisser l'affaire sans suite. Recon poursuivit le gouvernement israélien devant les tribunaux. Un arbitrage privé aboutit à des conclusions sévères rapportées par Peter Schweizer : « En février 1991, les arbitres se prononcèrent sans recours. Ils conclurent que les agents israéliens avaient employé des "subterfuges minutieusement élaborés" pour dérober les procédés de Recon ; ils dénoncèrent l'aspect "sordide" de l'affaire, et ils ordonnèrent à Israël de verser trois millions de dollars d'indemnités. Les arbitres soulignèrent aussi que le gouvernement israélien n'avait jamais rappelé à l'ordre les agents impliqués. La commission d'arbitrage composée de trois membres conclut par ailleurs que l'armée de l'air israélienne travaillait en coopération avec El Op. Les militaires israéliens avaient même déguisé un employé d'El Op en officier de l'armée de l'air uniquement pour qu'il puisse observer les techniques de production, à l'intérieur même de Recon[1].»

Quelle que soit la solidité de l'alliance israélo-américaine, jamais démentie sur le plan du renseignement, ces épisodes ont laissé des traces durables dans les esprits. On apprenait ainsi en mars 2012 le refus du président Obama de gracier Jonathan Pollard, toujours emprisonné pour espionnage aux États-Unis, malgré la supplique du président Peres et une pétition signée par quatre-vingts membres de la Knesset, le Parlement israélien. Selon le *New York Times*, Barack Obama hésitait sur la réponse à donner quand le vice-président Joe Biden lui exprima qu'il faudrait en cas d'avis favorable «lui passer sur le corps», et que si cela ne tenait qu'à lui «Pollard resterait en prison jusqu'à la fin de sa vie». Quand on sait que Joe Biden est considéré au Sénat comme un des plus vieux amis d'Israël, qui a voté depuis trente ans toutes les lois de soutien économique et militaire à l'État hébreu, cela montre que l'amitié ne donne pas tous les droits.

---

1. P. Schweizer, *op. cit.*

Chapitre 3

Objectif OLP

« Nous sommes des Palestiniens et nous venons de libérer cet avion ! » Ainsi parlait l'un des membres du commando qui s'empara du vol El Al 426 le 22 juillet 1968. Les trois Arabes bien habillés étaient montés à bord à l'aéroport de Rome et avaient rapidement mis en joue passagers et membres d'équipage sous la menace de leurs armes et de leurs grenades. Ils exigèrent que l'avion se détourne vers l'Algérie. Là ils relâchèrent une majorité de passagers mais retinrent douze Israéliens ainsi que l'équipage. Ils exigeaient la libération de seize de leurs camarades détenus en Israël. Les pirates de l'air appartenaient à un groupe dissident de l'OLP, le FPLP de Georges Habache, secondé par son chef des opérations Wadi Haddad. Le monde occidental ne connaissait pas encore très bien la cartographie complexe des mouvements palestiniens, mais il allait apprendre. Le détournement de l'avion El Al inaugurait en effet une nouvelle vague de terrorisme international qui exporterait le combat israélo-palestinien dans toute l'Europe. De 1968 à 1976, les groupes palestiniens détourneraient seize avions, et attaqueraient trente-trois cibles liées au trafic aérien, en particulier des comptoirs d'El Al à travers le monde. Les services israéliens devraient introduire des agents incognito à bord de chaque avion, mettre en place des mesures de sécurité drastiques dans les aéroports : détecteurs de métaux, fouille des passagers et des marchandises, caméras de sécurité, équipes de surveillance sur les tarmacs...

Les pays arabes voyaient ces mouvements palestiniens moins comme une menace que comme une opportunité : sous couvert d'exporter la révolution palestinienne avec toutes ses nuances politiques, du nationalisme au marxisme, les groupuscules terroristes avaient besoin de ressources financières et d'une base arrière. Pour l'Irak, la Libye ou la Syrie, il s'agissait donc de groupes mercenaires que l'on pouvait recruter et utiliser pour déstabiliser tel ennemi du monde arabe ou faire pression sur tel pays européen, sans se salir les mains soi-même.

La nébuleuse palestinienne

Aux yeux du monde, le mouvement palestinien, c'était l'OLP. Et l'OLP avait le visage de Yasser Arafat. Il en avait été l'un des fondateurs. L'organisation constituée en 1964 avec le parrainage de Nasser était une confédération de mouvements palestiniens. Elle avait pour but de reconquérir la terre de Palestine. Ce qui impliquait au passage la destruction du royaume hachémite de Jordanie en même temps que la fin de l'État israélien. L'OLP des débuts, véritable archipel d'organisations palestiniennes, se voulait radicale et anti-occidentale. Elle avait pour gouvernement un comité exécutif d'une quinzaine de membres, chacun doté d'un portefeuille ministériel. Au plan militaire, les décisions étaient prises par le Conseil militaire suprême au sein duquel étaient représentées toutes les tendances de l'organisation. En dernier ressort, c'était Yasser Arafat le président du comité exécutif qui prenait les décisions importantes et qui tenait les cordons de la bourse, élément central de son pouvoir comme on le verra.

Le Fatah de Yasser Arafat, créé en 1959, était la composante principale de l'OLP avec 10 000 à 12 000 membres dans les années 1980. Elle disposait de plusieurs services secrets. La force 17 était une sorte de garde prétorienne entièrement dévouée à Yasser Arafat. Ses unités étaient chargées de la protection des personnalités mais étaient aussi présentes dans toutes les représentations diplomatiques de l'OLP à travers le monde : l'œil d'Arafat, en quelque sorte. L'appareil de renseignement et de sécurité, dirigé par Abou Iyad, le bras droit d'Arafat, était un véritable service secret extérieur, qui entretenait un réseau d'agents sous couverture dans toutes les grandes capitales du monde arabe et accomplissait aussi certaines opérations clandestines. Enfin, le groupe des opérations spéciales du colonel Hawari était basé à Beyrouth et comptait environ 600 soldats également censés assurer la sécurité du Fatah et conduire certaines opérations secrètes. Cette structure était assez déroutante aux yeux des non-initiés, mais rien de ce que touchait Yasser Arafat n'était simple, et le nombre d'organisations concurrentes justifiait à ses yeux une telle complexité.

Parmi les autres groupes de l'OLP, on comptait notamment :
– le Fatah-Conseil révolutionnaire d'Abou Nidal, dissident du Fatah soutenu par l'Irak puis la Syrie. Il fut l'un des plus actifs et des plus célèbres sur le plan du terrorisme dans les années 1980 ;
– le Front populaire de libération de la Palestine (FPLP) de Georges Habache, d'inspiration marxiste et proche de la Syrie, qui accueillit en son sein le célèbre Carlos, avant de se modérer quelque peu à la fin des années 1980 ;
– le FPLP-Commandement général, une dissidence du FPLP fondée par Ahmed Jibril et soutenue par la Syrie ;
– le FPLP-Commandement spécial de Wadi Haddad, établi après sa rupture avec Habache ;
– le Front démocratique de libération de la Palestine, soutenu par l'URSS et la Syrie ;
– le Front de libération de la Palestine, fondé par Abou Abbas après sa rupture d'avec le FPLP-GC d'Ahmed Jibril ;
– le Parti communiste révolutionnaire palestinien de Suleiman Najab, second mouvement de l'OLP avec 5 000 membres.

Et une bonne dizaine d'autres, moins connus... On s'en doute, il fallait une forte expertise pour suivre les évolutions de ce monde instable. Après la défaite des pays arabes contre Israël en 1967, les leaders de l'OLP décidèrent qu'il leur revenait de porter la guerre contre les Israéliens dans les territoires nouvellement occupés de Cisjordanie et de Gaza. Ils y déployèrent un réseau d'activistes, suivant la théorie du président Mao : le peuple est comme l'eau et l'armée s'y dissimule comme les poissons. Arafat et ses lieutenants entrèrent eux-mêmes dans la clandestinité pour superviser directement les opérations sur place. Mais les résultats ne furent pas glorieux. Arafat dut s'enfuir au bout de quelques mois et nombre de ses hommes furent capturés ou tués. On en revint à la méthode des attaques terroristes contre Israël orchestrées à partir des pays environnants. En mars 1968, les services israéliens menèrent un raid important contre le Fatah à Karameh, en Jordanie. La bataille, meurtrière, fit vingt-neuf morts côté israélien et une centaine côté palestinien. Arafat fit de cette défaite militaire une victoire en termes de communication, devenant en 1969 et pour le reste de sa vie le dirigeant de l'OLP.

Le Mossad fit parfois preuve d'inventivité pour faire baisser la pression palestinienne. Le taux de fécondité des Arabes d'Israël et des habitants des territoires étant bien plus élevé que celui des Juifs d'Israël, une unité spéciale fut créée pour aider les Palestiniens... à émigrer ! Elle créa des sociétés écrans qui achetaient des terres en Amérique du Sud et en Libye pour les proposer à des prix défiant toute concurrence aux Palestiniens ! En 1969, il fallut toutefois interrompre le programme libyen car le roi Idris venait de se faire renverser par un certain colonel Kadhafi. Un an plus tard, au Paraguay, un jeune Arabe tenta de tuer l'ambassadeur israélien : il s'estimait floué par le programme, qui lui avait procuré une terre mais pas d'emploi. On décida d'y mettre fin avant que l'affaire ne s'ébruite. 20 000 Palestiniens avaient tout de même été exfiltrés par cette filière, mais le coût par personne s'avérait trop élevé.

En 1968-1969, les actions terroristes palestiniennes se développaient de façon exponentielle, aussi bien en Israël qu'en Jordanie, au Liban, etc. Le groupe le plus actif et le plus dangereux était le FPLP, qui avait entrepris une grande campagne de recrutement en Europe dans les milieux d'extrême gauche, au nom de la solidarité révolutionnaire. Le Mossad tenta à plusieurs reprises de tuer Habache et Haddad. Dans la nuit du 11 juillet 1970, Habache se trouvait chez lui en compagnie de Leila Khaled, une des plus redoutables membres de ses commandos. La femme et la fille de Habache dormaient dans la pièce à côté. À 2 h 14, six roquettes antichars «Katioucha» de fabrication soviétique furent tirées sur son appartement du troisième étage. Quatre d'entre elles explosèrent et mirent en pièces l'appartement, mais de façon stupéfiante, personne ne fut tué.

Septembre noir : un commando, des actions

La tension se développait rapidement avec le roi Hussein de Jordanie, car l'OLP développait un véritable État à l'intérieur de son royaume, et ses fedayin défiaient quotidiennement les forces de police jordaniennes. Hussein ne voulait pas déclencher une guerre civile, car il ne s'estimait pas en danger. En 1957, après la crise de Suez, le jeune roi était devenu l'un des agents les mieux payés de la CIA, dont il recevait chaque année 360 millions de dollars en deux paiements annuels. En échange, il partageait avec l'agence américaine beaucoup des informations recueillies par ses services, et laissait aux agents américains toute liberté d'opérer dans le royaume. En juillet 1970, Hussein s'étonna de ne pas voir arriver le second versement de la CIA. En août, il reçut 30 millions de dollars, l'équivalent d'un mois seulement. Il téléphona à l'ambassadeur américain pour obtenir une explication. L'ambassadeur répondit : «Votre Majesté devrait savoir que les États-Unis ne parient que sur le cheval gagnant!» Cela signifiait que la CIA attendait l'issue du match entre lui et l'OLP, et qu'il ne lui restait plus beaucoup de temps pour réagir. Ses services lui indiquaient que l'OLP venait de passer un accord secret avec l'Irak pour qu'en cas de guerre civile l'armée irakienne vienne à la rescousse des Palestiniens. Les provocations et les prises d'otages ne cessaient de se multiplier. La situation devenait explosive. En septembre, Hussein reçut à nouveau un paiement mensuel. Il décida de l'investir en bon père de famille. Quelques jours plus tard, un vol clandestin arrivait de Bagdad avec à son bord Harden al-Tafriki, le ministre de la Défense irakien, avec deux valises vides. Au retour, elles semblaient fort lourdes. Hussein s'était assuré que l'armée irakienne ne bougerait pas d'un cil lors des événements qui allaient suivre[1].

Le 6 septembre, le FPLP détournait un Boeing 707 TWA Francfort-New York vers la Jordanie. Le même jour, un DC 8 Swissair assurant la liaison Zurich-New York était détourné sur le même aéroport jordanien. Quelques minutes plus tard, un autre commando échouait à détourner un Boeing 707 d'El Al grâce à des agents de sécurité incognito qui parvinrent à maîtriser Leila Khaled et son compagnon, qui furent remis aux autorités britanniques. Enfin, une dernière équipe détournait à son tour un vol Pan Am vers Beyrouth puis Le Caire. Sur le tarmac de Dawson Field près d'Amman, deux avions et leurs trois cents passagers restaient sous la menace du FPLP. Celui-ci réclamait la liberté pour Leila Khaled et son compagnon, ainsi que pour trois de ses membres détenus en Suisse et trois autres membres de Septembre noir emprisonnés en Allemagne de l'Ouest. Le lendemain, un nouvel avion de ligne britannique était détourné vers Dawson Field.

Les négociations commencèrent par le biais de la Croix-Rouge. Les otages furent transférés en divers lieux contrôlés par le FPLP, pour rendre plus difficile une libération par la force. Après bien des arguties, le FPLP allait obtenir gain de cause sur toute la ligne : le dernier otage fut libéré le 29 septembre. Entre-temps, la guerre civile avait commencé depuis le 17 septembre, car l'armée jor-

---

1. Témoignage d'un ancien de la CIA recueilli par l'auteur.

danienne avait reçu ordre de donner l'assaut aux lieux de détention. Restant sourds à tous les appels à l'aide de l'OLP, les Irakiens regardaient ailleurs. Les Palestiniens sollicitèrent l'aide d'Hafez al-Assad. Le président syrien envoya son armée saisir la ville d'Arbid. Il voulait simplement aider l'OLP à établir une enclave au nord du pays, mais certainement pas renverser Hussein qu'il ne considérait pas comme un ennemi. Néanmoins, c'était bel et bien un acte de guerre. Le roi Hussein appela alors le président Nixon et lui expliqua que s'il ne réagissait pas, la Jordanie n'aurait d'autre choix que de faire appel à Israël. En cas de guerre entre Israël et la Syrie, les États-Unis et l'URSS seraient vite aspirés dans le conflit. Pour rendre plus crédible cette menace, Israël avec qui Hussein avait déjà à l'époque des discussions secrètes, accepta de déplacer des troupes vers la frontière jordanienne, comme si l'armée israélienne se préparait à intervenir.

Informé de la situation, Assad ne tarda pas à évacuer ses troupes. Il ne restait plus aux Palestiniens mal organisés qu'à affronter seuls la moderne armée jordanienne. Parmi eux se trouvait un jeune militant de la cause, d'origine vénézuelienne : Illitch Ramirez Sanchez, qui deviendrait célèbre plus tard sous le nom de Carlos. Ce même mois de septembre 1970, l'OLP tenta à deux reprises d'assassiner le roi Hussein. Ce dernier n'avait vraiment plus aucune raison de retenir ses coups dans ce qui était devenu une lutte à mort (d'où le nom de « Septembre noir ») et se poursuivit pendant un an, jusqu'à l'éviction complète de l'OLP de Jordanie. Hussein avait montré à la CIA et au reste du monde arabe qui était le « cheval gagnant ».

Et le Mossad avait gagné une relation de travail très précieuse avec son homologue, le GID jordanien, très fin connaisseur du monde arabe. Les deux services partageaient un ennemi commun, les organisations terroristes palestiniennes. Le Mossad se fit une joie d'informer ses collègues des nombreux complots que ces groupes ne manquèrent pas de fomenter contre la vie du souverain hachémite. À partir de cette époque, les chefs des deux services se rencontrèrent régulièrement, en Europe dans un premier temps, pour des échanges d'informations.

La maison libanaise

L'organisation palestinienne dut déménager son quartier général à Beyrouth au Liban, où il n'y avait pas de pouvoir central fort et l'OLP allait prendre une place importante dans la vie politique jusqu'à son départ en 1982. Au début des années 1970, l'OLP lança une guerre secrète contre Israël à travers le groupe terroriste Septembre noir. La nouvelle tactique consistait à internationaliser le conflit, en frappant dans d'autres pays arabes qui ne soutenaient pas l'OLP, mais aussi en Europe. Septembre noir assassina le Premier ministre jordanien, ainsi que l'ambassadeur de Jordanie à Londres, et tenta pas moins de sept fois de tuer le roi Hussein. À cette époque, l'OLP développa des liens avec l'URSS et l'internationale des mouvements terroristes révolutionnaires : la Fraction armée rouge en Allemagne, l'IRA, les Brigades rouges italiennes, Action directe en France, et bien d'autres en Amérique du Sud. En 1974, l'OLP remporta une victoire symbolique lorsque le sommet de la Ligue arabe à Rabat le désigna comme « le seul représentant du peuple palestinien ».

Mais la plus connue des actions de Septembre noir à cette époque fut la prise d'otages et le massacre des athlètes israéliens aux Jeux olympiques de Munich en 1972, sous la férule de Ali Hassan Salameh, figure montante de l'OLP. Dans les dossiers du Mossad, Salameh était décrit comme un dangereux terroriste. Il se distinguait de ses pairs par un soin maniaque porté à sa tenue vestimentaire (il s'habillait chez les plus grands couturiers italiens) et par son goût de la vie nocturne et des belles femmes. On lui avait déjà attribué un surnom, justifié par ses accointances supposées avec le KGB : « le Prince rouge ».

Le Premier ministre israélien Golda Meir convoqua ses deux principaux conseillers en matière de sécurité, le général Aaron

Yariv et le chef du Mossad, Zvi Zamir. Elle leur déclara que la tactique d'Israël contre le terrorisme ne fonctionnait pas et qu'il fallait essayer autre chose de plus radical. Yariv et Zamir proposèrent que l'on mette sur pied une série d'assassinats ciblés contre les membres-clés de Septembre noir. C'était une décision lourde pour Golda Meir, qui réalisait que c'était le début d'un engrenage qui pouvait mener Israël très loin de ses principes. Mais elle finit par leur donner le feu vert. Dans les mois qui suivirent, douze agents de Septembre noir furent exécutés. Il y eut toutefois une terrible «bavure» lorsque le commando du Mossad abattit par erreur un serveur marocain à Lillehammer, l'ayant confondu avec Salameh[1]. Ces actions ne restèrent pas sans réplique: à cette époque, des groupes de l'OLP prirent pour cibles les agents du Mossad qu'ils pouvaient repérer et trois d'entre eux furent abattus: à Madrid, à Bruxelles et à Paris.

Il restait encore plusieurs noms importants sur la liste noire du Mossad: Abou Iyad, le bras droit d'Arafat et grand patron de Septembre noir, Georges Habache, le chef du FPLP, Abou Nidal, qui avait fondé son propre mouvement dissident et faisait de plus en plus parler de lui, et Abou Jihad, le grand coordinateur des attentats en Israël.

Le Mossad travailla dur pour recruter des informateurs de haut niveau au sein de l'OLP. L'un de ses meilleurs agents était une Jordanienne, Amina Mufti, qui fut recrutée en 1972 par un agent qui agissait sous couverture de pilote et fit don de sa personne au service en même temps qu'à la jeune femme. Pour les besoins du service, les hommes autant que les femmes étaient parfois mis à contribution pour séduire, qui une secrétaire bien placée, qui une hôtesse de l'air. Ainsi, une secrétaire qui officiait pour le compte de l'OLP et en était à son troisième officier traitant se plaignit que ce dernier ne voulait pas coucher avec elle: ayant pris le pli avec les deux premiers, elle estimait que

---

1. Voir le récit de Gordon Thomas, *Histoire secrète du Mossad, op. cit.*

cela faisait partie intégrante de sa rémunération. Quoi qu'il en soit, Amina Mufti tomba amoureuse de son officier traitant et accepta de travailler pour le Mossad. Comme elle était diplômée en médecine, le service eut l'idée de lui faire ouvrir une clinique au Liban.

Le paradoxe de ce montage était que le Mossad se retrouvait à financer des soins médicaux pour ses ennemis ! Mais c'était un bon poste d'observation car la jeune femme voyait défiler nombre de Palestiniens blessés. Elle déposait ses rapports dans une boîte aux lettres morte à Beyrouth, et lorsqu'elle avait un message urgent, elle utilisait un émetteur radio miniature confié par le service. Bientôt, elle eut l'occasion de faire connaissance avec Georges Habache, lui-même ancien médecin. Et à l'été 1973, elle fut en mesure de fournir l'information tant attendue : le chef du FPLP s'apprêtait à prendre un avion de ligne libanais. Il fut décidé d'envoyer des jets israéliens pour détourner l'avion par la force et le faire atterrir sur une base israélienne. Mais Habache avait changé ses plans à la dernière minute. L'opération provoqua un incident diplomatique. Deux ans plus tard, Amina cessa toute communication : elle venait d'être arrêtée par les Palestiniens et passa cinq ans de captivité au Liban, avant d'être échangée contre deux terroristes palestiniens. Elle refit sa vie en Israël.

Le « Prince rouge »

Quant à Ali Hassan Salameh, il fallut attendre six ans après Lillehammer pour que le Mossad le localise, à Beyrouth-Ouest. Pendant ce temps, le chef du commando de Munich avait mis à profit son expérience pour structurer et renforcer la force 17 dont il assurait la direction opérationnelle. Il passa ainsi un accord avec le HVA d'Allemagne de l'Est et le DIE de Roumanie, deux services frères du KGB, pour offrir à ses troupes une formation de haut niveau. Le goût du luxe et des femmes constituaient les principales failles dans la cuirasse de Salameh, qui s'affichait au bras des plus belles femmes du Moyen-Orient. En dépit de ce mode de vie étonnant pour un terroriste, il semble bien que sa longévité ait été due pour partie aux liens surprenants que Salameh entretenait avec plusieurs services occidentaux.

Selon un responsable du renseignement libanais, Salameh avait des rapports sulfureux avec la famille libanaise Gemayel. Plus étonnant encore, il était aussi un informateur de la CIA. Son contact au sein de l'agence était Robert Ames, qui trouverait la mort à Beyrouth en 1983. Mais la CIA évitait de le crier sur tous les toits. Le secrétaire d'État Henry Kissinger s'était engagé solennellement auprès d'Israël à ce que les États-Unis ne traitent pas avec l'OLP tant qu'elle n'aurait pas effectivement renoncé au terrorisme. La CIA ne fit jamais état de cette source auprès de ses patrons. Il semble que ce soit après une tuerie à Khartoum en 1973, au cours de laquelle deux diplomates américains furent abattus par des terroristes palestiniens, que Ames conclut un accord avec Salameh. La CIA fournirait à l'OLP un versement annuel sur ses fonds secrets, en échange de quoi les ambassades et postes de la CIA au Moyen-Orient seraient tabous pour l'OLP. En sus, Salameh donnerait à Ames des informations sur les groupuscules palestiniens[1].

Tout fonctionnait à merveille jusqu'en octobre 1976, quand Salameh expliqua candidement au chef de poste de la CIA à Beyrouth, Charles Waterman, que le KGB avait demandé au Fatah de l'enlever pour le lui livrer et l'interroger. Salameh proposait à Waterman de se laisser faire en lui garantissant qu'il serait uniquement interrogé par ses hommes, et de la façon la plus civile! La direction de la CIA prit très mal cette offre baroque et mit fin aux accords avec Salameh. Waterman reçut ordre de quitter Beyrouth immédiatement. Quelques mois plus tard, la CIA reprit langue avec Salameh, qui fut même accueilli

---

1. Entretien avec un ancien de la CIA.

avec sa nouvelle épouse – la première Miss Univers libanaise – sur le territoire américain.

Selon un ancien membre de l'équipe Ames, le Mossad avait fini par avoir vent des rencontres de la CIA avec Salameh. Le chef de poste du Mossad à Paris dit un jour à son homologue de la CIA, Alan Wolf : « Nous allons tuer Salameh. À moins que vous ne nous disiez que c'est un homme à vous, nous allons déclencher l'opération. » Wolf ignorait si c'était un bluff pour découvrir si Salameh travaillait vraiment pour la CIA. Admettre la relation revenait à dire aux Israéliens que les États-Unis avaient violé leur engagement. Ne rien dire signifiait prendre le risque de perdre une source importante. Après avoir pris des instructions, Wolf dit à son interlocuteur que Salameh n'était pas une source de la CIA.

En janvier 1979, le Mossad réussit à « loger » Ali Hassan Salameh à Beyrouth, au terme d'une opération complexe. On savait que Salameh quittait rarement la ville, où il était en permanence entouré d'une forte escorte de « gorilles ». Il fallait repérer en quelles occasions il était le plus vulnérable. Lors d'une discussion collective, un des vétérans du Mossad eut l'idée d'orienter la recherche en direction des clubs de sport. Salameh prenait grand soin de sa personne, il devait forcément en fréquenter un. Dans la semaine, les hommes du Mossad à Beyrouth s'inscrivirent chacun dans un club différent. Pendant des mois, ils y passèrent des heures chaque jour, essayant tous les horaires possibles. Sans résultat, sinon d'améliorer leur forme physique. Au bout de six mois, un jeune agent se rendit en fin d'après-midi dans un sauna. On venait de jeter de l'eau sur les braises : l'atmosphère était difficilement respirable et on ne distinguait que des ombres. Au bout de quelques minutes, le brouillard se dissipa et peu à peu le jeune agent vit en face de lui apparaître les traits d'Ali Hassan Salameh, nu comme un ver.

On prépara alors une opération consistant à placer une bombe dans le sauna, en vue de la prochaine visite de la cible.

Mais la centrale refusa, en raison des risques trop importants de victimes collatérales. Une filature permit en revanche de repérer les résidences de Salameh et les visites plus ou moins régulières qu'il rendait à sa mère, rue Madame-Curie. À la même époque, une jeune Britannique du nom de Erika Mary Chambers loua un appartement en face du domicile de la vieille dame. Toujours décoiffée, la jeune femme hébergeait quantité de chats et déposait même dans la rue des assiettes de nourriture pour les félins en perdition. Pour le reste, elle passait des heures à sa fenêtre à peindre la ville et ses minarets, et montrait en toute occasion ses œuvres dans le voisinage. Si elle n'en vendit aucune, elle se fit accepter comme une gentille excentrique, peu portée sur les hommes puisqu'elle ne recevait jamais personne. Elle put ainsi observer en toute tranquillité les visites de Salameh, encadré par huit gardes du corps, à bord d'une voiture aux vitres teintées, entre l'appartement et les bureaux du Fatah. Apparemment, le récent mariage de Salameh avec l'ensorcelante Miss Univers libanaise, Georgina Razek, était en train de faire de Salameh un homme d'habitudes, puisqu'il rendait de plus en plus souvent visite à sa mère, aux mêmes heures, en empruntant le même itinéraire.

Après plusieurs semaines d'observation, en janvier 1979, Erika fut rejointe par quatre de ses collègues du Mossad, qui voyageaient eux aussi sous passeport britannique. Une grosse quantité d'explosifs leur fut livrée de nuit sur une plage proche de Beyrouth par un commando de marine. L'explosif fut chargé à bord d'une voiture Golf de location, garée sur le parcours de Salameh. Erika se tenait droite à sa fenêtre, guettant l'arrivée du convoi. Celui-ci tourna le coin de la rue. Erika retint sa respiration, la main crispée sur le détonateur. Dix mètres séparaient encore le véhicule de la Golf. Puis 8, 6, 4, 2... À l'instant précis où la voiture arrivait à hauteur de la Golf, la jeune femme déclencha l'explosif. Le souffle retourna et enflamma les véhicules du convoi, tuant sur le coup Salameh et ses gardes du corps. Plusieurs passants furent également blessés. Bientôt on entendit les sirènes d'ambulances et de voitures de police qui convergeaient sur le lieu du drame. Dans la confusion générale, personne ne prit garde à Erika qui quittait définitivement son appartement pour monter dans une voiture de location et rejoindre le port de Djouniyé.

Au Liban, l'OLP devenait la composante d'un jeu politique local de plus en plus dangereux. Soutenue par l'antenne locale du KGB, l'OLP s'associait à la gauche révolutionnaire libanaise et s'efforçait de mettre la main sur certaines régions comme la vallée de la Bekaa, sur les camps de réfugiés palestiniens, sur les ports et autres installations sensibles où elle exerçait sa propre loi, comme en Jordanie quelques années plus tôt, défiant l'autorité centrale. Même au sein de Beyrouth, l'enclave de l'OLP était interdite à la police et à l'armée libanaise. Une guerre civile était inévitable et se déclencha au bénéfice de deux pays qui se partagèrent les zones d'influence : Israël et la Syrie.

Jusqu'en 1975, Arafat croyait voir dans la Syrie d'Hafez al-Assad un allié qui l'aiderait à détruire ses adversaires libanais, en particulier les phalanges chrétiennes. Il se trompait lourdement. En avril 1976, la Syrie entra au Liban pour mettre fin aux guerres de factions et du même coup sauva les phalanges qui étaient sur le point de succomber face à l'OLP et ses alliés de gauche. Furieux, ces derniers se retournèrent alors contre les forces syriennes.

Peu avant, le roi Hussein qui résidait parfois en Angleterre avait rencontré secrètement l'ambassadeur d'Israël. Il était porteur d'une proposition de Hafez al-Assad au Premier ministre israélien Yitzhak Rabin. Une semaine plus tard, après concertation avec les Américains, Rabin répondit par le même canal qu'il était d'accord. En quoi consistait cette entente ? Tout simplement à partager le Liban en zones d'influence. La Syrie établirait le contrôle du nord Liban, jusqu'à la rivière Litani. Au sud de la rivière serait la zone de sécurité d'Israël, qui pourrait y intervenir à sa guise. Le dindon de la farce était évidemment l'OLP. Après réunion du conseil militaire de l'OLP, il fut décidé de suivre la stratégie proposée par Abou Iyad : punir non pas Israël ou la Syrie mais le véritable parrain de cet accord, les États-Unis, en kidnappant Francis Meloy, l'ambassadeur américain à Beyrouth. On chuchota également qu'à l'époque l'OLP avait réclamé un « bonus » à la CIA, qui l'aurait refusé. Quoi qu'il en soit, le FPLP se chargea de l'opération sous couvert d'un groupuscule gauchiste. Selon la CIA, le chef de la force 17, Ali Hassan Salameh participa à l'enlèvement de Meloy. L'un de ses hommes était le fils du chauffeur de l'ambassadeur, ce qui permit de le piéger. Mais contrairement à ce qui était envisagé au départ, le diplomate ne fut pas seulement enlevé, mais aussi exécuté. Ce qui nécessita un rétropédalage des plus délicats de la part d'Arafat et de l'OLP. Dans ses Mémoires[1], Abou Iyad affirme que cette opération fut « un crime ignoble » qui n'avait pas été décidé par l'OLP elle-même, mais les différents services qui ont suivi l'affaire ne confirment pas cette version des faits. Des membres de la force 17 poussèrent d'ailleurs l'effronterie jusqu'à circuler dans Beyrouth avec la Cadillac de l'ambassadeur défunt. Les États-Unis choisirent pour leur part de ne pas exercer de représailles : la CIA avait parfaitement identifié les auteurs du meurtre, mais le président Gérald Ford, en pleine campagne électorale, ne voulait pas d'une action militaire contre l'OLP à ce moment-là. Il est sûr que cette absence de réaction ne donna pas un exemple très dissuasif pour les groupes libanais qui allaient sévir dans les années 1980.

À cette époque, l'OLP était pris en tenaille et devait agir contre Israël, mais du fait de la zone de sécurité, ses mouvements en direction de l'État hébreu étaient entravés. C'est alors que Georges Habache, le chef du FPLP, plaida pour une nouvelle

---

1. *My Home, my Land*, coécrit avec Éric Rouleau, Times Books, 1981.

« exportation » du conflit palestino-israélien, similaire à ce qui avait été entrepris à la fin des années 1960. Mais Arafat et les principaux leaders de l'OLP comprenaient que cette stratégie était destructrice pour l'image de l'OLP dans les médias occidentaux. Cela déclencha une vive opposition entre une OLP « raisonnable », qui préférait ne frapper qu'en Israël, et des groupuscules assemblés au sein d'un « front du refus » qui voulaient intensifier l'exportation de la révolution palestinienne. Toutefois, les analystes du Mossad et des services occidentaux étaient partagés sur la réalité de ce hiatus : certains estimaient que l'opposition était surtout de façade, afin de ne pas abîmer l'image d'Arafat et de l'OLP, mais qu'en réalité tous agissaient de concert.

La chute de Beyrouth

Au Liban, le Mossad s'appuyait beaucoup sur ses liens privilégiés avec les milices chrétiennes de Béchir Gemayel. Celles-ci assuraient qu'ensemble, ils pourraient venir à bout de l'OLP et prendre le contrôle du pays. Une opinion que ne partageait pas le Aman, qui dénonçait la corruption et l'amateurisme des milices phalangistes. Les hommes du renseignement militaire faisaient remarquer qu'on retrouvait entre les mains de combattants de l'OLP une partie des armes qu'Israël avait livrées aux phalangistes. Mais la perspective de mettre l'OLP échec et mat était trop belle pour renoncer. Enfreignant les règles de base de tout service de renseignement, la délégation du Mossad dirigée par David Kimche, le vétéran des affaires africaines, se reposa sur une seule source : le clan Gemayel, sans chercher à diversifier ses informateurs.

Les phalangistes avaient étudié de près le caractère et la biographie de leurs interlocuteurs israéliens pour lesquels ils étaient aux petits soins et qu'ils flattaient habilement. Il est probable que David Kimche, séduit par ces alliés qui représentaient pour lui un îlot de civilisation au sein du monde arabe, leur donna les clés de la personnalité d'Ariel Sharon. En tout cas, la rencontre qu'il organisa entre le ministre de la Défense israélien et Béchir Gemayel se passa de façon idyllique et scella l'alliance entre Israël et les chrétiens du Liban. De ce fait, les Israéliens sous-estimèrent notamment l'importance de la communauté chiite dans le jeu libanais. Se basant sur l'exemple syrien, dans lequel une minorité alaouite arrivait à contrôler un pays majoritairement sunnite, Kimche estimait que ses alliés pourraient contrôler le pays. De son côté, Ariel Sharon rêvait depuis longtemps d'envahir le Liban pour annihiler définitivement l'OLP. Béchir Gemayel, lui-même en contact avec la CIA, avait discrètement fait passer le message sur ce qui se préparait, sans susciter la moindre réaction côté américain. Ce qui équivalait à un feu vert. Il ne manquait plus qu'une étincelle.

Le 3 juin 1982, un membre du groupe Abou Nidal tenta d'assassiner à Londres l'ambassadeur d'Israël, qui allait rester paralysé à vie de ses blessures. C'était un motif en béton pour envahir le Liban et lancer l'assaut contre l'OLP. Arafat fut en effet contraint de quitter le pays sous protection des forces occidentales, parmi lesquelles les Américains et les Français[1]. Mais pour le reste, cette invasion fut la source de davantage de problèmes pour Israël, le Liban et le reste du monde qu'elle n'en résolut, comme l'illustrèrent l'assassinat de Béchir Gemayel et les terribles massacres de Sabra et Chatila qui s'ensuivirent.

Le quartier général de l'OLP s'installa alors à Tunis. Mais sous bonne surveillance : il n'était plus question pour l'OLP de vampiriser une partie du pays. La donne politique avait changé pour Yasser Arafat : le monde occidental était fatigué par la vague de plus en plus désordonnée et meurtrière du terrorisme palestinien. L'OLP avait conquis sa légitimité politique mais devait désormais abandonner officiellement le terrorisme. En 1974, Arafat s'était présenté à l'Assemblée des Nations unies

---

1. Sur les rapports entre le Mossad et les services français, voir le chapitre intitulé « Mortelles randonnées en Europe ».

avec un rameau d'olivier dans une main, un pistolet dans l'autre. Il devait désormais offrir au monde plus qu'un symbole ambivalent. Ce qui n'empêchait pas les multiples groupuscules belliqueux de l'OLP de poursuivre leur lutte. Toute l'ambiguïté de l'OLP était là : si Arafat donna de plus en plus de gages au monde occidental dans les années 1980, il continuait à coexister au sein de l'OLP avec des mouvements poseurs de bombes, voire qui s'attaquaient directement à lui et à ses proches.

Pragmatique jusqu'au bout des ongles, Arafat était capable de se battre à mort avec la Syrie d'Assad ou la Jordanie d'Hussein, puis quelques années plus tard de prendre ces chefs d'État dans ses bras devant les caméras. Il ne rompait jamais définitivement avec personne au sein du monde arabe, n'insultait jamais l'avenir. Sa survie politique autant que physique constituait une sorte de miracle permanent, partiellement explicable par une paranoïa d'une rare intensité. Le Mossad chercha dans les années 1970-1980 à mieux comprendre le secret de son pouvoir et de sa longévité. Et il en conclut qu'il fallait regarder du côté financier.

Les fonds secrets de Yasser Arafat

Dans les années 1970, l'OLP était devenue un véritable empire financier, avec un budget comparable à celui d'un petit État. L'organe essentiel de ce point de vue était le Fonds national palestinien, instauré en 1964 pour financer les activités de l'OLP. L'argent était le nerf de la révolution. Au départ, le Fatah était financé par les services secrets syriens et égyptiens, mais cela durerait tant que ces pays y auraient un intérêt. Après la guerre des Six-Jours, Arafat envoya des émissaires dans les pays du Golfe pour recueillir des fonds. Toujours en 1967, la Ligue arabe vota un subside de 60 millions de dollars, mais cela était à la fois trop ponctuel et insuffisant pour faire tourner l'OLP. Il devint assez vite évident que tel ou tel pays était prêt à payer l'OLP pour qu'elle organise un attentat ici ou là. C'est de cette façon que les factions rivales de l'OLP se constituèrent leur propre trésor de guerre. On tenta aussi d'instaurer une taxe de 5 à 7 % sur les salaires de tous les Palestiniens du monde arabe, une sorte de contribution obligatoire à la révolution.

Au début des années 1980, le budget de l'OLP avait quatre sources principales : les dons de riches Palestiniens et d'organismes philanthropiques arabes, les contributions d'États arabes comme l'Irak, l'Algérie, la Libye, le Koweït ou le Qatar, l'impôt sur les salaires palestiniens et le produit des investissements et autres activités de l'OLP. Ce qui donnait un budget annuel de 400 à 500 millions de dollars environ, dont 100 millions de dollars ou plus pour entretenir les milices armées, le reste servant à couvrir les dépenses de fonctionnement, les relations diplomatiques, l'aide agricole aux territoires, l'aide hospitalière, l'aide à la scolarisation, le fonds pour les familles de martyrs, etc. Le surplus était investi dans diverses entreprises palestiniennes, qui devaient générer un retour sur investissement.

Ce budget officiel de l'OLP ne faisait nulle mention des fonds secrets de Yasser Arafat, auxquels le Mossad s'intéressa de près au début des années 1980, persuadé que c'était là la clé de son emprise sur le mouvement palestinien. Lorsqu'on y regardait de plus près, on s'apercevait qu'Arafat avait créé au fil des ans un inextricable réseau de comptes bancaires secrets numérotés, de sociétés écrans, dont l'ensemble formait un empire financier qu'il était seul à connaître, à l'exception peut-être de son second Abou Iyad. Selon les sources du Mossad à l'intérieur de l'organisation, Arafat ne se déplaçait jamais sans une valise de billets dont il distribuait le contenu à sa discrétion. Il lui arrivait de remettre lors d'une visite à un chef d'État un «cadeau personnel» d'un million de dollars, en remerciement anticipé pour ses futures contributions à l'OLP. Il était notoire au sein du mouvement qu'Arafat pouvait distribuer des enveloppes très généreuses à ses fidèles en certaines occasions : 100 000 dollars pour contribuer aux frais d'un mariage, 40 000 dollars pour un anniversaire, etc.

Les valises de billets servaient aussi, bien entendu, à financer les opérations clandestines, et donc les attentats. L'ancien chef de l'appareil de renseignement et de sécurité Abou Zaïm, qui venait d'entrer en dissidence contre Arafat en 1986, affirma ainsi avoir saisi dans les bureaux de l'OLP à Amman 200 millions de dollars en billets et bons du trésor!

Il n'existait apparemment aucun livre de comptes ni trace écrite de ces paiements, et surtout aucune estimation des actifs officieux contrôlés par le leader palestinien. Mais à force de recoupements, le Mossad parvint à la conclusion que ces actifs souterrains devaient représenter entre 1 et 2 milliards de dollars. D'où provenait une telle fortune? Certains services secrets arabes continuaient d'accorder de généreuses contributions en liquide, ne serait-ce que pour acheter une «protection» de leur territoire, ou bien comme bonus pour la réussite d'une opération qu'ils avaient commanditée. Pendant la période libanaise, il fallait aussi compter avec le produit de divers trafics: l'OLP s'était si bien implantée dans l'économie libanaise qu'elle parvenait à se faire verser une commission sur divers trafics florissants dans la région, mais aussi à percevoir des taxes sur tous types de business. Par exemple, les réseaux de trafics de drogue préféraient, à bien y réfléchir, verser une contribution volontaire à l'OLP plutôt que de voir l'une de leurs cargaisons saisie par les Palestiniens. Le Liban était à l'époque une plaque tournante du trafic mondial. La vallée de la Bekaa était l'un des premiers producteurs mondiaux de haschich. On estimait à l'époque le commerce de la drogue au Liban à 1,5 milliard de dollars annuels. Si l'OLP en perçut 10%, cela représentait une possible recette annuelle de 150 millions de dollars! L'ironie du sort est que du même coup, l'OLP se trouvait associée en affaires avec certains de ses ennemis jurés, comme Rifat al-Assad, le frère du président syrien Hafez, le prince Hassan, frère du roi Hussein de Jordanie ou encore le clan Gemayel…

Autre source de revenu occulte, découverte par le Mossad grâce à un sayan[1] qui travaillait pour la compagnie aérienne Lufthansa : dans le plus grand secret, certaines compagnies aériennes payaient une « contribution volontaire à la cause palestinienne » pour que leurs avions ne soient pas victimes de détournements ! Dans le cas de Lufthansa, qui avait pris cette décision après le détournement d'un de ses avions par le FPLP à Aden en 1972, le versement était de 5 millions de dollars par an, partagés entre Arafat et le FPLP. Plusieurs compagnies étaient dans la même situation, avec des sommes variables. L'une d'elles décida d'interrompre ses contributions et vit ses bureaux plastiqués.

Sur ce modèle, l'OLP percevait des contributions « volontaires » de plusieurs compagnies pétrolières, y compris l'Aramco dont les installations à Rotterdam furent attaquées en 1972, et dont quatorze employés furent tués lors d'une attaque à Rome en 1974. Dans les années 1970, le Mossad estimait ces contributions à 10 millions de dollars par an. L'OPEP (Organisation des pays exportateurs de pétrole), subit à son tour une prise d'otages menée par le terroriste Carlos (alors membre du FPLP) à Vienne en décembre 1975. Les années suivantes, elle paya une forte dîme, estimée à 100 millions de dollars par an, au FPLP et au fonds secret d'Arafat. Pour certains d'entre eux, les riches pays arabes contribuaient aussi individuellement, en plus de leur versement officiel à l'OLP. Après la prise d'otages de La Mecque en 1979, les Saoudiens rejoignirent le club, prêts à payer tous azimuts pour acheter leur protection.

Plus surprenant, comme on l'a vu, les États-Unis acceptèrent ou proposèrent de payer une contribution à l'OLP par l'intermédiaire de la CIA pour que leurs aéroports ne subissent pas d'attentats et que leurs diplomates et espions sur le terrain moyen-oriental ne soient pas pris pour cibles. Cet accord ne devait pas survivre à la nouvelle donne libanaise après 1982.

---

1. Juif volontaire pour aider le Mossad.

De façon symbolique, lorsque les Israéliens assiégèrent Beyrouth-Ouest en 1982, Arafat se réfugia dans la chambre forte de la BNP, où il avait déposé nombre de ses avoirs. Pendant cinq jours, persuadé (sans doute à raison) que les Israéliens cherchaient à l'abattre, il ne quitta pas la chambre forte, y installant son bureau et un lit de camp[1]. Les avoirs palestiniens dans les banques libanaises étaient si importants que leur retrait brutal au départ de l'OLP fit chuter de façon vertigineuse le cours de la livre libanaise, réduisant du même coup les avoirs libellés dans cette devise, aussi bien ceux du clan Gemayel que ceux du Hezbollah, qui perdirent 95 à 98 % de leur valeur !

Arafat abandonna sans doute plusieurs centaines de millions de dollars dans sa fuite. Il lui fallut offrir pas moins de 200 millions de dollars au gouvernement tunisien en remerciement de son accueil. L'OLP dépensa encore dans les années 1980 des sommes comparables en dons à divers pays du tiers-monde en échange de leur soutien à l'ONU, en Asie (Inde) mais aussi en Afrique (Congo, Gabon, etc.).

Selon des estimations de la CIA, les avoirs officiels de l'OLP se montaient à la fin des années 1980 entre 8 et 14 milliards de dollars. Ils incluaient des comptes bancaires, des placements financiers, mais aussi des investissements immobiliers, des organes de presse, et même une compagnie aérienne au Nicaragua. Si l'on y ajoutait les fonds secrets, on voit que le départ du Liban n'avait pas mis l'OLP sur la paille.

L'évacuation de l'OLP de Beyrouth en 1982, qui dura dix jours, permit au Mossad et à l'Aman de parfaire leur connaissance des réseaux palestiniens. Pendant que les quelque 15 000 Palestiniens et Syriens embarquaient sur les navires qui devaient les mener en Tunisie, plusieurs drones israéliens se relayaient au-dessus du port de Beyrouth. Leurs caméras fixaient les visages

---

1. Voir Neil C. Livingstone et David Halevy, *Inside the PLO*, William Morrow, 1990.

d'un maximum d'entre eux, bien que beaucoup se fussent dissimulés derrière des foulards. Les photos prises par les drones arrivaient en temps réel sur les écrans d'un centre de commande installé au douzième étage d'une compagnie d'électricité de Beyrouth-Est. Derrière les moniteurs, les spécialistes en groupes palestiniens sélectionnaient les plus utiles, qui allaient nourrir leurs dossiers. Arafat embarqua le 26 août, sous la protection de la Croix-Rouge, de représentants des Nations unies et des ambassadeurs français et grec, qui formaient un bouclier humain autour de lui. Une salve de mitraillettes et des youyous saluèrent son départ. Plus tard, un diplomate israélien remit à l'envoyé spécial américain une photo montrant Arafat en train d'entrer dans son véhicule. La photo avait été prise par un officier de renseignement israélien. Elle prouvait que les snipers israéliens avaient eu Arafat en ligne de mire mais qu'ils avaient tenu leur promesse de ne pas tirer.

Dès qu'il eut connaissance du point de chute de l'OLP à Tunis, le Mossad y envoya une équipe chargée de rassembler le maximum de renseignements. Un Boeing 707 bourré d'électronique survola la Tunisie pour repérer les fréquences et capter les communications de l'OLP. L'équipe installée à Tunis rassembla toutes les données publiques qui pourraient être utiles au Mossad : plans de la ville, annuaires téléphoniques, etc. Elle se mit à rechercher et recruter des informateurs qui lui permettraient de suivre à distance les activités des Palestiniens. Quelques officiers supérieurs tunisiens furent approchés sous couvert de services européens : ils n'auraient jamais accepté de travailler pour le Mossad mais pouvaient se laisser amollir par l'argent du MI6 ou du SDECE. Enfin, quelques Tunisiens excédés par la présence des Palestiniens ou ayant des comptes à régler avec eux se présentèrent spontanément. On profita aussi du grand tumulte du déménagement et du fait que les militants des divers groupes ne se connaissaient pas forcément entre eux pour infiltrer plusieurs agents munis de faux passeports, qui se présentèrent comme hommes d'affaires palestiniens ou sympathisants. Les commandos de marine israéliens firent plusieurs incursions nocturnes en territoire tunisien à partir de la mer. C'étaient à la fois des missions de reconnaissance de Tunis, mais aussi d'identification des domiciles des leaders palestiniens, qui se révéleraient utiles pour de futures missions.

À l'insu de tous, une petite unité de la force 17 demeura incognito à Beyrouth après le départ de l'OLP. Nombre de leurs camarades restés dans la ville étaient en train de rejoindre le Hezbollah, en cours de formation. Son chef militaire Imad Moughnieh leur offrit son aide et c'est ainsi qu'un canal de coopération fut ouvert entre l'OLP et le Hezbollah. En remerciement pour l'aide apportée à ses hommes de la force 17, Arafat fit un don au Hezbollah, qui en retour aida l'OLP à reconstituer une présence discrète à Beyrouth. C'est en raison de ces liens discrets qu'Arafat pensa pouvoir jouer dans les années 1980 un rôle de médiateur et obtenir la libération d'otages américains et français, mais il dut déchanter : malgré ces prévenances mutuelles, il n'avait aucune influence sur Moughnieh.

Intifada

Malgré l'invasion du Liban, l'OLP restait une menace pour Israël. Lors du retrait des troupes libanaises à l'été 1985, la guérilla palestinienne reprit ses activités. Le schisme entre groupes pro- et anti-Arafat avait renforcé la popularité du «Front du refus» soutenu en sous-main par la Syrie. Les groupes palestiniens menaient contre Israël un nouveau type d'actions à partir de la mer : des commandos débarquaient nuitamment sur des plages israéliennes avant de s'attaquer à des civils. En avril 1985, la Marine israélienne intercepta et coula l'*Atavarius,* un navire sous pavillon panaméen, en provenance d'Alger. Il transportait des commandos qui devaient prendre place sur des vedettes rapides à proximité des eaux israéliennes, débarquer sur une plage déserte et accomplir un raid sur les bureaux du ministère de la Défense à Tel-Aviv. L'opération était supervisée par Abou Jihad, chef des opérations militaires de l'OLP.

Le 25 septembre de la même année, un commando de la force 17 exécutait trois touristes israéliens qui se trouvaient sur un bateau de plaisance dans la marina de Larnaca, à Chypre. Il semble que le commando ait confondu ces touristes avec une équipe du Mossad. Cette tuerie apparaissait comme un cruel écho de la méprise de Lillehammer : les Palestiniens croyaient avoir affaire à d'anciens membres d'un commando israélien. Avec ses liaisons quotidiennes vers Israël et les pays arabes, Chypre avait la réputation d'être un terrain d'affrontement usuel entre l'OLP et le Mossad. En mesure de rétorsion, le 1er octobre 1985 des F15 israéliens bombardèrent le QG de l'OLP au sud-est de Tunis. Il n'y eut pas la moindre réaction ou tentative d'interception de la part des Tunisiens. L'attaque mettait à profit les nombreuses informations recueillies depuis trois ans sur les installations de l'OLP.

La réplique ne devait pas tarder. Moins d'une semaine plus tard, un commando s'emparait de l'*Achille Lauro*, navire italien de plaisance, pendant une croisière entre Alexandrie et Israël. Le navire et ses 450 passagers furent détournés vers la Syrie, qui refusa de les laisser entrer dans le port de Tartous. Les pirates réclamaient la libération de prisonniers palestiniens détenus en Israël. L'État hébreu refusa de négocier cette fois-ci : quelques mois auparavant l'opinion israélienne s'était émue de voir libérer plus de 1 000 prisonniers palestiniens contre la vie sauve pour trois soldats israéliens capturés par un commando palestinien. Le bateau finit son parcours en accostant à Port Saïd, en Égypte. Le commando se rendit à la police égyptienne, contre la promesse de pouvoir sortir du pays libre. L'opération avait fait un mort, un Juif américain du nom de Leon Klinghoffer en chaise roulante, qui fut abattu et jeté à l'eau. Ce meurtre provoqua une vive émotion dans l'opinion publique américaine et devait avoir des conséquences imprévues pour le fonctionnement financier des groupes terroristes aux États-Unis[1].

Quelques jours plus tard, le patron du Aman, le général Ehud Barak, apparaissait à la télévision israélienne et diffusait l'enregistrement, réalisé par ses services, des conversations radio entre les preneurs d'otages et Abou Abbas, l'un des proches d'Arafat. Il en ressortait clairement que loin d'exhorter le commando à relâcher les otages, Abou Abbas leur donnait des directives visant à poursuivre l'opération. D'ordinaire, les services israéliens évitaient de rendre publics ce genre d'enregistrements, afin de ne pas renseigner l'ennemi sur leur capacité à les écouter, et donc de ne pas compromettre une source importante. Cette fois, la décision fut prise par le Premier ministre Rabin lui-même d'exploiter cette preuve directe du double jeu des responsables de l'OLP. Shimon Peres s'envola le jour même pour les États-Unis afin de remettre en personne une copie de l'enregistrement au patron de la CIA.

En 1987, l'OLP multipliait les attaques en territoire israélien tandis que la menace du Hezbollah au Liban restait préoccupante. Au sein des services israéliens, on soupçonnait que les deux organisations agissaient de concert, hypothèse qui serait abandonnée par la suite. Aussi bien le Shin Bet que le Aman et le Mossad furent pris au dépourvu par l'explosion de l'Intifada, la révolte des Palestiniens des territoires, que l'on soupçonnait d'être suscitée et orchestrée de l'extérieur par l'OLP. Ce soulèvement populaire était un phénomène nouveau et déconcertant pour Tsahal, qui n'était pas préparée à y faire face. Dans les services, chacun se renvoyait la balle sur qui aurait dû prévoir une telle éruption, et sur ce que l'on aurait pu faire pour l'empêcher. Shmuel Goren, un ancien du Mossad qui occupait le poste de coordinateur des services

---

1. Voir le chapitre « Coups tordus économiques ».

auprès du Premier ministre, servit de paratonnerre à la colère des politiques. La répression tous azimuts et mal coordonnée des premières semaines ne donnait que peu de résultats. Le Mossad entra alors en action selon un schéma désormais bien connu. Une voiture piégée fut garée dans le port de Limassol, à Chypre, et explosa en tuant trois responsables de l'organisation militaire de l'OLP qui avaient un rôle direct dans l'approvisionnement et la coordination de l'Intifada. Le lendemain, dans le même port de Limassol, une mine endommageait le navire grec *Soi Phryne* qui aurait dû faire route quelques jours plus tard pour Haïfa avec à son bord des manifestants palestiniens pour le «droit au retour».

Dans ce contexte tendu, il fut décidé que le Mossad lancerait une nouvelle vague d'éliminations chez les Palestiniens. Ses équipes avaient désormais une vision détaillée de la nouvelle organisation tunisienne et de son fonctionnement logistique. Plusieurs personnalités furent ainsi exécutées en Grèce et au Sud-Liban. Mais la cible numéro un du service restait Abou Jihad, qui avait échappé à la série d'actions punitives contre Septembre noir, et qui était désormais un des principaux coordinateurs de l'Intifada. Les services d'écoutes avaient découvert qu'il passait des coups de fil longue distance vers certains numéros à Genève ou dans d'autres villes européennes. Ses appels étaient ensuite rebasculés vers ses contacts dans les territoires. D'après ses conversations, il était en train de programmer les prochaines phases de la révolte, avec la création sur place d'un gouvernement clandestin. Pour couronner le tout, Abou Jihad semblait avoir mis la main sur la liste complète des informateurs du Shin Bet au sein des territoires occupés : chacun d'entre eux était contacté et menacé de mort s'il ne cessait pas d'informer son officier traitant. Tout se passait comme si un traître avait livré à Abou Jihad le réseau complet du Shin Bet !

Lors d'une réunion à Alger fin 1987, Abou Jihad et Abou Nidal, qui avaient repris contact par l'entremise du colonel Kadhafi après de longues années de brouille, se mirent d'accord pour organiser un attentat contre le secrétaire d'État américain, George Shultz.

Seul un événement de cette taille était de nature, selon Abou Jihad, à faire dévier les Américains de leur politique pro-israélienne. Or il avait appris que Shultz s'apprêtait à partir en tournée au Moyen-Orient pour y faire de nouvelles propositions de paix. Le tuer pendant sa visite en Israël aurait sans doute un impact maximal. L'attentat fut programmé pour le 4 mars 1988. Une voiture piégée serait garée à proximité de l'hôtel où descendrait Shultz. Grâce à ses taupes au sein de l'OLP, le Mossad eut vent de l'opération et permit à la police israélienne de «découvrir» la voiture piégée peu avant le passage de Shultz. Les Israéliens se firent un plaisir d'informer les Américains de ce qui s'était passé. Ils proposèrent à l'administration Reagan d'éliminer Abou Jihad, faisant ainsi d'une pierre deux coups : éliminer un vieil ennemi permettait de renforcer le lien avec leur allié. Les Américains furent d'accord, à condition d'attendre que Shultz ait quitté la région.

Fin février 1988, un informateur du Mossad au sein de l'OLP fournit la liste des déplacements d'Abou Jihad pour les semaines à venir. Le Premier ministre Yitzhak Shamir donna personnellement le feu vert pour une opération d'ampleur contre lui. Abou Jihad, chef militaire de l'OLP, était désormais perçu comme le successeur probable d'Arafat, et il semblait bien plus dangereux que le vieux chef aux positions ondulantes. De son côté, Nahum Admoni, le patron du Mossad, qui allait quitter son poste quelques mois plus tard, avait envie d'un dernier coup d'éclat.

Raid en Tunisie

L'opération allait mobiliser plusieurs services de renseignement et des forces spéciales, sous commandement militaire : elle serait dirigée par le major-général Ehud Barak, assisté par le directeur des opérations du Mossad et le chef des commandos de Marine. L'équipe du Mossad en Tunisie était chargée de fournir le renseignement et le soutien logistique. Plusieurs corvettes lance-missiles et hélicoptères furent mobilisés. L'une des corvettes transportait un hôpital ambulant, un chirurgien et un anesthésiste, au cas où le commando aurait des victimes. Mais ils n'eurent guère à traiter que le mal de mer des passagers. En appoint aérien, deux Boeing 707 devaient servir, l'un comme QG, l'autre comme centre d'écoutes. Des avions F15 étaient prêts à venir à la rescousse si les Boeing étaient menacés. À bord des navires, deux groupes des forces spéciales étaient mobilisés pour l'occasion : les commandos de Marine qui devaient assurer le débarquement près de Carthage et sécuriser la plage, avant d'assurer le réembarquement sur une autre plage, et enfin l'unité terrestre Sayeret Metkal chargée du reste de la mission. En tout, plusieurs centaines de personnes étaient mobilisées depuis plusieurs semaines, entraînements compris, pour la traque d'Abou Jihad. L'opération avait été répétée une dernière fois, en tenue de combat et à balles réelles sur une plage près de Haïfa, puis autour d'une maison reconstituée à partir de photos du domicile d'Abou Jihad, avec un environnement aussi proche que possible de l'original. Pour éviter de donner l'alerte, la répétition avait eu lieu pendant un créneau horaire au cours duquel les satellites américains et soviétiques ne survolaient pas Israël.

L'unité Sayeret Metkal, sur qui reposait l'exécution, était la force d'élite militaire préférée des leaders politiques israéliens et aussi du grand public. On la retrouvait, depuis sa création par Ariel Sharon dans les années 1950, dans les crises les plus délicates et médiatiques auxquelles l'État hébreu devait faire face : prises d'otages, opérations secrètes pour le compte du Mossad, opérations antiterroristes dans les territoires... Au départ, c'était avant tout une unité destinée à collecter du renseignement en territoire ennemi, mais depuis ses premiers succès on la mettait à toutes les sauces pour capitaliser sur sa popularité au sein du public israélien. Sayeret Metkal était présentée dans les médias comme «l'arme de précision d'Israël». Ses membres, âgés de 18 à 25 ans, étaient des soldats d'élite surentraînés, souvent issus des meilleures familles de la société israélienne, à l'image d'Ehud Barak qui commanda l'unité de 1969 à 1972.

Chaque membre du commando, vêtu d'une combinaison noire ignifugée et d'une veste de combat à l'épreuve des balles, était équipé d'une radio miniature, avec écouteur et micro. Depuis le QG volant, on pouvait suivre l'évolution de chacun grâce à des capteurs, et orienter ceux qui en avaient besoin. Toutes les munitions étaient de fabrication israélienne, elles ne portaient aucune marque de fabrique ni numéro de série. Les équipes A et B étaient armées d'Uzi équipés de silencieux, les équipes C et D qui allaient devoir couvrir leurs camarades transportaient des fusils d'assaut Galil et des grenades.

Fin mars, le Mossad retira la plupart de ses agents en Tunisie, afin de ne pas les exposer inutilement si l'opération tournait mal. Afin de reconnaître le terrain, le commandant de Sayeret Metkal pénétra dans le pays sous une fausse identité. Il revint en Israël juste à temps pour embarquer avec ses hommes.

La deuxième semaine d'avril, les corvettes lance-missiles se déployèrent en Méditerranée pour ce qui ressemblait à s'y méprendre à des manœuvres. Pendant ce temps, la dernière équipe du Mossad présente en Tunisie louait les véhicules qui allaient servir au raid (une Peugeot 305 et deux minibus), et surveillait les environs de la villa d'Abou Jihad. Outre les voies d'accès, elle recensa en particulier toutes les lignes téléphoniques du voisinage. Alors que la flotte était déjà en mer, le Mossad fournit à Ehud Barak une information inespérée : ce n'était pas seulement Abou Jihad mais la plupart des chefs de l'OLP qui seraient présents à Tunis le jour de l'opération (le 16 avril). Or beaucoup habitaient dans le même quartier qu'Abou Jihad. Mais il était trop tard et trop dangereux pour élargir l'opération. Barak choisit de s'en tenir au plan. Autre surprise, le Mossad découvrit que les services français venaient de transmettre au QG de l'OLP un avertissement urgent indiquant que « les Israéliens préparaient une opération ». Mais le message était trop imprécis pour changer quoi que ce soit.

Au soir du 15 avril, les navires convergèrent vers le point de rendez-vous, en dehors des eaux territoriales tunisiennes. Le moment venu, ils reçurent le dernier feu vert et se lancèrent à travers le golfe de Tunis. Près du rivage, les navires coupèrent leur moteur et deux équipes d'hommes-grenouilles plongèrent pour gagner la plage. Ils furent accueillis par l'équipe du Mossad qui les attendait et purent donc donner le signal de départ aux Zodiac, qui transportèrent les hommes et le matériel. Les navires s'en retournèrent alors dans les eaux internationales. Les hommes de Sayeret Metkal et du Mossad grimpèrent dans les minibus et prirent la route vers l'objectif. Ils arrivèrent peu après 1 heure du matin devant la maison d'Abou Jihad à Sidi Bou Saïd, que des sentinelles du Mossad surveillaient sans discontinuer. Les membres du commando enfilèrent leurs cagoules, vérifièrent leurs armes une dernière fois et prirent position autour de la maison. Certains enfilèrent des lunettes de vision nocturne. Les agents du Mossad coupèrent les lignes téléphoniques, pour s'assurer que personne ne pourrait appeler à l'aide. Ce travail ne fut toutefois pas complet puisqu'un voisin qui avait repéré certains membres du commando appela deux fois la police, une première fois pour signaler les intrus, une deuxième fois plus tard, à cause de coups de feu. Ce qui n'eut aucun effet : la police refusa d'envoyer une voiture. Par une étonnante coïncidence, ce soir-là le gros des forces de police prenait part à un exercice de nuit et n'était pas disponible. Ce qui implique que l'opération se déroulait forcément avec des complicités parmi les responsables policiers.

Abou Jihad n'était pas encore rentré chez lui ; il achevait une réunion en ville. Sa voiture suivie par deux agents du Mossad fut annoncée vers 1 h 30. Une heure plus tard, la dernière lumière s'éteignait dans sa villa. Il était temps de passer à l'attaque. L'ordre fut donné dans les écouteurs. L'équipe A approcha de la porte d'entrée, pendant que l'équipe B se positionnait face à l'entrée de derrière. L'équipe C se tenait à proximité pour venir en renfort si besoin. L'équipe D était restée près de la route pour stopper quiconque viendrait au secours d'Abou Jihad. Un membre de l'équipe A se glissa près de la voiture d'Abou Jihad, dans laquelle le chauffeur s'était endormi. Il fut tué d'un coup tiré avec un silencieux.

Presque sans bruit, les équipes A et B fracturèrent les portes d'entrée. L'équipe B sécurisa le rez-de-chaussée pendant que l'équipe A progressait vers l'étage. Elle abattit un garde dans l'escalier. Un autre garde et un employé furent abattus par l'équipe B. L'équipe A arriva devant la porte de la chambre d'Abou Jihad. Alerté par des bruits sourds provenant du rez-de-chaussée, il était en train de se réveiller mais n'eut le temps que de lever la tête de son oreiller. L'équipe A déboulait dans sa chambre et le criblait de balles, sans atteindre sa femme étendue à son côté. Celle-ci, terrifiée, sortit de la chambre au bout de quelques minutes mais ne put téléphoner, jusqu'à ce que sa fille réveillée à son tour eût la présence d'esprit d'aller sonner chez les voisins.

Les équipes quittèrent la maison sans se précipiter pour ne pas éveiller l'attention, sous la protection de l'équipe C. Elles ne prirent pas le temps de jeter un œil au bureau d'Abou Jihad. Elles y auraient découvert des dossiers fort instructifs sur les réseaux palestiniens en Cisjordanie et à Gaza, ainsi que les plans de développement de l'Intifada. D'autre part, un des membres du commando perdit son écouteur et ne prit pas le temps de le récupérer. Une fois que tout le monde fut recensé devant les minibus, les véhicules commencèrent à rouler lentement et silencieusement : plutôt que d'allumer leurs moteurs, les chauffeurs desserraient leur frein pour se laisser rouler jusqu'au bas de la colline. Au passage, les membres des équipes C et D montèrent dans les minibus en marche, qui démarrèrent leurs moteurs un peu plus bas.

Pendant ce temps, les commandos de Marine finissaient de sécuriser la plage qui allaient servir à l'évacuation, à quelques kilomètres de là où ils avaient débarqué. Ils accueillirent leurs camarades qui abandonnèrent les véhicules sur la plage. Tout le monde embarqua dans les Zodiac pour regagner les corvettes, puis la haute mer. Il y eut beaucoup moins de maux de mer au retour qu'à l'aller.

Le bénéfice de cette superproduction fit l'objet de nombreux débats. L'opération avait envoyé un message percutant : les services israéliens étaient capables de frapper loin de chez eux en territoire ennemi. Il allait être difficile de remplacer poste pour poste Abou Jihad dont les qualités d'organisateur et de guerrier faisaient l'unanimité chez ses ennemis mêmes. Pourtant, plusieurs responsables du renseignement reconnurent en privé, quelques années plus tard, que le résultat avait été bien moindre qu'espéré.

Abou Iyad, qui devint après la mort de Abou Jihad le principal homme-clé de l'OLP après Arafat, mais aussi le tenant de la ligne la plus modérée au sein de l'organisation, devait connaître à son tour une fin étrange, juste au début de la première guerre du Golfe. Le 16 janvier 1991, vingt-quatre heures après l'expiration de l'ultimatum américain à Saddam Hussein pour qu'il retire son armée du Koweït, et à la veille du déclenchement de l'opération «Tempête du désert», le prudent Abou Iyad tombait sous les balles d'un de ses propres hommes, un Palestinien du nom de Hamza Abou Zeid, un ancien membre du groupe Abou Nidal qui s'était rallié au Fatah. Capturé après son crime, le tueur avoua à ses interrogateurs être un agent double resté fidèle à Abou Nidal qui avait ordonné l'exécution. Condamné à mort par le Fatah au milieu des années 1980, Abou Nidal avait tenté à plusieurs reprises d'assassiner Yasser Arafat, sans jamais y parvenir. Mais le choix de la date pour agir contre Abou Iyad rend cette explication très curieuse. Nombre de services arabes, et Abou Iyad lui-même dans une interview donnée quelques mois avant sa mort, affirmaient que le groupe Abou Nidal était manipulé par le Mossad. L'accusation est classique dans un tel milieu, et rien ne vient l'étayer. Mais Abou Nidal ne niait pas que son groupe ait pu être pénétré. Il est certain qu'il était dans l'intérêt d'Israël et des États-Unis de voir disparaître cet homme-clé de l'OLP, avec lequel ils avaient un vieux compte à régler, à la veille d'un conflit dans lequel l'organisation palestinienne soutenait Saddam Hussein.

Cette hypothèse ouvre des perspectives vertigineuses : si l'infiltration du groupe Abou Nidal a existé, de quand date-t-elle ? De la fin des années 1970, comme l'affirmait Abou Iyad à son interviewer avant sa mort[1] ? Mais dans ce cas pourquoi ne pas avoir empêché la tentative d'assassinat par le groupe Abou Nidal de l'ambassadeur israélien à Londres en 1982 ? Pour obtenir le motif d'envahir le Liban ? Hypothèse bien audacieuse : le service d'un pays démocratique qui prendrait le risque de laisser exécuter un diplomate de son propre pays dans un but politique s'exposerait à déclencher un énorme scandale...

---

1. Voir David Yallop, *To the Ends of the Earth, The Hunt for the Jackal*, Jonathan Cape, 1993.

Chapitre 4

Mortelles randonnées en Europe

Paris, capitale arabe

Aux yeux du Mossad, le Paris des années 1970 et 1980 devint peu à peu une «capitale arabe». En cause, bien entendu, la fameuse «politique arabe» du général de Gaulle, prolongée par ses successeurs, mais aussi de façon plus prosaïque la suite logique à la montée en puissance des pays exportateurs de pétrole dans l'économie mondiale : les deux chocs pétroliers des années 1970 et l'inflation incontrôlée des prix du pétrole créèrent une population d'hommes d'affaires et d'investisseurs qui raffolaient de la vie parisienne et de certaines traditions festives. Les sommets de l'État français courtisaient visiblement les nouvelles puissances. Au début du mandat de Valéry Giscard d'Estaing, le président développa une relation privilégiée avec le Shah d'Iran à qui furent proposées toutes les merveilles technologiques françaises. De son côté, le Premier ministre Jacques Chirac était au mieux avec Saddam Hussein, le nouveau maître d'Irak aux ambitions nucléaires. Beaucoup, au sein de l'État hébreu, ne furent pas loin d'y voir une trahison des idéaux pro-sionistes de la IVe République.

Alors que le terrorisme palestinien, mais aussi étatique, se développait partout en Europe, les services secrets français étaient à la manœuvre pour limiter les dégâts. Dans les années

1970 s'imposa la doctrine de la «sanctuarisation» du territoire national : il était recevable de tout faire pour protéger la France des attentats ; par conséquent, on pouvait tolérer que des groupes étrangers y résident ou transitent par le territoire, voire s'affrontent entre eux, pourvu qu'ils s'engagent à ne rien faire contre les intérêts français. Cette doctrine allait connaître des hauts et des bas mais serait mise en pratique par divers responsables, de droite comme de gauche. Elle subirait des dérapages car certains groupes turbulents ne comprenaient pas que la justice française retienne les leurs pour des attentats commis sur le territoire national mais sans avoir touché de citoyens français.

La France fut donc relativement épargnée dans les années 1970 par certains groupes terroristes, notamment libyens grâce à un accord passé avec le coordinateur des attentats en Europe, Ahmed Gaddaf Eddam, responsable des services secrets de Kadhafi. Un ancien de la DST, Jean Baklouti, se souvient qu'Eddam «venait régulièrement à Paris pour mener une véritable vie de débauche, logé dans des palaces à Paris, Deauville et autres, entouré de jolies femmes, consommant, bien que musulman, d'innombrables bouteilles de champagne. Je l'ai rencontré pour négocier avec lui un marché, la possibilité de continuer à jouir de la vie parisienne contre l'engagement de n'effectuer sur notre territoire aucune action violente. Cet engagement a été tenu, mais j'ai dû essuyer à plusieurs reprises les reproches des responsables des services de renseignement anglais et italiens qui nous reprochaient de l'accueillir[1]».

Parmi les autres groupes à surveiller, les Syriens se distinguaient déjà tout particulièrement. Le 21 juillet 1980, Salah Bitar, ex-Premier ministre et opposant d'Hafez al-Assad, fut assassiné à Paris. Les opérations clandestines en Europe étaient coordonnées par le frère du président syrien, Rifat al-Assad, depuis

---

1. Témoignage de Jean Baklouti, ancien responsable de la sous-direction de la sécurité à la DST. *Grandeur et servitude policière, la vie d'un flic*, éditions Bénévent, 2011.

l'ambassade syrienne à Paris et dirigées sur le plan opérationnel par le commandant Ali Hassan, attaché militaire sous impunité diplomatique. Grâce à la surveillance de la DST, plusieurs assassinats et projets d'attentats planifiés par cette équipe furent déjoués : un commando qui devait commettre un attentat contre le roi Hussein en visite en Grande-Bretagne fut arrêté par le MI5, un autre qui devait assassiner le responsable des Frères musulmans à Aix-la-Chapelle fut interpellé par la police allemande. Le 19 décembre 1981, les Syriens tentèrent de faire exploser une bombe au siège du journal d'opposition *Al-Watan al-Arabi*, rue Marbeuf. Mais le dispositif de mise à feu ne fonctionna pas. En étudiant l'emballage, la DST découvrit qu'il avait précédemment servi à livrer un magnétophone à l'ambassade… comme quoi le recyclage peut présenter des dangers. Paradoxalement, les Syriens furent contraints en avril d'endosser un autre attentat contre ce même journal, celui-ci réussi puisqu'il fit une victime et des dizaines de blessés. La bombe avait été posée selon les premiers éléments de l'enquête par le groupe du terroriste Carlos (qui cherchait alors à faire libérer deux membres de son équipe capturés dans un parking). Soucieux d'offrir à l'opinion une réplique rapide, le ministère de l'Intérieur décida d'expulser le colonel Hassan et un de ses hommes. Rifat al-Assad serait ensuite convaincu de modérer ses activités sur le sol français, sous peine de ne plus pouvoir y remettre les pieds. Illustration de la guerre des services, aussi bien Jean Baklouti, l'ancien patron antiterrorisme de la DST, que Pierre Marion, ancien patron de la DGSE, revendiquent la paternité de cet accord dans leurs Mémoires respectifs.

Les services français entretinrent aussi de bonnes relations avec Abou Iyad, le responsable des activités de renseignement de l'OLP. « Nous le recevions au restaurant *Jules Verne* de la tour Eiffel, se souvient un ancien de la DST, il n'était jamais très ponctuel et pas toujours habillé de façon sélecte. Un jour, il est arrivé en blouson de cuir, il a fallu qu'on lui prête une veste et une cravate pour qu'il puisse entrer ! Mais nous n'en tirions pas beaucoup de renseignements opérationnels. C'étaient surtout des informations politiques sur les rivalités et stratégies au sein de l'OLP. Et nous savions qu'il mangeait à tous les râteliers, au sens propre du terme!» Autrement dit: Abou Iyad faisait la tournée des services européens, ce qui peut expliquer en partie sa longévité exceptionnelle dans ce milieu. À partir de 1982, les patrons de la DST rencontrèrent plusieurs fois Yasser Arafat lui-même. Pour à peu près les mêmes résultats.

En 1985, la DST établit le contact avec le dissident Abou Nidal pour éviter de nouveaux attentats à Paris (une fusillade avait eu lieu rue des Rosiers). Raymond Nart, alors sous-directeur du contre-espionnage à la DST, le rencontra à Alger avec le général Rondot. Une trêve des attentats fut négociée en échange de l'expulsion vers la Libye de deux membres de l'organisation retenus en France, avec l'approbation du ministre de l'Intérieur Pierre Joxe[1].

Les services français ne se contentèrent pas d'entretenir des contacts avec les Palestiniens, ils recrutèrent à l'occasion leurs propres informateurs au sein de groupes dissidents. C'est ainsi qu'un ancien chef de groupe des opérations spéciales du FPLP, lassé des règlements de comptes internes, entra en contact au Liban avec un agent français sous couverture diplomatique. Il finit par accepter de prévenir les Français de tous les projets d'attentats contre la France, moyennant une rémunération de 20 000 francs par mois sur un compte en Suisse. Aussi étonnant que cela puisse paraître, la DST à qui l'affaire fut transmise n'avait pas les moyens de les lui payer! La solution fut de confier cette source aux collègues du BND allemand, qui eux avaient les fonds secrets nécessaires, et de partager ses informations.

Bien entendu, le Mossad était à l'époque très mécontent des contacts français avec divers acteurs arabes et palestiniens, même s'il n'en faisait pas reproche directement à ses amis. Mais cela peut

---

1. Éric Merlen et Frédéric Ploquin, *Carnets intimes de la DST*, Fayard, 2003.

expliquer pourquoi, malgré de nombreux engagements verbaux, ils ne fournissaient pas à cette époque de renseignements de valeur à la DST, seulement des analyses générales sur les groupes terroristes : les mêmes d'ailleurs que celles qu'ils remettaient à la DGSE et aux autres services européens.

De leur côté, les Français n'ignoraient pas les activités du Mossad en France contre certains représentants palestiniens, même s'ils ne pouvaient pas toujours les prouver ou arrêter les agents israéliens la main dans le sac. Le problème changea de dimensions et devint incontrôlable après le massacre des athlètes israéliens par un groupe palestinien aux Jeux olympiques de Munich en 1972. À partir de ce jour, la traque et l'élimination des membres du commando Septembre noir étaient une des priorités du Mossad, et Paris qui se montrait si accueillant pour l'OLP serait un de ses principaux théâtres d'opérations.

Mahmoud Hamchari, représentant de l'OLP en France, vivait à Paris avec son épouse française Anne-Marie et leur petite fille dans un appartement parisien. Aux yeux du Mossad, Hamchari n'était pas un simple diplomate et intellectuel : on avait repéré à son domicile des allées et venues de militants palestiniens porteurs de lourdes valises. Et les dossiers du service le désignaient comme le numéro deux de Septembre noir en Europe. Le Mossad le soupçonnait d'un attentat à la bombe qui fit quarante-sept morts sur un vol Swissair en 1970, et aussi d'un projet d'attentat contre David Ben Gourion en 1969. Son nom apparut sur la liste de représailles établie en 1972, bien qu'il ne soit pas directement lié à l'attentat de Munich. Hamchari se savait potentiellement ciblé par les Israéliens et vivait avec un luxe de précautions, évitant de traîner dans les lieux publics et observant tout mouvement inhabituel dans son immeuble.

Une unité *kidon* observa les habitudes de la famille et constata que Hamchari restait seul le matin à son domicile. Un agent se présentant comme un journaliste italien le contacta et demanda à le rencontrer ainsi que son épouse pour une interview. En leur absence, un membre de l'équipe s'introduisit dans leur appartement et en ressortit sans être repéré. Le 8 décembre au matin, l'épouse et la fille de Hamchari quittèrent le domicile. Une demi-heure plus tard, un homme entra dans un café voisin. Il s'accouda au bar, bien en vue de deux comparses assis dans une voiture garée en face. Il demanda à utiliser le téléphone et composa le numéro d'Hamchari. Lorsque ce dernier se fut identifié, l'homme leva le bras et raccrocha de sa main restée libre. Hamchari entendit un sifflement aigu avant qu'explose la bombe dissimulée dans le guéridon sur lequel reposait son téléphone. La DST fut furieuse d'apprendre cet attentat commis sous son nez. Israël démentit, mais la presse française désigna sans grand risque de se tromper l'œuvre du Mossad.

Quelques semaines plus tard, une équipe du Mossad débarquait à Chypre par des vols différents. Depuis la guerre des Six-Jours, Nicosie était devenue un autre grand champ de bataille entre Israël et les mouvements palestiniens, le lieu privilégié des règlements de comptes. Leur cible se nommait Bachar Abd al-Hir, membre de Septembre noir et point de contact avec le KGB soviétique. Rentré le soir à son hôtel, Abd al-Hir se mit au lit et éteignit. L'équipe de surveillance savait qu'il était seul dans sa chambre et déclencha la bombe placée sous son lit. À l'étage du dessous, un couple de jeunes Israéliens en pleine nuit de noces dut interrompre ses ébats, bombardé par une avalanche de plâtre.

La riposte de Septembre noir à ces deux attentats ne se fit pas attendre. Le 26 janvier 1973, à Madrid, un Israélien du nom de Moshe Hanan Ishai avait rendez-vous avec une source Ensemble, ils déambulèrent dans la rue. Soudain, deux inconnus leur bloquèrent le passage. Ishai tenta de saisir son arme tandis que son compagnon prenait la fuite. Avant d'avoir dégainé, il fut frappé de trois balles en pleine poitrine. Il devait mourir quelques heures plus tard à l'hôpital. Ce soir-là, Septembre noir annonça avoir éliminé le grand responsable des opérations européennes du Mossad, Uri Mulov. L'homme était bien un agent israélien mais se nommait en fait Baruch Cohen et il coordonnait un réseau d'étudiants palestiniens qui le renseignaient sur le Fatah et Septembre noir. Cohen avait été repéré par les services du Fatah qui avaient décidé dans un premier temps de le nourrir en fausses informations. Ce n'est qu'après l'offensive parisienne et chypriote du Mossad qu'il fut décidé de le supprimer par vengeance. La prochaine manche allait à nouveau se jouer à Paris.

En février 1973, Golda Meir se rendit à Washington en visite officielle. Après son départ, le FBI révéla au Mossad avoir découvert plusieurs voitures piégées qui auraient dû exploser sur son passage. Le responsable désigné de l'attentat manqué était un adjoint de Georges Habache, le chef du FPLP, du nom d'Abdel al-Rauf Kubeisi, qui avait réussi à quitter les États-Unis. D'origine irakienne, Kubeisi avait tout du parfait intellectuel : il avait étudié le droit aux États-Unis et au Canada avant de l'enseigner à l'université américaine de Beyrouth. Cette position sociale lui fournissait une couverture idéale. En réalité, c'était un champion de l'assassinat politique : dès 1956, il avait tenté de supprimer le roi Fayçal d'Arabie saoudite en plaçant une machine infernale sur la route du convoi royal. Selon une taupe du Mossad au sein du Fatah, l'homme préparait un plan encore plus ambitieux : il projetait d'envoyer un commando suicide détourner un avion qui, bourré d'explosifs, s'écraserait en plein milieu de Tel-Aviv ! Le 6 avril, il fut pris en filature à Paris où il préparait sa nouvelle opération. Il se dirigeait vers son hôtel près de la Madeleine, après avoir dîné au *Café de la Paix*. Place de la Madeleine, une équipe du Mossad l'attendait. À son approche, deux hommes armèrent leurs revolvers. Mais un incident imprévu les empêcha de faire feu. Une décapotable freina à la hauteur de Kubeisi. À son bord, une jeune femme aguichante l'interpella sans timidité excessive. Ahuris, les agents du Mossad le virent monter à ses côtés après avoir discuté le prix. La voiture démarra dans un grand crissement de pneus. L'opération semblait avoir échoué.

Cependant, le chef d'équipe estima qu'ils n'en auraient peut-être pas pour très longtemps. Il décida de maintenir le dispositif. Bien lui en prit puisque trente minutes plus tard, ils virent réapparaître la voiture de la prostituée, qui déposa son client à l'endroit exact où elle l'avait trouvé. Kubeisi se dirigea vers son hôtel, le sourire aux lèvres. La voiture venait à peine de repartir quand deux hommes lui firent face et l'abattirent sans bruit de leurs Beretta munis de silencieux.

À peine vingt-quatre heures plus tard arrivait à Chypre le remplaçant d'Hussein Abd al-Hir. Par superstition, l'homme descendit dans un autre hôtel que celui de son prédécesseur, d'ailleurs en partie fermé pour de menus travaux. Après une soirée de prise de contact avec le chef de poste du KGB, il regagna sa chambre, se coucha… et explosa de la même façon qu'Abd al-Hir.

Le 10 avril 1973, quatre jours seulement après l'élimination de Kubeisi à Paris, en pleine nuit plusieurs soldats déguisés en hippies, et pour l'un d'eux en femme, débarquaient sur une plage de Beyrouth. Ils grimpèrent dans des voitures tenues prêtes sur la corniche. Elles avaient été louées par six hommes arrivés en ordre dispersé depuis une semaine, et qui avaient joué aux parfaits touristes tout en apprenant par cœur le plan de Beyrouth et les emplacements de leurs cibles. Il s'agissait de Kamal Nasser, porte-parole du Fatah, Kamal Adwan, responsable des activités de Septembre noir dans les territoires occupés, et Abou Youssef, chef en titre de Septembre noir. Les voitures se mirent en route et foncèrent vers les domiciles des principaux lieutenants de Yasser Arafat. Le premier était encore à son bureau et fut abattu alors qu'il venait de saisir son arme. Le deuxième réagit plus rapidement dès l'entrée du commando et eut le temps d'ouvrir le feu. Mais il n'avait pas prévu qu'un membre du commando escaladerait la façade en suivant les canalisations et le surprendrait par-derrière en tirant à travers la fenêtre. Après avoir vérifié que leur cible était bien morte, les membres du commando ramassèrent les dossiers qui traînaient et se dirigèrent vers la sortie. Ils furent surpris par une vieille femme qui sortait d'un appartement voisin, alertée par le bruit. Instinctivement, l'un des membres du commando tira et la toucha mortellement. Au sixième étage du même immeuble résidait Abou Youssef. Après avoir fait sauter la porte, les Israéliens tombèrent sur son fils adolescent, qui prit la fuite. Dans la chambre des parents, l'épouse de Youssef se précipitait sur le placard où son mari rangeait un revolver. Quand le commando jaillit dans la pièce, elle fut abattue en même temps que lui. Le commando ramassa les dossiers qu'il put trouver et sortit de l'immeuble où il n'avait pas passé plus de cinq minutes. Déjà des 4 x 4 de la police libanaise approchaient de l'immeuble. Le commando disparut juste à temps pour les éviter.

Pendant ce temps, à l'autre bout de Beyrouth, deux hommes se dirigeaient tranquillement vers l'entrée d'un QG palestinien situé rue de Khartoum. Le lieu était symbolique : quelques semaines plus tôt, un commando palestinien avait pris d'assaut une soirée diplomatique à l'ambassade saoudienne de Khartoum et massacré les diplomates des pays considérés comme hostiles à leur cause. Mais les deux Israéliens ne pénétrèrent pas dans le bâtiment : ils furent abattus sans sommation. Différentes factions rivales de l'OLP se livraient alors à une véritable vendetta. Chacun tirait donc à vue sans se poser de question lorsqu'on croyait détecter un mouvement suspect. Le commando israélien qui attendait de pénétrer dans l'immeuble fut donc pris sous un tir nourri et en quelques minutes la rue devint un véritable champ de bataille. Sans se démonter, le chef du commando décida de maintenir la position, alors qu'il avait déjà essuyé de lourdes pertes. Il attendait l'arrivée de trois autres groupes, en train de débarquer sur la plage, et chargés de faire diversion en attaquant d'autres immeubles tenus par les Palestiniens. Le but était que l'armée palestinienne ne sache plus où intervenir. Finalement ses hommes réussirent à pénétrer dans le hall et à y placer leur lourde charge explosive qui n'avait miraculeusement pas été touchée par les échanges de tirs. Ils ne se firent pas prier pour quitter les lieux. Vingt-quatre minutes après le début de la fusillade, le commando avait regagné ses voitures et fonçait rejoindre les autres unités sur la plage, prêtes à réembarquer. De la plage, celles-ci virent une énorme explosion, signe que le dernier commando avait accompli sa mission.

En mai 1973, une nouvelle équipe du Mossad débarquait à Paris. La ville était désormais familière à plusieurs d'entre eux, soit qu'ils y aient déjà exercé leurs talents, soit qu'ils aient potassé à la bibliothèque du service les nombreux guides touristiques qu'elle proposait en plusieurs langues. Leur nouvelle cible se nommait Mohammed Boudia, ancien cadre du FLN algérien. Emprisonné par les Français pendant la guerre d'Algérie, Boudia avait été libéré au moment de l'indépendance algérienne et nommé par le président Ben Bella directeur du théâtre national algérien. Lorsque Boumediene prit le pouvoir, Boudia dut s'exiler à Paris, où il fut bientôt nommé à la tête d'un petit théâtre d'avant-garde. À première vue, il partageait son temps entre la direction artistique et plusieurs liaisons féminines tumultueuses. Proche de Georges Habache, le chef du FPLP, Boudia accepta aussi de reprendre du service dans la lutte active. Il enrôla une de ses jeunes maîtresses qui prit part à plusieurs opérations du FPLP en Europe, notamment au sabotage des réservoirs pétroliers de Trieste et des raffineries de Rotterdam. En 1972, après la mort d'Hamchari, Boudiaf disparut de son domicile parisien et renoua avec la clandestinité. Selon le Mossad, il était devenu le bras droit de Salameh en Europe. L'équipe du Mossad chargée de retrouver Boudia n'avait aucune idée de l'endroit où il se cachait. Elle décida donc de « suivre la femme », ou plutôt les femmes : les dossiers des maîtresses connues de Boudia furent répartis entre les agents qui se chargèrent de leur surveillance. Après plusieurs semaines infructueuses, et alors que leur responsable se demandait s'il ne valait pas mieux lever le dispositif et rentrer en Israël, l'une des jeunes femmes, une universitaire algérienne, reçut la visite nocturne d'un homme qui correspondait en tous points au signalement de Boudia. Seul problème : les agents qui grelottèrent toute une nuit puis une matinée devant son immeuble ne virent pas Boudia ressortir. Pire, dans les semaines qui suivirent, Boudia revint régulièrement rendre visite à son amie, mais on ne le voyait jamais quitter l'immeuble ! Intrigué, le responsable de l'équipe passait et repassait en revue les photos de toutes les personnes ayant quitté l'immeuble chaque lendemain de visite de Boudia. Et il finit par comprendre qu'il aurait dû faire le rapprochement avec les activités théâtrales de Boudia : si on ne le voyait pas sortir, c'était tout simplement parce qu'il se déguisait en jolie blonde avec perruque avant de quitter l'appartement ! Mais il était alors trop tard : Boudia avait peut-être détecté la surveillance, toujours est-il qu'il ne se montra plus. Là encore, on songea à rapatrier l'équipe. Mais quelques jours plus tard, l'un des agents signala avoir reconnu Boudia à la station de métro Charles de Gaulle-Étoile. C'était un indice ténu, mais c'était le seul dont on disposait. Jouant le tout pour le tout, le chef d'équipe réclama qu'on lui envoie tous les agents disponibles en Europe. Deux jours plus tard, il se trouvait à la tête de près de cinquante personnes. Chacun fut muni de photos de Boudia et d'émetteurs-récepteurs, puis chargé de surveiller une fraction des couloirs souterrains, particulièrement nombreux dans la station. Le quatrième matin, on le repéra enfin et il fut pris en filature. On découvrit qu'il disposait d'une voiture qui lui servait à stocker ses déguisements : sur le siège arrière traînait une perruque blonde bien connue…

Dans la soirée du 28 juin 1973, Boudia se gara rue des Fossés-Saint-Bernard, devant le domicile d'une autre de ses maîtresses. Le lendemain matin, avant d'ouvrir son véhicule, il en fit le tour, vérifia le châssis et les freins. Une fois au volant, il tourna la clé de contact... et déclencha l'explosion.

À ce stade, la récurrence d'opérations «homo» (pour «homicides» comme on disait dans les services français) commençait à porter sur les nerfs de certains responsables de la DST. Ils identifiaient bien d'où venaient ces opérations mais les équipes du Mossad ne laissaient généralement pas de preuves. Et force était de constater que les hiérarchies policière et politique ne faisaient pas de ces affaires une priorité. L'action du Mossad ne se limitait pas à de spectaculaires homicides mais incluait aussi toute la panoplie de l'action psychologique : lettres de menaces contre des diplomates arabes en poste à Paris par une mystérieuse «Organisation mondiale pour la sauvegarde de l'individu», lettre piégée au délégué général de l'OLP, neutralisée *in extremis* par la police.

Côté palestinien, Abou Iyad reprochait à ses contacts français leur mollesse à punir les assassinats du Mossad. Du coup, les échanges entre DST et Mossad devenaient de plus en plus difficiles. De part et d'autre, on se faisait fatalement des cachotteries et on s'envoyait des piques, comme dans un vieux couple. À la fin des années 1970, le Mossad n'hésita pas à «tamponner» – aborder dans le but de soutirer du renseignement – un homme de la DST en lui envoyant une superbe vamp. Daniel Burdan était alors en charge de la surveillance des milieux palestiniens, et donc très bien informé sur leurs activités parisiennes. On lui parla d'une jeune femme, une call-girl «qui entretenait des relations avec de riches hommes d'affaires arabes». Il accepta de la rencontrer et eut droit à un grand numéro de charme. La jeune femme demandait de l'aide au prétexte assez vague qu'on lui aurait dérobé un manteau de fourrure, mais en vint assez vite au motif de sa démarche :

«J'ai un ami libyen qui est très sympa... Il vit à Paris. [...] C'est un ami personnel de Kadhafi. [...] Il me l'a présenté. J'ai même passé une soirée avec lui.

Elle fronce son joli front pour se faire convaincante. Je réfléchis. Cette fille est une call-girl de haute volée. Je dois avoir autant d'intérêt pour elle que son premier string. Les "flics" ne sont sûrement pas sa tasse de thé, c'est le cas de dire. Il ne fait aucun doute qu'elle connaît mon appartenance à la DST. Son histoire de manteau de fourrure ne tient pas. En plus elle m'a servi un peu trop vite son ami libyen. Je suis maintenant sur mes gardes. Si c'est un "montage" comme on dit, c'est trop sophistiqué pour avoir été imaginé par un service arabe. Les seuls capables d'un tel coup sont les Israéliens ou la DGSE qui utilise ce genre "d'honorable correspondante". J'opterais plutôt pour le Mossad. Il emploie souvent de très jolies filles comme appât, pour recueillir des confidences sur l'oreiller. À la DGSE, elles sont beaucoup plus moches[1]. »

On laissera à Daniel Burdan la responsabilité de cette dernière remarque, qui témoigne surtout d'une guerre des services tout aussi vivace à cette époque en France qu'en Israël. Il reste que son analyse de la situation est plausible : outre qu'on imagine assez mal la DGSE monter une telle opération sur un homme de la « maison d'en face », le mode opératoire est bien caractéristique du Mossad. Il est probable que celui-ci a cherché à en savoir plus sur les informations obtenues par la DST sur les mouvements palestiniens à un moment où leurs échanges se réduisaient de plus en plus.

L'espionne, l'escort et le scientifique

Une des obsessions d'Israël au tournant des années 1980 est d'assurer le *statu quo* du rapport des forces nucléaires au Moyen-Orient, en d'autres termes : Israël doit conserver le monopole de la bombe ! Or les Français qui avaient aidé Israël à s'équiper vingt-cinq ans plus tôt ont pris depuis la fin des années 1960 un

---

1. Daniel Burdan, *DST, Neuf ans à la division antiterroriste*, Robert Laffont, 1990.

virage pro-arabe, encore renforcé par les deux chocs pétroliers des années 1970. Le dossier le plus inquiétant est celui du projet nucléaire irakien de Tamuz, dont le réacteur baptisé « Osirak » a été fourni par la France suite au rapprochement conduit dès 1974 par le Premier ministre Jacques Chirac avec son nouvel ami Saddam Hussein. Selon l'accord de coopération franco-irakien du 18 novembre 1975 « pour l'utilisation de l'énergie nucléaire à des fins pacifiques », Paris s'est engagé à livrer un centre de recherches et à former six cents ingénieurs irakiens.

« Si l'on ne fait rien, l'Irak produira bientôt la première *bombe islamique.* » Bien que simple ministre de l'Agriculture dans le gouvernement Begin, Ariel Sharon déploie alors un lobbying tous azimuts pour convaincre le cabinet de mener un raid aérien sur l'Irak, brandissant le spectre d'une nouvelle Shoah. Avant d'en arriver là, les services secrets sont déjà à la manœuvre. En avril 1979, les deux cuves des réacteurs Tamuz 1 et 2 commandées par l'Irak sont entreposées à La Seyne-sur-Mer, prêtes à partir en livraison, avec 65 kilos d'uranium enrichi. Dans la nuit du 5 au 6 avril, un groupe de « touristes », descendu la veille à Toulon, arrive au milieu de la nuit en minibus à proximité du chantier naval. Cinq d'entre eux sortent du véhicule sans bruit, escaladent le mur et gagnent sans la moindre hésitation le hangar des réacteurs. Ils ouvrent en douceur les serrures, débranchent l'alarme et mettent en place des charges d'explosifs ultra-puissants à retardement sur le cœur des réacteurs. Ils ressortent quelques minutes plus tard sans attirer l'attention des gardiens, qui poursuivent leur ronde sans avoir rien remarqué. Quinze minutes plus tard, tout explose. Le projet « Osirak » vient de prendre plusieurs mois de retard.

Après l'opération dans les chantiers de La Seyne-sur-Mer (qui a sans doute bénéficié de complicités en interne), des actions psychologiques sont montées pour dissuader tous les Français censés aller travailler sur le site : menaces par téléphone et par courrier au directeur des Constructions navales, aux ingénieurs en partance pour l'Irak, etc. Une bombe explose devant la villa d'un libraire de Saint-Germain-en Laye qui a le malheur de porter les mêmes nom et prénom qu'un haut responsable du Commissariat à l'énergie atomique (CEA) travaillant sur le site nucléaire irakien.

L'enquête de la DST s'oriente d'abord sur le service des voyages du CEA, avant de découvrir que l'erreur du Mossad vient de ce qu'ils ont réussi à pirater le système informatique d'Air France dans lequel le libraire homonyme avait le mauvais goût d'être référencé.

Dans la nuit du 13 au 14 juin 1980, un client de l'hôtel *Méridien* à Paris est retrouvé mort dans son lit par une femme de chambre. C'est un ingénieur atomiste égyptien du nom de Yahya al-Meshad, l'un des meilleurs techniciens du monde arabe. Cet homme-clé du programme irakien était censé prendre livraison quelques jours plus tard du nouveau matériel livré par la France aux Irakiens. Le meurtre rappelle les nombreuses attaques, non résolues à ce jour, qui frappaient au début des années 1960 les scientifiques allemands qui travaillaient sur le programme de missiles égyptiens. Grâce à des témoignages recueillis par bribes auprès du personnel de nuit, des femmes de ménage, la DST parvient à reconstituer le scénario de l'attentat et à identifier la prostituée qui a accompagné le physicien ce soir-là dans la chambre, ainsi que l'assassin qui y a pénétré après le départ de la jeune femme. L'une des femmes de chambre a vu l'homme qui est sorti de la chambre et l'identifie sur le fichier photo du personnel de l'ambassade.

Pour réclamer la levée de son immunité, il faut plus de preuves. La DST essaie de retrouver la call-girl : elle a quitté Paris. On la fait convoquer par la PJ dès son retour. Mais avant qu'elle ne soit entendue, le 12 juillet 1980, alors qu'elle circule sur le boulevard Saint-Germain, un homme la bouscule et elle chute sous une voiture qui arrive à vive allure. Elle meurt avant même l'arrivée de l'ambulance. L'homme a disparu et celui que l'on suspecte d'après le signalement des passants s'empresse de quitter le pays. On trouvera dans le carnet d'adresses de la jeune femme un numéro de téléphone de l'ambassade d'Israël. Mais le président Giscard et Jean François-Poncet, son ministre des Affaires étrangères, refusent de créer sur cette seule base un incident diplomatique : l'affaire sera donc enterrée.

Quelques mois plus tard, le CEA prévient la DST qu'un autre physicien égyptien, Abdul Rashid, doit se rendre au centre de recherches de Pierrelatte. Il est placé sous surveillance par l'antenne régionale de la DST. Le samedi suivant son arrivée, il se rend à la gare pour accueillir une jeune femme qui semble être une prostituée. Débarqué par le même train, un homme se rend au même hôtel qu'eux et semble les surveiller. Anxieux de voir le même scénario qu'à Paris se reproduire, le responsable DST local fait investir en force l'établissement. Aussitôt l'homme disparaît. Sur photo, on reconnaîtra plus tard un diplomate israélien. Le Mossad n'a cette fois pas réussi à rééditer son opération. Toutefois, quelques mois plus tard le physicien décédera d'un mystérieux empoisonnement.

Selon l'enquête de la DST, l'opération al-Meshad et l'empoisonnement d'Abdul Rachid ont été coordonnés par une brillante jeune membre de Césarée, alors en poste à Paris sous couverture d'étudiante : Tzipi Livni, future ministre israélienne et leader du parti centriste Kadima ! Ancien sous-directeur à la DST, Jean Baklouti qui a mené l'enquête est formel sur son identification : « Le Mossad était en force à l'ambassade, une quinzaine de personnes en tout. Nous les avons pris en filature. Celui qui avait été reconnu par le personnel de l'hôtel *Méridien* sortant de la chambre d'Al-Meshad ne m'était pas inconnu : il m'avait servi de garde du corps lors de ma dernière visite en Israël. Tous rendaient compte à une clandestine : Tzipi Livni. Malgré son jeune âge, c'était elle le grand manitou. Elle a mené cette opération de main de maître[1]. »

---

1. Témoignage recueilli par l'auteur.

Elle-même fille de combattants clandestins de l'Irgoun, Tzipi Livni née en 1958 a été recrutée après son service militaire – qu'elle a brillamment achevé avec un grade de lieutenant – par une amie d'enfance, Mira Gal, devenue ensuite sa plus proche collaboratrice.

Dans une interview donnée en 1995 à un journaliste israélien mais publiée seulement en 2009 en raison de la censure militaire, et dans laquelle elle est désignée simplement comme « L. », Livni raconte avoir fait partie de *Bayonet*, l'unité clandestine d'assassinats pendant quatre ans : « On vit sous adrénaline en permanence. La plupart du temps j'avais un comportement étrange, je perdais toute spontanéité. Il faut rester concentré et calculer tout le temps. »

Âgée de 22 ans, elle était en poste à Paris en 1980. Elle dit avoir trouvé difficile de mener une vie sentimentale dans ces conditions : « Être en couple demande de l'honnêteté. Je ne pouvais pas avoir ce genre de relation avec quiconque, en revanche des aventures courtes ne font pas de mal si l'on s'en tient aux règles. » Aux yeux de sa famille, Livni qui avait débuté en Israël de brillantes études de droit prenait juste du bon temps à Paris.

Selon une autre source d'un service européen, Livni a également participé à l'élimination d'un responsable de l'OLP à Athènes le 21 août 1983. Mcraish Mamoun se trouvait dans sa voiture quand deux personnes à moto ont fait feu sur lui. Ce serait peu de temps après que Livni, ne supportant plus la pression de cette vie tumultueuse, aurait décidé de revenir à ses études de droit en Israël. Il est impossible de savoir à quel moment elle a réellement quitté le Mossad.

Quoi qu'il en soit, un autre ancien responsable de la DST nous a confirmé l'implication de Livni dans l'affaire al-Meshad.

Les assassinats ne sont qu'un des moyens d'action mis en œuvre pour saper le projet nucléaire irakien. L'un des ingénieurs du CEA va ainsi être recruté pour livrer les plans de la centrale d'Osirak, dans la perspective d'un bombardement de dernier ressort. Quelques mois plus tard, en septembre, profitant de la confusion créée par la guerre Iran-Irak, l'armée de l'air israélienne envoie une escadrille de chasseurs-bombardiers Phantom déguisés aux couleurs iraniennes sur Bagdad pour bombarder le site nucléaire de Tamuz. L'installation est endommagée, mais le cœur du réacteur reste intact. Les services occidentaux, qui ont pu suivre le parcours des avions par satellite, ont compris d'où venait l'opération. Ce raid inabouti provoque tout de même le départ de soixante-quinze techniciens français qui résidaient à proximité.

La question d'un bombardement d'Osirak est désormais au cœur du débat interne au cabinet israélien. Le patron du Mossad, Yitzhak Hofi, plaide à l'inverse de Begin et Sharon pour ne pas bombarder tout de suite, car les Irakiens ont encore plusieurs étapes à franchir avant d'arriver à leurs fins et le Mossad prépare d'autres actions de sabotage.

Ce contexte ressemble étrangement à celui de 2011-2012, si l'on remplace l'Irak par l'Iran : fort de ses actions de sabotage qui ralentissent le programme iranien, l'ancien et l'actuel patron du Mossad (Meir Dagan et Tamir Pardo) plaident pour ne pas précipiter une action militaire qui pourrait avoir des conséquences imprévisibles.

Plusieurs mois se passent. Selon Yitzhak Hofi, Osirak devrait atteindre son stade critique au mois de septembre 1981 au plus tôt. Une attaque est prévue pour le… 10 mai 1981, jour de l'élection présidentielle en France ! À la demande de Shimon Peres, informé par Begin en tant que chef de l'opposition, elle sera décalée de quelques semaines pour ne pas gêner François Mitterrand avec qui Peres a d'excellents rapports. Le 7 juin, date anniversaire de la guerre des Six-Jours, huit bombardiers F16 escortés de six chasseurs F15, équipés de réservoirs supplémentaires, décollent de la base d'Etzion dans le Sinaï, survolent la Jordanie et arrivent en une demi-heure sur l'objectif. En moins de deux minutes, ils déchargent leurs missiles qui anéantissent la coupole de béton d'Osirak et son contenu. L'opération a fait un mort : un technicien français qui se trouvait sur le site.

Morts suspectes à Paris

Le 18 janvier 1982, Charles Robert Ray, attaché militaire à l'ambassade des États-Unis à Paris et agent de la DIA (le renseignement militaire américain), quitte son domicile et se dirige vers sa voiture. Avant qu'il ait pu l'atteindre, il reçoit une balle dans la nuque à bout portant. Le jour même, les Fractions armées révolutionnaires (FARL) émettent depuis Beyrouth une revendication. Et une société de communication reçoit sur son répondeur deux curieux messages dénonçant l'assassin et ses complices et indiquant qu'ils sont basés à Lyon. En réalité, cette société n'a rien à voir avec les services secrets, mais son numéro de téléphone est quasi identique à celui de la préfecture de Police de Paris. On a donc voulu « balancer » le groupe terroriste[1]. Qui et pourquoi ? On ne le saura que bien plus tard...

Le 31 mars suivant, au lendemain de la visite de François Mitterrand en Israël, les murs de la mission d'achat israélienne à Paris sont mitraillés, action revendiquée par les FARL. Ce n'est pas le dernier attentat contre elle puisqu'en septembre 1982 un colis piégé placé sous la voiture d'un fonctionnaire israélien fera cinquante blessés, dont quarante-sept lycéens qui se trouvaient à proximité. La mitraille du 31 mars laisse entrevoir aux policiers français un lien entre les FARL et le groupe terroriste français Action directe, puisque l'un des pistolets mitrailleurs Sten qui a servi à l'opération sera retrouvé dans une planque de Joëlle Aubron, rue du Borrégo dans le 20e arrondissement de Paris. Lors de l'opération de police, Joëlle Aubron était en compagnie d'un certain Mohand Hamami, qui sera dès lors considéré comme le lien entre les FARL

---

1. Voir Charles Villeneuve et Jean-Pierre Péret, *Histoire secrète du terrorisme*, Plon, 1987.

et Action directe. Le chef des FARL, Georges Ibrahim Abdallah, niera qu'une telle alliance ait existé entre les deux organisations.

Le 3 avril de la même année, vers 12 h 45, un diplomate israélien en poste à Paris, Yaacov Barsimentov, arrive avec sa femme et sa fille en voiture dans le parking souterrain de leur immeuble de Boulogne-Billancourt. Ils prennent l'ascenseur pour regagner le hall. Là, Mme Barsimentov voit arriver une inconnue qui tire sur son mari cinq coups de 7,65. Barsimentov est mortellement blessé. L'inconnue s'enfuit aussitôt et passe devant la loge du gardien alerté par les coups de feu. C'est une petite femme, d'un mètre soixante environ, aux hanches larges. À ce moment arrive à vélo devant l'immeuble Avi, le fils de Barsimentov âgé de 16 ans. Le gardien lui hurle de prendre la femme en chasse. Il ne comprend pas pourquoi mais s'exécute et la suit jusqu'au métro porte de Saint-Cloud. Il abandonne son vélo et se lance à sa poursuite. Il la retrouve devant les caisses. Celle-ci prend un air menaçant et lui ordonne de se « tirer ». Redoutant le scandale et ignorant toujours le drame qui vient de se jouer, Avi retourne chez lui.

Le jour même, les FARL revendiquent l'assassinat de Barsimentov depuis Beyrouth. La DST sait déjà que le « diplomate » est un agent de l'antenne parisienne du Mossad. Quatre jours plus tard, le 7 avril, son directeur Marcel Chalet reçoit un Télex du Mossad qui donne le nom du chef présumé des FARL : Georges Ibrahim Abdallah, un proche de Georges Habache. En plein dans le mille : quelques jours plus tard, l'arme qui a servi aux meurtres de Ray et Basimentov sera retrouvée dans le coffre d'Abdallah. Sur le moment, les responsables de la DST ne trouvent pas étrange que le Mossad identifie si vite les auteurs du crime : après tout, on vient de tuer l'un des leurs, il est logique qu'ils fassent diligence. Ils sont plus surpris en revanche par la froideur de leurs interlocuteurs à qui ils annoncent la trouvaille du pistolet et la capture d'Abdallah. Six ans plus tard, ils recevront sur cette affaire un nouvel éclairage, particulièrement troublant...

Comme tous les professionnels du renseignement dans le monde occidental, les gens de la DST et de la DGSE ont lu, lors de sa publication, le livre de Victor Ostrovsky, l'ex-agent du Mossad intitulé *By Way of Deception*[1]. Difficile de le rater puisque le Mossad a tenté de faire interdire sa parution au Canada, ce qui a braqué sur lui les projecteurs du monde entier et assuré son succès. Pour un œil avisé, deux choses sont sûres à la lecture du livre : malgré des outrances qui témoignent d'une volonté de régler des comptes, Ostrovsky est bien un authentique transfuge du Mossad. Son recrutement a bien eu lieu en 1983 comme il le décrit. Mais il n'a pas pu écrire le livre sur la seule base de son bref passage au sein du service : même si le Mossad est à l'époque peu cloisonné, vu le nombre d'histoires racontées avec précision, Ostrovsky a forcément bénéficié d'autres témoignages à l'intérieur du service.

Ce qui n'en rend que plus intéressante la lecture de son second livre de Mémoires, *The Other Side of Deception*, celui-là passé quasi inaperçu et jamais traduit... Apparemment le Mossad avait compris cette fois que la meilleure façon de ne pas subir les révélations d'un livre est encore de faire silence à son sujet. D'elle-même la presse n'y prêta que peu d'attention : quel intérêt à revenir sur une histoire dont tout semble avoir été dit ? En fait, dans ce nouveau texte, l'auteur parle en détail de son éviction et raconte surtout ce qui s'est passé après son départ du Mossad. On y apprend qu'il a conservé des liens avec un cadre dirigeant du Mossad, nommé Ephraïm Halevy. À l'époque, le Mossad décrit par Ostrovsky est déchiré entre une majorité très droitière et extrémiste, partisane de la seule manière forte et notamment de l'invasion du Liban en 1982, et un groupe de « réalistes », désireux de concilier force et diplomatie, groupés autour d'Halevy. Né à Londres en 1934, Ephraïm Halevy a émigré en Israël en 1948 et a accompli des études de droit à l'université de

---

1. Traduction française : Claire Hoy et Victor Ostrovsky, *Mossad, un agent des services secrets israéliens parle*, Presses de la Cité, 1990.

Jérusalem tout en dirigeant un syndicat étudiant. En 1961, il a rejoint le Mossad et en a progressivement gravi tous les échelons. Il est devenu un ami intime du roi Hussein, ce qui lui permettra de jouer un rôle-clé dans la négociation d'un traité de paix entre la Jordanie et Israël à la fin de l'année 1994. Après l'éviction d'Ostrovsky, Halevy lui aurait proposé de rester à son service privé, pour l'aider à contrer certaines tendances extrémistes au sein du Mossad. Comment ? Tout simplement en allant offrir à divers services de renseignement arabes et occidentaux des informations sur les opérations les plus discutables du Mossad sur leur territoire, afin qu'il ne puisse plus récidiver ! C'est ainsi qu'Ostrovsky dit avoir visité les Jordaniens, les Égyptiens, les Britanniques et les Français. Avant de cesser ce petit jeu qui devenait de plus en plus dangereux pour sa sécurité et d'adopter une approche plus radicale : publier un livre de révélations sur l'histoire et les dérives du Mossad, avec l'aide du groupe Halevy.

Il ne nous était pas possible de vérifier tous les épisodes de son récit, mais nous avons interrogé plusieurs sources qui confirment que l'épisode français de son histoire est authentique. Après avoir fait acte de candidature auprès du poste DGSE aux États-Unis, Ostrovsky est bien arrivé à Paris le 28 juillet 1988, pour être débriefé dans un local près de Sarcelles par la DGSE, puis par la DST. Il détailla pour ses interlocuteurs l'organigramme et le fonctionnement du Mossad. Le deuxième jour fut consacré à examiner des photos de membres présumés du Mossad.

« Ils avaient tellement de photos de gens du Mossad dans leurs livres que je me sentais tout nu. Il y avait une photo de Oren Riff marchant dans Paris avec Admoni et Biran. Ils étaient totalement inconscients d'être sous surveillance. Je me demandai qui ils allaient rencontrer et combien d'agents et de soutiens juifs ils avaient brûlés en une seule visite à Paris. Et puis il y avait des piles de photos prises depuis l'extérieur du siège du Mossad à Tel-Aviv. Elles étaient rangées par cible : une photo d'un homme entrant au QG du Mossad à Tel-Aviv, un gros plan de son visage et à côté une photo d'identité et copie de ses papiers diplomatiques. Ils connaissaient plus de gens du Mossad que moi. [...] En tout, ils avaient repéré et localisé plus de cinquante agents de terrain, sur toute l'Europe. En revanche, ils ignoraient la collaboration avec Action directe.

Action directe? Un nom qui fait sursauter les Français. Selon Ostrovsky, le Mossad a réussi à entrer en affaires avec Action directe: un agent du service leur a fourni une série de passeports britanniques en blanc de toute première qualité, en échange d'informations sur les attaques prévues au sein de l'internationale terroriste contre les intérêts israéliens. Action directe croyait avoir affaire à un groupe de Sud-Américains qui voulaient échanger ces informations contre des armes en provenance d'Israël.

Cet épisode nous ramène à l'affaire des FARL et aux attentats contre Ray et Barsimentov. Là-dessus, Ostrovsky développe une thèse particulièrement audacieuse: Yaacov Barsimentov était un membre du groupe Halevy qui tentait de nouer un dialogue avec les Palestiniens en 1982. Halevy avait obtenu pour cela l'accord de son chef Yitzhak Hofi et d'un responsable des Affaires étrangères. En contournant le chef du département «liaison», Nahum Admoni, qui soutenait la relation avec les chrétiens de Gemayel et le projet d'invasion du Liban. Barsimentov ne parvenant pas à trouver un interlocuteur chez les Palestiniens, il demanda l'aide d'un diplomate américain avec lequel il avait lié amitié, Charles Robert Ray.

Ray et Barsimentov furent tués avant d'avoir pu entrer en contact avec les Palestiniens. L'implication est énorme: des *kidon* assassinant un agent américain et un agent du Mossad? Il y aurait là de quoi provoquer un scandale sans équivalent. Pour Ostrovsky, un tel dévoiement a bel et bien eu lieu: les *kidon* ne savaient tout simplement pas qui ils allaient tuer. Après coup, on leur a dit qu'il s'agissait d'une erreur tragique. Et l'arme ayant servi aux deux crimes fut placée dans le coffre d'Abdallah tandis que l'attentat était revendiqué au nom des FARL.

Dans ce genre d'affaires, il ne peut évidemment y avoir de preuves. On peut seulement relever quelques indices troublants : le mystérieux coup de téléphone destiné à la préfecture de Police au lendemain du meurtre de Ray. Le fax du Mossad désignant Abdallah quatre jours après la mort de Barsimentov. L'absence de réaction à l'arrestation d'Abdallah. Une arme ayant servi aux FARL retrouvée dans une planque d'Action directe. Et enfin, le curieux départ d'Halevy du Mossad en 1995, quelques mois après la parution du livre d'Ostrovsky dévoilant leurs supposées manœuvres communes, alors que Halevy, devenu directeur adjoint du Mossad, venait d'accomplir un bel exploit pour son service avec la conclusion du traité de paix israélo-jordanien, et qu'il ne manifestait nulle intention de le quitter. Pourquoi bifurquer à cette date vers la diplomatie ?

Après un détour par la carrière diplomatique, Halevy reviendra dans le jeu du renseignement grâce à son amitié avec le roi Hussein, dans des circonstances que nous relaterons plus loin. Preuve que sa disgrâce n'était pas irréversible, quels qu'en soient les motifs. Bien évidemment, ses Mémoires fort elliptiques sur le fonctionnement du Mossad ne font aucune mention des raisons de son éviction. Chacun doit donc se faire sa propre opinion.

Le marchand de meubles de l'OLP

Au début des années 1990, face aux menaces terroristes la coopération interservices se renforce par nécessité. Le réseau « Kilowatt » regroupe alors les services de renseignement de l'Europe des dix, auxquels viennent s'ajouter le Mossad, la CIA, les services suisses, canadiens, espagnols, australiens, autrichiens, suédois et libanais. Côté israélien comme côté français, on s'efforce de raviver la relation. Au début de la première guerre du Golfe, la DST va d'ailleurs fournir un renseignement en « or massif » au Mossad sur les systèmes de communication irakiens. Un ancien se souvient de l'agent en poste à Paris à qui avait été transmis le dossier en question : «C'était une petite bonne femme habillée tout en noir avec un sac de grand-mère. Je l'ai revue quelques mois plus tard à Tel-Aviv, méconnaissable : elle s'était transformée en une superbe pin-up!» Mais peu après, une opération audacieuse du Mossad va de nouveau tendre les relations entre espions français et israéliens.

On s'en souvient, l'état-major de l'OLP vit replié à Tunis depuis son expulsion du Liban en 1982. L'adjoint au chef de la sécurité de l'OLP, Yassine Adnan, a notamment en charge la protection des personnalités lors de leurs déplacements à l'étranger. C'est l'époque où l'organisation palestinienne entame sa mue idéologique sur la question du droit d'existence de l'État d'Israël, ce qui permet l'ouverture de négociations avec les États-Unis (elles aboutiront au sommet de Madrid en 1991). À cette époque, la femme d'Adnan est soignée à Paris pour un cancer. C'est lors d'un de ses séjours à Paris pour assister son épouse qu'il est approché par un homme d'affaires égyptien du nom de Hilmi, dans le hall du *Méridien Montparnasse*, un hôtel où l'OLP loue une chambre à l'année. Hilmi déclare être un sympathisant de la cause palestinienne et pouvoir contribuer au financement de l'OLP. De son côté, il a besoin d'aide pour monter des projets hôteliers en Tunisie. Les deux hommes sympathisent. Bientôt, Hilmi présente à Adnan son ami «Georges», un homme d'affaires qui parle arabe avec un accent libanais. Les trois compères bâtissent des plans pour monter une affaire d'import de meubles à Tunis. Ce projet va devenir réalité, et la société de meubles comptera même parmi ses premiers clients l'OLP!

Quatre ans plus tard, lors des négociations d'Oslo, l'équipe de l'OLP a la puce à l'oreille : il lui semble que les Israéliens anticipent en permanence leurs positions, comme s'ils disposaient d'une source au sein de la délégation. D'où un certain malaise entre les membres de l'équipe! En réalité, il n'y a pas de taupe parmi eux. Mais un système d'écoutes imparable : pour s'attirer les bonnes grâces de l'OLP, la jeune société de meubles a commencé par offrir à Mahmoud Abbas, l'un des bras droits de Yasser Arafat qui souffre du dos, un fauteuil ergonomique et une lampe design du plus bel effet… mais ces meubles contiennent surtout un système d'écoutes et de transmission le plus sophistiqué du moment, indétectable par scanner et directement relié aux ordinateurs du Mossad !

Adnan ne sert pas seulement à espionner les moindres discussions au sein de l'OLP ; il est l'un des seuls à connaître à l'avance et avec précision tous les déplacements des hautes personnalités du mouvement. C'est ainsi qu'en juin 1992 il est informé du voyage impromptu à Paris d'Atef Bseisso, un ancien du commando armé Septembre noir (dont les services israéliens ont juré de tuer tous les membres). Bseisso est aussi et surtout le successeur d'Abou Iyad, numéro deux des services palestiniens éliminé en 1991. Or, dans la nuit du 7 au 8 juin, Bseisso est à son tour abattu en pleine rue dans Paris devant son hôtel, le *Méridien Montparnasse*, alors qu'il sort d'une voiture. Les deux jeunes tueurs, en jogging et baskets, tirent à plusieurs reprises avec des 9 mm munis de silencieux et équipés d'un sac recevant les douilles. Ils achèvent leur victime d'une balle dans la tête. La DST est d'autant plus furieuse qu'elle venait de rencontrer Bseisso, en charge du contact avec les agences de renseignement occidentales. Et qu'il venait de lui remettre de précieuses informations sur le mouvement terroriste d'Abou Nidal, notamment la liste de ses caches d'armes en Europe. De son côté, le suspect numéro un de l'affaire, à savoir le Mossad, avait promis aux Français de ne plus commettre d'assassinats en France.

Le directeur de la DST, Jacques Fournet – qui traitait personnellement Bseisso – appelle le patron du Mossad et lui passe un savon. Ce dernier ne confirme pas, et ne dément pas non plus, être à l'origine du meurtre, s'en tirant par une formule cryptique : «Dieu reconnaîtra les siens». Cet épisode marque pour quelques mois un net refroidissement des relations entre les deux agences. L'enquête de la DST et du juge Bruguière permettra de découvrir le système de boîtes vocales utilisé par les agents du Mossad pour communiquer à l'étranger : « Avec la DST et la brigade criminelle, raconte Bruguière, nous partons d'un numéro de téléphone parisien qui aurait été utilisé par Yassine Adnan pour contacter un de ses traitants, numéro communiqué par les Tunisiens. La "taupe" appelait régulièrement deux numéros : l'un en Italie et l'autre en France, lorsqu'elle avait besoin de joindre ses "correspondants". Nous remontons ses lignes et nous allons faire des découvertes surprenantes. Ces deux numéros correspondent à un système alors très sophistiqué de messagerie par boîtes vocales, une technologie disparue aujourd'hui[1]. » Ce système permet à des sociétés de fonctionner à distance en laissant leurs collaborateurs déposer ou consulter des messages, à l'aide de codes secrets. L'enquête démontre un système d'une rare complexité : un numéro français est attribué à une société espagnole, en liaison avec des boîtes vocales belges, un numéro italien qui aboutit en Belgique, des sociétés fantômes qui n'ont aucune activité économique mais qui passent leur temps à changer de nom ou à fusionner, etc. Les policiers français vont réussir un coup de maître : « Ils ont réussi à entrer dans le système à partir des numéros français qui ont pu être remontés. Ainsi sont-ils parvenus à capter tous les messages enregistrés dans les boîtes vocales et à identifier leur origine. Nous trouvons des messages, naturellement codés, au contenu parfois surprenant, qui proviennent du monde entier. Du Moyen-Orient, bien sûr, d'Irak, par exemple. Mais aussi des États-Unis ou de Russie. Des messages très courts, sibyllins, provenant d'hommes et de femmes, dans toutes les langues : anglais, allemand, français, italien, et surtout arabe[2]. » Sans le vouloir, la DST entre alors au cœur d'un système d'information interne du Mossad ! Ce dernier comprend très vite qu'on a pénétré son dispositif, ce

---

1. Jean-Louis Bruguière et Jean-Marie Pontaut, *Ce que je n'ai pas pu dire*, Robert Laffont, 2009.
2. *Op. cit.*

qui risque de compromettre ses réseaux en Europe. Il décide de démanteler complètement son système, qui a été très coûteux à mettre en place.

L'enquête de la DST et du juge Bruguière permet aussi, par recoupements, de découvrir que seul Adnan pouvait connaître la présence de Bseisso à ce moment précis. Yasser Arafat refuse de faire entendre ce dernier par la justice française… mais la DST prend soin de transmettre son dossier aux services tunisiens. Ces derniers mettent en place une surveillance serrée. Un an plus tard, on découvre qu'une Mercedes importée par sa société est bourrée d'explosifs et de matériels d'écoutes. Il est arrêté, ainsi que son fils. Soumis à des interrogatoires musclés, il finit par passer aux aveux et est emprisonné pour dix ans.

Chapitre 5

Trafics d'armes

Le 22 septembre 1980, les forces irakiennes de Saddam Hussein pénétraient en territoire iranien. La guerre allait durer huit ans et faire plus d'un million de victimes. Mais pour l'heure, les observateurs occidentaux prédisaient la victoire plus ou moins rapide des Irakiens contre le régime des mollahs, et certains s'en réjouissaient même. Les Iraniens étaient brutalement placés face à plusieurs défis. Un problème d'armement tout d'abord : les réserves militaires du Shah n'avaient pas été renouvelées depuis la révolution. Du coup, l'entretien comme les munitions faisaient défaut. Encore plus inquiétant, les réserves en hommes étaient insuffisantes, *a fortiori* si l'on voulait compenser la supériorité technologique irakienne. L'ayatollah Khomeini eut tôt fait de trouver la solution à ce problème : il édicta que les adolescents de plus de 12 ans pouvaient désormais s'enrôler pour le champ de bataille sans la permission de leurs parents, moyennant quoi ils deviendraient ses protégés et accéderaient au paradis islamique s'ils tombaient au champ d'honneur. Khomeini fut ainsi le premier à faire du martyre un système de gouvernement et de combat, contournant ainsi les règles très strictes du Coran interdisant le suicide.

Restait le problème des armes. Suite à la prise d'otages de l'ambassade des États-Unis à Téhéran[1], l'Amérique avait pro-

---

1. Voir *1979, guerres secrètes au Moyen-Orient*, Nouveau Monde éditions, 2009.

clamé un sévère embargo contre l'Iran. Mais la tentation d'un marché juteux restait forte chez les industriels occidentaux. Les équipes du Mossad surveillaient étroitement leurs activités et rapportèrent qu'une société française cherchait déjà à fournir les Iraniens en matériel *via* des sociétés relais en Europe. Pendant ce temps, les Iraniens eux-mêmes créaient des sociétés « faux nez », en Suisse notamment, pour faire leurs emplettes.

La face cachée de l'Irangate

De façon surprenante, les responsables israéliens n'étaient pas tous hostiles à la vente de matériels militaires aux Iraniens : Moshe Dayan, ministre des Affaires étrangères et Ariel Sharon, ministre de la Défense étaient les plus fervents avocats de la vente d'armes aux mollahs. Israël espérait encore renouer avec l'Iran, partenaire stratégique d'importance à l'époque du Shah. Armer l'Iran revenait aussi à prolonger la guerre et à affaiblir les deux pays. Saddam Hussein apparaissait alors comme une menace encore plus forte que Khomeini : on ne pouvait le laisser prendre le leadership sur la région.

De manière encore plus stupéfiante, on sait désormais que la vente d'armes à l'Iran par divers intermédiaires manipulés par les services israéliens fut organisée avec le plein accord de hauts responsables américains. Dès avant l'élection présidentielle américaine de 1980, des réunions eurent lieu à Paris entre les représentants iraniens, israéliens et... une délégation de l'équipe de campagne de Ronald Reagan ! Les Américains, parmi lesquels figurait William Casey, directeur de campagne de Reagan et futur patron de la CIA, voulaient obtenir la libération des otages de l'ambassade américaine, mais seulement *après* l'élection de façon à s'assurer de la défaite du président démocrate Carter. Cette libération fit l'objet d'une transaction des plus étranges. Elle nous est rapportée par Ari Ben-Menashe, ancien membre du Aman, le renseignement militaire, au sein duquel ses origines iraniennes le désignaient comme l'expert maison. À ce titre, il fut au cœur des négociations et des ventes d'armes à l'Iran[1].

«En décembre 1980, je reçus une mission importante. Sagi[2] m'appela dans son bureau. Ses premiers mots me surprirent: "Ari, je vous confie la tâche enviable de récupérer 52 millions de dollars." Avant que je puisse dire quoi que ce soit, il ajouta: "Ce que je vous demande ne fait pas partie de votre travail pour le Comité. C'est pour l'accord que nous avons avec les Américains sur la libération des otages. Pour faire simple, il faut livrer 52 millions de dollars aux Iraniens avant l'investiture du nouveau président le 20 janvier."

– Parfait, dis-je, et dans quelle banque dois-je les retirer?

Sagi marqua une pause et se mit à arpenter son bureau de long en large.

– Ce n'est pas si simple. Vous allez devoir vous rendre au Guatemala. Là, l'ambassadeur saoudien vous remettra 56 millions de dollars.

– 52 millions.

– Non, 56 millions. Il y a aussi un petit extra.

Les quatre millions supplémentaires devaient être déposés à la Valley National Bank d'Arizona, dans son établissement principal de Phoenix. On me remit un numéro de compte, au nom d'Earl Brian. Le reste de l'argent devait être remis à Kashani, mon contact iranien en Europe.

Je ne pus m'empêcher de demander: pourquoi le Guatemala? Pourquoi les Saoudiens? Pourquoi Earl Brian?

Le directeur me fixa d'un œil sévère. "Je n'ai pas besoin de vous rappeler comment cet accord a été mis sur pied, répondit-il. Vous étiez là quand les Iraniens ont expliqué que leurs radicaux devaient recevoir 52 millions de dollars. L'ayatollah Khomeini ne contrôle pas tout et ils ne veulent pas d'affrontements internes. Les Améri-

---

1. *Profits of War, Inside the Secret US-Israeli Arms Network*, Sheridan Square Press, 1992.
2. Son supérieur.

cains ne peuvent pas prendre cet argent sur le budget des États-Unis puisque ceux qui ont conclu cet accord ne sont pas au pouvoir – pas encore. Ils ont donc demandé de l'aide à leurs amis saoudiens. »

– Est-ce que c'est de l'argent saoudien ?

– Non, ça vient de la CIA. Mais les Saoudiens se chargent de son parcours bancaire.

Les pièces du puzzle commençaient à se mettre en forme. Comme d'autres, je savais qu'un groupe d'anciens officiers des services israéliens géraient un trafic d'armes et de drogues en Amérique centrale pour le compte de la CIA.

– Alors cet argent serait le produit du trafic de drogue en Amérique centrale ?

– Ne posez donc pas trop de questions, mon ami !

Sagi restait prudent, même avec moi. Bien qu'il refuse de confirmer mes soupçons, j'avais travaillé dans le renseignement israélien depuis assez longtemps pour savoir que cet argent provenait de trafics de drogue en Amérique du Sud et qu'il était blanchi par les Saoudiens. Mon jugement se révélerait correct. »

C'est ainsi que, bien avant l'affaire « Iran-Contra » qui serait rendue publique en 1987 et éclabousserait quelques responsables de niveau intermédiaire à la Maison-Blanche comme le colonel Oliver North, fut mise en place une première filière de ventes d'armes à l'Iran. Celles-ci se faisaient depuis Israël, mais à travers de nombreux intermédiaires afin que l'on ne puisse pas détecter son origine étatique.

La première phase, conduite *via* un intermédiaire iranien et un Français, comprenait la vente de canons, munitions et matériel de communication. Dans un deuxième temps, on fit appel à un marchand d'armes portugais très discret, du nom de George Piniol. Celui-ci s'était présenté en Israël au début de l'année 1980, porteur de lettres de crédit et de chèques de banque valant plusieurs dizaines de millions de dollars[1]. Il cherchait à acheter

---

1. Voir Ronen Bergman, *The secret War with Iran,* Free Press, 2008.

des armes antichars et des coques de protection, des pièces détachées de chars, des moteurs d'avion, des lance-missiles... officiellement il agissait pour le compte d'une société péruvienne, ce qui ne trompait personne, mais sauvegardait les apparences. Le contact de Piniol au sein du régime iranien était le docteur Sadiq Tabatabai, un proche de Khomeini qui allait, grâce à la réussite de l'opération, être promu sous-ministre de l'Intérieur, puis représentant au Liban, où il s'illustrerait comme cofondateur du Hezbollah.

Par chance, l'essentiel des demandes formulées par Piniol figurait en stock dans les dépôts de sociétés israéliennes ou dans les réserves de l'armée. Approuvé au plus haut niveau sous condition de secret absolu, le contrat se montait à 75 millions de dollars. Piniol affréta un avion argentin capable de transporter 20 tonnes de matériel : pas moins de dix-huit rotations seraient nécessaires pour enlever le tout. Les huit premières se passèrent sans anicroche, mais le 24 juillet 1981, sur le flanc d'une montagne arménienne reculée, près de la frontière turco-soviétique, on découvrit le cadavre calciné de l'appareil. Il était apparemment entré par erreur dans l'espace aérien de l'URSS. Le mystère n'a jamais été levé sur ce crash. Une enquête du Mossad conclut à la responsabilité des Soviétiques. Ceux-ci, qui armaient l'Irak de Saddam Hussein, auraient décidé de torpiller l'opération.

Mais l'entreprenant Piniol ne se tint pas pour battu. Il mit rapidement au point une liaison maritime entre Eilat et le port iranien de Bandar Abbas. Et d'autres commandes s'ensuivirent. Le résultat ne se fit pas attendre : dès octobre 1981, l'Iran lançait une contre-offensive victorieuse, parvenant à reconquérir l'essentiel des territoires concédés aux Irakiens. L'équilibre des forces restauré, le conflit Iran-Irak devait être un des plus meurtriers dans l'histoire de la région.

En 1984, à la suite d'élections en Israël, Shimon Peres devint Premier ministre, dans le cadre d'un gouvernement de coalition tandis que Yitzhak Shamir était nommé vice-Premier ministre.

Peres s'intéressa à la filière de ventes d'armes à l'Iran, qui rapportait une fortune (car les armes étaient revendues aux Iraniens au double de leur prix de revient), pour le plus grand profit du fonds secret des services secrets israéliens – et, soupçonnait-il, du Likoud. Son conseiller antiterroriste Amiran Nir tenta donc d'en prendre le contrôle, mais les responsables des services restaient loyaux envers Shamir. Il fut donc décidé rien moins que la création d'une *seconde* filière de vente d'armes à l'Iran. Nir, marié à l'héritière d'une fortune de presse, était charismatique, malin, avide d'action. Mais il manquait d'expérience. C'est pourquoi il s'appuya sur le milliardaire Al Schwimmer, ancien pilote et ex-patron d'Israel Aircraft Industries, et sur Yaacov Nimrodi, ancien représentant d'Israël en Iran qui s'était lancé dans les affaires avec succès. Ceux-ci imposèrent leurs vues auprès des membres du Conseil américain à la Sécurité, Robert McFarlane, Oliver North et John Poindexter : les Américains devaient désormais coopérer avec le second réseau, sous peine de voir leurs agissements passés exposés dans la presse. Le vice-président George Bush, qui supervisait ces dossiers et gardait un œil sur le fonctionnement de la CIA grâce à son directeur adjoint, Robert Gates (qu'il avait connu lorsque lui-même dirigeait l'agence), estima qu'on ne pouvait pas se fâcher avec Peres et qu'il fallait ménager les deux camps. Du coup, Bush expliqua à Peres la complexe politique américaine : il s'agissait de continuer à armer à la fois l'Iran et l'Irak. L'Iran pour obtenir la libération des otages américains au Liban, l'Irak pour permettre à Saddam Hussein de gagner sur la durée (le dictateur irakien était d'ailleurs prêt, disait-on, à soutenir une nouvelle conférence de la paix au Moyen-Orient). Peres se laissa convaincre que l'Irak ne menacerait plus Israël si on l'aidait à sortir victorieux de la guerre. Il demanda à l'un de ses amis, un homme d'affaires israélien basé à Genève du nom de Bruce Rappaport, d'acheter en Israël des équipements militaires pour les revendre à l'Irak. Mais bientôt, un autre deal encore plus original se présenta.

En 1985, le conglomérat américain Bechtel parvint à convaincre Saddam Hussein de faire construire un pipeline qui transporterait le pétrole irakien jusqu'à la mer en passant par la Jordanie. Pour Bechtel, c'était un marché à plus d'un milliard de dollars, mais il y avait un hic : avant de signer, Saddam voulait une assurance en béton armé qu'Israël n'allait pas le faire exploser ! Bechtel se tourna alors vers Bruce Rappaport.

Avant d'être un homme d'affaires, Rappaport était un vétéran de la Haganah, l'ancêtre du Mossad, qui s'était illustré pendant la guerre d'indépendance. Il avait ensuite développé un petit empire dans le pétrole et le transport maritime, depuis sa résidence suisse de Genève. Il y recevait lors de fastueuses soirées les élites israéliennes de passage. Parmi ses amis, il comptait Shimon Peres, dont il contribuait généreusement à financer les campagnes électorales. Compte tenu de cette relation privilégiée, Rappaport sembla être pour Bechtel un choix logique. Deux semaines après qu'on lui eut soumis le problème, le milliardaire transmit à ses contacts américains une lettre de Shimon Peres, qui promettait de ne pas s'en prendre à l'oléoduc. Mais cela ne suffisait pas : les Irakiens voulaient une garantie qu'on leur rembourserait leurs dépenses au cas où Peres –ou tout autre dirigeant – reviendrait sur sa promesse. Rappaport imagina alors un système «d'assurance» auquel Peres donna son accord, du moins c'est ce qui ressort d'un mémorandum que Rappaport soumit à Edwin Meese, le ministre américain de la Justice. Bechtel verserait chaque année 65 millions de dollars au Parti travailliste israélien, pour que l'oléoduc ne soit pas attaqué. Cette somme serait prélevée sur les bénéfices de l'exploitation. De son côté, Peres acceptait de placer sur un compte bloqué la somme de 400 millions de dollars prélevée sur l'aide financière versée par les États-Unis à Israël. Cette somme servirait de fonds de garantie pour le cas où Israël ne respecterait pas son accord. Pour que ce schéma soit validé, il fallait que l'administration américaine accepte qu'une partie de l'argent versé au titre de l'aide à Israël serve de fonds de garantie pour assurer la sécurité d'un oléoduc en Irak, ce qui était relativement acrobatique. Rappaport pouvait cependant compter sur le soutien du directeur de la CIA, William Casey, à qui il avait semble-t-il rendu de grands services.

Mais le projet fut éventé et lors d'une réunion houleuse de cabinet en 1985, Shamir qualifia Peres de « traître » et menaça de quitter la coalition. Bechtel dut renoncer à son projet de pipeline irakien.

C'est précisément en 1985 que la filière Nir-Schwimmer-Nimrodi de ventes d'armes à l'Iran vit son activité décoller. À ce moment, on était en présence de plusieurs flux dont l'observation pouvait donner le tournis :
– la filière CIA-Israël montée en 1980 avec l'appui du Likoud pour alimenter l'Iran ;
– les ventes d'armes conventionnelles, françaises et soviétiques à l'Irak ;
– les ventes d'armes chimiques à l'Irak par l'Allemagne et le Chili, avec le soutien des États-Unis ;
– la filière Amiran Nir-Oliver North soutenue par les travaillistes pour alimenter l'Iran.

Malheureusement pour Amiran Nir, le premier contrat qu'il conclut avec les Iraniens ne se passa pas très bien. Ceux-ci avaient commandé cent soixante missiles sol-air de fabrication américaine, les Hawk. Peres avait autorisé la réexportation de missiles acquis par l'armée israélienne. Mais au lieu des modèles dernier cri qu'attendaient les Iraniens, ils reçurent des modèles complètement dépassés, dont Tsahal était trop heureuse de se débarrasser. Qui plus est, sur chacun des missiles figurait un splendide autocollant avec l'étoile de David ! Amiran Nir était en train de découvrir à ses dépens que le trafic d'armes est un métier.

L'équipe de la première filière israélienne décida de siffler la fin de la partie. Avec l'aide des Iraniens, la presse internationale fut informée en 1987 des agissements d'Oliver North pour armer la guérilla des Contras au Nicaragua avec le produit de la vente d'armes à l'Iran, censé faire libérer des otages américains. Le président Reagan nia toute implication et nomma une commission d'enquête. Tout le monde à la Maison-Blanche se mit à couvert et affecta une mémoire défaillante.

Lorsque le scandale éclata côté israélien, Nir fut « jeté aux chiens » comme le méchant de l'affaire. Mais il restait dangereux. Le Mossad lui avait confié un magnétophone miniature avec lequel il enregistrait certaines de ses conversations.

Nir décéda quelques mois plus tard dans un mystérieux crash aérien à Mexico en 1988. La maison de sa veuve fut par la suite cambriolée de façon très professionnelle, sans laisser de trace. Les seuls éléments volés étaient des dossiers relatifs au scandale, comprenant des éléments qui impliquaient George Bush, ancien patron de la CIA et futur président des États-Unis.

D'autres Israéliens profitèrent dans les années 1980 de l'eldorado que constituaient les ventes d'armes clandestines au Moyen-Orient, à l'image de Nahum Manbar, qui sut louvoyer en eaux dangereuses, en vendant des armes chimiques à l'Iran tout en coopérant avec les services israéliens.

Né en 1948, vétéran de la guerre des Six-Jours et de Kippour, Manbar se lança dans les affaires et fut vite poursuivi par la justice israélienne pour fraudes. Il émigra en Grande-Bretagne en 1984, où il se lança dans le commerce des armes. À ses débuts, il travaillait avec Joy Kiddie, une figure étonnante du milieu caritatif britannique qui était aussi une redoutable femme d'affaires. Manbar se lia également avec Bari Hashemi, un agent du ministère de la Défense iranien chargé d'acheter du matériel sensible en Europe. On était à l'époque en pleine guerre Iran-Irak et les Iraniens cherchaient à contrebalancer les armes non conventionnelles utilisées par Saddam Hussein. Manbar développa un business juteux grâce à d'excellents contacts au sein de l'armée polonaise : il leur achetait des stocks d'armes qu'il revendait à l'Iran. Ses opérations prirent de l'ampleur. Il apportait des améliorations à ses produits, en mixant les matériels de diverses provenances, dont Israël. Il alla même jusqu'à mettre sur pied en Pologne une usine pour fabriquer des combinaisons de protection antiatomique. Désormais en appétit, les Iraniens lui proposèrent de faire construire chez eux une usine d'armes chimiques. S'il n'osa pas franchir ce pas, Manbar s'engagea à leur fournir du matériel et des plans pour qu'ils puissent le faire eux-mêmes. Devenu un respectable homme d'affaires, il prit soin, *via* un ami officier de l'armée israélienne, de présenter ses contacts de haut niveau en Iran comme une porte d'entrée pour négocier, par exemple, la libération du soldat israélien Ron Arad, tombé aux mains des Iraniens. Il se couvrait ainsi de tous les côtés.

Cependant, le Mossad menaça sa tranquillité, en produisant un rapport complet de ses activités. Manbar devait logiquement être traduit en justice, mais ce n'était plus un simple criminel. Devenu très riche, il s'acheta deux belles villas, une en Italie et une sur la Côte d'Azur, où il organisait des réceptions pour les chefs d'entreprise et les hommes politiques israéliens. Il investit de grosses sommes pour se donner en Israël une réputation de philanthrope et d'homme d'affaires avisé. Il investit dans des équipes de basket, finança des hôpitaux et des campagnes politiques, et cultiva l'amitié d'Ezer Weizman, ministre de la Justice et futur président israélien. En 1991, il négocia un accord à l'amiable qui lui permit de sortir des ennuis juridiques avec une simple amende[1].

Très amers, certains responsables du Mossad de l'époque décidèrent de ne pas relâcher la surveillance de cet individu qui avait vendu à l'Iran des gaz mortels. Ses déplacements en Europe et ses rendez-vous d'affaires furent surveillés, en lien avec les services secrets français, britanniques et allemands. Intéressé par le personnage et ses entrées en Iran, le MI6 décida d'entrer dans la danse et confia à l'un de ses jeunes agents la mission délicate d'infiltrer son entourage.

---

1. Voir Ronen Bergman, *The Secret War with Iran*, *op. cit.*

De son côté, la DST était chargée de surveiller la villa du marchand d'armes sur la Côte, dont les lignes téléphoniques étaient placées sur écoutes. Or, de façon surprenante pour un homme qui se savait dans le collimateur des services israéliens, ce dernier passait chaque jour de nombreux coups de fil à l'ambassade israélienne et au QG du Mossad! Ce qui provoqua la perplexité des enquêteurs français[1]. Comme beaucoup de trafiquants d'armes, Manbar entretenait avec soin des relations au sein des services secrets, et en particulier du Mossad, afin de pouvoir s'en prévaloir en cas de pépin. L'idée était que le service préfèrerait étouffer une affaire le concernant plutôt que de risquer d'être mouillé dans un scandale.

Le MI6 et la CIA étaient désormais convaincus que Manbar travaillait pour le Mossad. En 1994, le Département d'État américain plaça Manbar et ses sociétés sur une liste noire de trafiquants d'armes non conventionnelles à destination de l'Iran. La relation entre Manbar et le Mossad mit les Américains très en colère. Le directeur du Mossad, Shabtai Shavit, plaida alors auprès du Premier ministre Shimon Peres pour que Manbar soit traduit devant la justice israélienne, mais rien ne fut décidé. En 1997, le Mossad parvint à convaincre le bras droit de Manbar en Pologne de venir témoigner contre lui en Israël. Grâce à ce témoignage, Manbar fut arrêté le 27 mars. Son procès déclencha une vague de scandales, en raison notamment de ses généreuses contributions au Parti travailliste. À l'issue du procès, le trafiquant fut condamné à seize ans de prison.

Les affaires sont les affaires

Les ventes d'armes sont considérées comme essentielles à la sécurité nationale d'Israël: elles permettent de rentabiliser l'industrie nationale, d'assurer une influence politique et une

---

1. Voir le témoignage de l'ex-agent britannique Hugh Tomlinson dans *The Big Breach*, Cutting Edge Press, 2001.

coopération des services secrets dans les États clients et font vivre un pan important de l'économie israélienne. C'est pourquoi les services secrets doivent parfois leur donner un coup de pouce. Jusqu'à la guerre de Kippour, les exportations d'armes représentaient pour Israël un marché d'environ 50 millions de dollars par an. Quinze ans plus tard, elles avaient bondi à plus d'un milliard de dollars[1]. Ce formidable développement commercial fut possible grâce à une poignée d'hommes d'affaires qui naviguaient dans les eaux du renseignement, mais aussi d'anciens espions qui s'essayaient aux affaires. Parmi eux figuraient Arnon Milchan[2] ou encore Yaacov Nimrodi, que l'on vient de croiser dans l'affaire iranienne. Il faudrait aussi s'intéresser de plus près au cas de Shaul Eisenberg, qui ouvrit aux industries israéliennes l'énorme marché chinois. L'un des plus riches citoyens israéliens en son temps, Eisenberg (mort en 1998) a développé un impressionnant conglomérat d'activités pétrolières, d'armement, de transport et de chimie au sein du groupe Israël Corporation ensuite repris par les frères Ofer. Au cours de sa carrière, Eisenberg a employé plusieurs anciens dirigeants du Mossad, en particulier son ancien directeur Zvi Zamir, mais aussi un ancien patron du Shin Bet. Un journaliste israélien faussement ingénu a un jour posé la question de savoir «si Eisenberg appartenait à Israël ou si Israël appartenait à Eisenberg». Il est plus que probable que ses interactions avec les services israéliens ne se sont pas limitées au recyclage des anciens du service. Comme marchand d'armes et de pétrole, comme transporteur, Eisenberg n'a pu développer sereinement ses activités qu'en informant ici et là ses contacts, et en attribuant sur demande des emplois fictifs aux agents du Mossad.

Né en Pologne, émigré en Asie, Eisenberg a commencé sa carrière au Japon pendant la Seconde Guerre mondiale, de façon assez peu claire. Après la guerre, il a développé ses activités, y

---

1. Voir Aaron Klieman, *Israël's Global Reach: Arms Sales as Diplomacy*, Pergamon-Brassey's, 1985.
2. Voir le chapitre «Les businessmen du Mossad».

compris avec la Chine communiste : usines de ciment, usines chimiques, mines, etc. C'est en 1968 qu'il arrive en Israël, bénéficiant d'une miraculeuse exemption fiscale pour l'ensemble de ses activités. Il investit dans tous les domaines de l'économie israélienne, devenant en particulier un acteur important de la vente d'armes. La Chine est alors un de ses principaux clients, ce qui implique que ses contrats sont d'abord discutés au plus haut niveau avec les responsables politiques israéliens, que Eisenberg transporte en Chine dans son jet privé. Selon un journaliste israélien, la symbiose avec le Mossad est alors telle que c'est le service secret qui se charge d'organiser le transport des armes. Les exportations d'armes vers la Chine furent estimées pour la décennie 1980 à 3 milliards de dollars.

Au début des années 1980, David Kimche, le spécialiste en affaires africaines du Mossad, claqua la porte du service, jugeant qu'on aurait dû le promouvoir depuis longtemps à sa direction. Il devint un temps directeur général au ministère des Affaires étrangères, où il se positionna comme agent de liaison officieux avec l'administration Reagan. Puis il quitta tout emploi public pour entrer au service d'Eisenberg. Nul doute que son carnet d'adresses sans égal ne fut pas étranger au développement des activités d'Eisenberg sur le continent africain.

L'exemple de Kimche n'était pas isolé. Beaucoup de professionnels du renseignement israélien se trouvaient, la cinquantaine venue, à la retraite avec des ressources modestes, alors que leurs confrères issus de la CIA faisaient la culbute financière en allant travailler pour le privé. La réputation avantageuse des services secrets israéliens décuplait les opportunités de reclassement, si l'on voulait bien ne pas être trop regardant sur la légalité des activités proposées. Il fallait par exemple aider des régimes frappés d'embargo à se procurer des armes ou à former des gardes présidentielles ou des services secrets dignes de ce nom.

Le Mossad exerçait une telle influence au sein de l'administration israélienne qu'il avait le pouvoir d'attribuer à ses retraités préférés des fiefs commerciaux officieux dans telle ou telle partie du monde. En retour, il gagnait autant de correspondants officieux et non rémunérés, trop heureux de conserver un contact avec leur ancienne maison, qui ferait office de recours en cas de pépin. Le cas de Mike Harari est exemplaire de ce genre de situation : il passa vingt ans au service du Mossad, pendant lesquels il dirigea notamment la traque en Europe des membres de Septembre noir. Après le fiasco de Lillehammer, on l'envoya en poste à Mexico, ce qui lui permit de se faire quelque peu oublier. Là, il fit la connaissance du dictateur panaméen Torrijos et de son chef des renseignements le colonel Noriega. En 1980, Harari décida de faire valoir ses droits à la retraite et de démarrer un business entre Israël et l'Amérique centrale, notamment au Panama où résidait une importante communauté juive, à l'égale de Rio de Janeiro ou de Buenos Aires. Lorsque Torrijos périt l'année suivante, Noriega lui succéda et prit Harari pour bras droit.

Au printemps 1984, Manuel Antonio Noriega accomplit une visite officielle en Israël, avec Harari à ses côtés. Lors d'une petite cérémonie au ministère de la Défense, Noriega reçut une décoration, en remerciement de « petits services » rendus, comme par exemple des faux certificats d'exportation pour des armes en réalité destinées à l'Iran.

Comme aimait à le dire le représentant de la CIA, Noriega était « une adorable pute ». Il savait de quoi il parlait, puisqu'il était chargé de remettre chaque année au dictateur une somme de 200 000 dollars en liquide, son salaire d'informateur. C'était sans doute de l'argent de poche comparé à ce que Noriega touchait des cartels de la drogue en échange de son laxisme à leur égard : un témoignage ultérieur à l'arrestation du chef d'État par les Américains évoquerait la somme de 10 millions de dollars *par mois*. Selon la légende interne de la CIA, George Bush qui avait connu Noriega lorsqu'il avait dirigé la CIA aurait déclaré : « Noriega est un fils de pute, mais c'est *notre* fils de pute. »

Michael Harari fut toujours très peu loquace quant à son rôle auprès de Noriega entre 1982 et 1989. Conseiller du président, il disposait aussi d'un bureau au sein de l'ambassade israélienne où il bénéficiait de toutes les facilités que peut attendre un diplomate. Grâce aux efforts d'Harari, Israël vendit pour plus de 500 millions de dollars d'armes au Panama. Mais à un coût commercial exorbitant: les commissions d'Harari se montaient à 60% des marchés. Il obtint aussi du matériel d'écoutes, permettant à Noriega d'espionner ses opposants, et des gardes du corps. Il fit également construire à la demande de son patron un bunker ultra-sécurisé, dans lequel Noriega accrocha les portraits de ses deux idoles: Moshe Dayan et Adolf Hitler (Harari lui fit remarquer que ce dernier portrait était de mauvais goût, mais en vain). Selon le journaliste Uri Dan, Harari fournissait aussi à Noriega des services financiers permettant de blanchir l'argent que lui versaient les cartels. Enfin, il avait obtenu de l'armée panaméenne pour une de ses sociétés un accord exclusif d'entretien des matériels militaires qui, à lui seul, rapportait plusieurs millions de dollars annuels. Lorsque le Sénat américain se pencha sérieusement sur les accusations de trafic de drogue qui allaient mener à l'arrestation du général Noriega, on s'aperçut que l'éclectique Harari avait également fourni pour le compte du gouvernement américain des armes à la guérilla des Contras au Nicaragua. La même année, on découvrit dans les notes du membre du conseil national à la sécurité Oliver North (qui avait pris comme on l'a vu une part importante au scandale Iran-Contra) des références fréquentes au «supermarché des armes». Selon *Newsweek*, cette formule désignait un groupe d'anciens de la CIA et du Mossad qui en association avec le renseignement militaire du Honduras avait créé dans ce pays une plaque tournante du trafic d'armes pour le compte de l'administration Reagan[1]. Harari n'était pas un acteur isolé mais faisait partie

---

1. *Newsweek*, 23 mai 1988.

d'un réseau d'affaires couvrant toute l'Amérique du Sud. Ari Ben-Menashe affirme même qu'Ariel Sharon, alors passé dans le privé, aurait détenu des intérêts dans ce réseau. Le groupe comptait aussi un ancien de la CIA implanté au Salvador, Felix Rodriguez, lui-même en contact avec un conseiller du vice-président George Bush. Ce qui peut expliquer pourquoi, lors de l'invasion américaine de Panama, en décembre 1989, l'attaché militaire américain auprès de Noriega fut chargé de récupérer tous les dossiers sensibles relatifs au commerce d'armes.

De son côté, Mike Harari, mû par une remarquable prescience, s'envola pour Israël quelques heures avant le déclenchement de l'invasion. Quelques mois plus tard, on signalait le retour d'Harari sur le continent, en Colombie et au Guatemala. En mars 1989, Interpol recevait un signalement à son sujet, selon lequel Harari entraînait des groupes paramilitaires d'extrême droite en Colombie. Il eut peut-être l'occasion d'y croiser Rafi Eitan, l'ancien chef du Lakam qui donnait à l'époque des cours de « contre-insurrection » au ministère de la Défense.

Le cas d'Harari est sans doute caricatural, mais loin d'être isolé. Dans les années 1980, l'industrie israélienne a réalisé grâce à plusieurs anciens des services une percée considérable dans des pays *a priori* frappés d'embargo ou à tout le moins mis sous surveillance par la communauté internationale en raison de régimes discutables. On surprit ainsi des anciens du Shin Bet, du Aman et du Mossad en train de mettre en place des systèmes d'écoutes sophistiqués, de former des unités d'élite ou d'écouler des matériels sensibles au Guatemala, au Honduras, au Salvador ou en Colombie. En 1989, un ancien colonel d'une unité antiterroriste, Yair Klein, ouvrit dans ce dernier pays une agence de protection. Pour trouver des contrats, il put compter sur l'appui de confrères, comme le colonel Yitzhak Shoshani, directeur régional de la firme Israeli Clal qui gérait à l'époque pour 250 millions de dollars de contrats militaires, ou encore l'étonnant Arieh Afek, qui dirigeait depuis

Miami une entreprise de négoce de fleurs et une autre de vente d'armes! Grâce au colonel Shoshani, Klein remporta un premier contrat d'entraînement de cent cinquante hommes… qui faisaient partie du cartel de Medellin. Pour des raisons promotionnelles, Klein fit filmer la formation qui s'accomplissait sous le regard bienveillant d'officiers de l'armée colombienne, ce qui s'avérera par la suite embarrassant pour beaucoup de monde. Grâce à ce premier contrat, Klein eut ensuite l'opportunité de monter une école d'entraînement à Antigua, en fait un campus militaire du cartel de Medellin, qui était du genre fidèle en affaires. De là, Klein développa la vente d'armes en provenance d'IMI (Israel Military Industries), avec l'aide de la Swiss American Bank, basée sur Anguilla, une paradisiaque île des Caraïbes. La banque appartenait à un homme d'affaires, israélien, magnat du transport et grand ami du chef de la CIA William Casey comme de Shimon Peres: on aura reconnu Bruce Rappaport. Son homme de confiance, Maurice Sarfati, était basé à Antigua où il cultivait des melons quand il ne s'occupait pas de commander d'importantes quantités d'armes, officiellement pour le compte du ministère de la Défense d'Antigua. Personne jusqu'ici n'avait cru que l'île pût avoir de tels besoins militaires. Les commerciaux d'IMI ne se soucièrent pas de vérifier la destination des commandes qu'ils recevaient. Les certificats de destination antiguais faisaient parfaitement l'affaire.

Lorsque l'affaire fut rendue publique en Israël, elle fit scandale dans la presse. Peu de temps après, on apprit qu'Arieh Afek venait d'être retrouvé mort par la police de Miami, dans le coffre de sa Buick, le corps criblé de balles. On découvrit que le fleuriste/ marchand d'armes était un ancien du Aman, où il avait servi notamment au Liban, et qu'il était resté en relation avec la CIA. Deux mois avant d'être exécuté, il avait déclaré à un journaliste israélien que celle-ci lui offrait la nationalité américaine s'il acceptait de se taire sur ses activités avec elle et avec le cartel de Medellin.

Les suites de ce scandale furent modestes: le Sibat, organisme du ministère de la Défense en charge de délivrer les licences d'exportation de marchandises et formations militaires, reçut ordre de durcir ses procédures. Et Klein fut condamné à un an de prison pour exportation illégale d'armes et de savoir-faire militaire. On avait fait le minimum syndical : personne ne tenait à voir détailler certains aspects de la relation privilégiée entre Israël et les États-Unis dans le domaine des armes... Toutefois, le colonel Yair Klein devait refaire parler de lui plus de vingt ans après ses premiers exploits en Amérique du Sud. Début février 2012, huit Israéliens, tous anciens militaires, étaient arrêtés par la police colombienne dans la ville de Taganga et inculpés de trafic de drogue, de blanchiment d'argent et de détournement de mineurs (ils obligeaient des adolescentes à se prostituer). L'un d'entre eux intéressait beaucoup la justice colombienne : Yair Klein avait été condamné par contumace à onze ans de prison par un tribunal colombien en 2001, pour avoir enseigné des méthodes criminelles à des trafiquants de drogue, lesquels commirent par la suite de nombreux crimes. Depuis, on avait perdu sa trace. Mais en 2007, Klein fut arrêté par la police moscovite et passa trois ans dans les geôles russes. La Colombie réclama son extradition mais la Cour européenne des droits de l'homme s'y opposa, estimant que la Colombie ne pouvait garantir son intégrité physique en raison de son historique peu reluisant en matière de respect des droits de l'homme. Il est donc particulièrement surprenant que Klein soit retourné se jeter dans la gueule du loup.

Les attaches des services secrets et marchands d'armes en Amérique du Sud n'eurent pas seulement des côtés sordides, comme quelques initiés le découvrirent en 2008 à l'occasion de la libération d'Ingrid Betancourt, captive de la guérilla des FARC en Colombie. Si cette opération a été très médiatisée, certains de ses aspects sont restés dans l'ombre, sans doute par excès de modestie de certains intervenants. Si l'on en croit le récit du général Freddy Padilla, commandant des forces armées colombiennes, ses troupes conçurent et exécutèrent une brillante opération de désinformation qui aboutit à la libération d'une dizaine d'otages, dont la Franco-Colombienne, sans tirer un seul coup de feu. Ce montage fut possible parce que les services colombiens avaient pu infiltrer les FARC à plusieurs niveaux. En mars 2008, ils furent aussi aidés par la chance : ayant localisé un chef des FARC réfugié en Équateur, ils purent le tuer et saisir son ordinateur portable. Ce dernier se révéla une mine d'informations sur l'organisation et les emplacements des camps de la guérilla, ainsi que sur la répartition et les mouvements des otages dans la jungle. Padilla conçut alors un plan audacieux : jouer sur la dispersion des groupes et l'intermittence de communications entre eux pour les amener à rassembler les otages dans un même camp, et les convaincre qu'une négociation internationale était en cours par l'intermédiaire du Venezuela (qui était effectivement intervenu dans de semblables négociations par le passé). Le président Uribe donna son accord. Les hommes de Padilla reçurent pendant plusieurs semaines une formation théâtrale : certains devraient incarner des négociateurs vénézueliens, d'autres des médecins, d'autres encore des journalistes. Le jour dit, tout se passa comme prévu : les otages purent embarquer à bord des hélicoptères « vénézueliens » et la nouvelle se répandit dans les médias du monde entier. Le président français Sarkozy, qui faisait du cas Betancourt une affaire personnelle, n'avait pas été informé de l'opération mais félicita sportivement son homologue colombien en accueillant Ingrid Betancourt à Paris.

Presque aussitôt, quelques médias gâchèrent la fête en suggérant que si cette belle opération avait réussi sans accroc, c'était peut-être parce que les FARC s'étaient volontairement laissé duper en échange de compensations financières. La Maison-Blanche, qui avait suivi l'affaire de près, puisque trois des otages libérés étaient américains, affirma s'être contentée d'un soutien logistique, mettant à contribution des drones, des avions de surveillance et un satellite. Le ministère des Affaires étrangères français fit remarquer acidement que, n'ayant pas été associé à la libération de Mme Betancourt, il ne pouvait savoir s'il y avait eu des contributions financières. Interrogé sur France télévisions, le chercheur Dominique Moïsi déclara qu'il était «probable» que les FARC s'étaient fait payer pour libérer les otages.

À Tel-Aviv, certains initiés souriaient en suivant ces débats dans la presse internationale. Si la censure militaire ne les avait dissuadés de s'exprimer en détail sur ce sujet, quelques journalistes cultivant des amitiés au sein du Mossad et du Aman auraient pu suggérer que l'on s'intéressât de plus près au rôle joué par un officier «en retraite» de l'armée israélienne nommé Israël Ziv, ancien directeur des opérations de Tsahal. Craignant de s'ennuyer pendant sa retraite, M. Ziv avait créé une société de commercialisation de matériels d'écoutes et de lutte antiterroriste : Global Comprehensive Security Transformation (Global CST). Il suivit l'exemple de ses prédécesseurs Harari, Shoshani and co en développant des relations avec les responsables militaires et de la sécurité sud-américains, dont certains devinrent d'excellents clients. En particulier, il fit du ministre de la Défense colombien Juan Manuel Santos son nouveau meilleur ami. Santos avait alors de gros soucis avec la guérilla des FARC, les organisations terroristes et les cartels de la drogue. Ses services étaient mal entraînés, divisés, sans réelle stratégie. Santos confia à Ziv en 2006 un audit complet des services de sécurité et une mission de conseil pour leur restructuration. Ziv était désormais le VRP de l'industrie d'armement israélienne en Colombie. En 2007, plus du tiers des dépenses d'armement colombiennes furent affectées à des fournisseurs israéliens. En février 2008, la Colombie passa avec Israel Aircraft Industries pour 160 millions de dollars de commandes. Le contrat comprenait une rénovation complète du parc colombien de Mirage 5 et de chasseurs KFir, des achats de drones, ainsi que des installations d'écoutes. Ziv étendait alors ses activités au Panama et au Pérou, avec un succès similaire.

Cet activisme finit par alarmer les diplomates et agents de renseignement américains qui opéraient dans ces pays, traditionnelles chasses gardées des États-Unis. Selon des mémos de la société de sécurité privée Stratfor dévoilés par Wikileaks[1], Ziv proposait par exemple au président du Panama de lui fournir les moyens d'écouter ses adversaires politiques, ce que les services américains se refusaient de faire. Il fallut que les diplomates américains haussent le ton pour qu'on oublie sa proposition. Le Panama ne pouvait se permettre de perdre le soutien économique américain. Auprès des services secrets péruviens, Ziv se targua en 2009 d'avoir été l'éminence grise de l'opération de libération des otages retenus par les FARC l'année précédente. Il obtint une mission de conseil à 9 millions de dollars pour aider les services péruviens à éradiquer la guérilla du Sentier lumineux.

Selon une source journalistique basée à Tel-Aviv, M. Ziv apporta bien en 2008 une contribution décisive de 10 millions de dollars sur les 20 millions de dollars auxquels se serait montée la rançon. Agissait-il pour son propre compte ? Pour celui d'un État ne souhaitant pas apparaître directement ? Ou s'agissait-il d'une forme élégante de rétrocommission pour les contrats qu'il avait obtenus ? Avec cette opération, M. Ziv pensait se donner toutes les chances de surpasser pendant encore quelques années la concurrence pour les marchés publics colombiens. Malheureusement, ce cadeau n'eut pas les effets escomptés. En 2009, le nouveau ministre de la Défense Gabriel Silva annula une commande de drones Hermes 450 en raison d'une expérience de travail décevante avec Global CST. Peut-être fallait-il y voir l'effet de l'irritation américaine. Peut-être était-ce dû aussi à l'arrestation d'un employé de Global CST, Shai Killman, qui fut surpris en possession de copies de dossiers confidentiels du ministère de la Défense colombien, qu'il essayait de revendre aux FARC *via* des intermédiaires. Ziv nia toute responsabilité dans l'affaire et renvoya l'employé indélicat en Israël. Ce n'était pas son seul problème puisqu'en 2010, les autorités israéliennes

---

1. « *US saw Israeli firm's rise in Latin America as a threat* », mémo du 1ᵉʳ juin 2011.

condamnèrent Global CST à une amende pour avoir tenté de vendre sans autorisation des armes et de l'entraînement militaire à la Guinée. Aux dernières nouvelles, il semble que Global CST se concentre de plus en plus sur les marchés africains, tels que le Togo, le Gabon et le Nigeria.

Chapitre 6

Le « chacal » du Hezbollah

Le 11 novembre 1982, l'immeuble qui hébergeait le gouvernement militaire israélien de Tyr fut soufflé par une explosion qui fit soixante-quinze morts israéliens et vingt-sept libanais. C'était la première attaque-suicide de grande ampleur, et elle serait suivie de beaucoup d'autres. Contre toute évidence, Israël n'a jamais voulu reconnaître la réalité de cette attaque, préférant attribuer l'explosion à un accident causé par... des bouteilles de gaz! À l'époque, le Mossad comme la CIA et d'autres services occidentaux tenaient pour quantité négligeable le tout jeune Hezbollah. Ils n'avaient pas de sources dans les milieux chiites et concentraient leurs efforts sur les mouvements terroristes palestiniens. Pourtant les attentats similaires se succédèrent. Presque un an plus tard, dans la même ville de Tyr, une voiture suicide transportant une bombe de 500 kilos détruisit une base du Shin Bet. L'attentat fut attribué au Jihad islamique, le bras armé du Hezbollah, dirigé par un certain Imad Moughnieh. Un homme qui n'avait pas encore son dossier dans les archives des services mais auquel on commença à s'intéresser...

Nouvelle donne à Beyrouth

Après l'invasion du Liban par Israël en 1982, l'Iran décida la création d'une milice chiite ayant pour objectif ultime d'exporter la révolution islamique. Quelques dizaines de Gardes révolutionnaires iraniens furent envoyés pour former l'avant-garde de la future révolution. Le Liban était alors en plein chaos : Israël avait tenté d'installer ses alliés maronites au pouvoir mais à peine président, Béchir Gemayel fut assassiné. Les très nombreuses factions s'affrontèrent dans un désordre indescriptible. Rien ne permettait encore de penser que les Iraniens allaient réussir à s'implanter durablement. Les Perses ne sont pas très appréciés dans le monde arabe, encore moins quand ils tuent des Irakiens. Mais il existait aussi des liens historiques entre l'Iran et le Liban. Le Shah avait toujours soutenu les écoles et œuvres de bienfaisance des chiites au Liban.

Le régime syrien d'Hafez al-Assad, qui avait jusque-là bloqué les initiatives trop turbulentes de groupuscules palestiniens et chiites dans ce qu'il considérait comme son arrière-cour, changea de position, officiellement très irrité par l'invasion israélienne[1], et donna son aval à condition que le Hezbollah ne conteste pas son autorité. Celui-ci allait multiplier les coups d'éclat, et jouer habilement sur le nationalisme libanais. Les Libanais en avaient assez d'être occupés et rejetaient en bloc toutes les tutelles, israélienne, américaine ou syrienne. Et la jeunesse libanaise offrait un magnifique vivier de combattants déjà formés sur le tas à la guérilla urbaine par des années de guerre civile. Une armée désormais abandonnée après l'expulsion de l'OLP du Liban sous la poussée israélienne. Avec de l'argent et de la discipline, on pouvait faire de ces jeunes combattants l'armée de guérilla la plus efficace de la région ! Ce serait le ferment de l'expansion iranienne. Le Hezbollah s'installa d'abord dans la vallée de la Bekaa, près de la frontière syrienne, dans un haut lieu archéologique. C'est au milieu des ruines romaines que les jeunes recrues apprenaient le tir et l'art des actions commandos, ainsi que le maniement des explosifs et la fabrication de faux papiers. Chaque futur soldat recevait un salaire lui permettant

---

1. On a vu qu'il s'en accommodait en réalité fort bien.

d'entretenir toute sa famille. Des installations civiles, écoles et hôpitaux, offraient aux combattants la possibilité de faire venir leurs familles. L'argent ne manquait pas : l'Iran fournissait déjà 10 millions de dollars par mois pour couvrir tous les frais. La Syrie, quant à elle, surveillait les opérations de près et tenait à exercer un contrôle étroit.

L'un de ces soldats en formation, promis à un grand avenir, avait pour nom Imad Moughnieh. Il était né en 1962 dans un petit village du Sud-Liban. Selon le dossier que constitua sur lui le Mossad, il avait passé l'essentiel de son enfance dans une banlieue sud de Beyrouth qui abritait de nombreux réfugiés palestiniens. À la fin des années 1970, il rejoignit le Fatah de Yasser Arafat et s'entraîna à la guérilla avant d'intégrer la force 17, l'unité d'élite chargée de la sécurité et jouer le rôle de garde du corps d'Abou Iyad, le second d'Arafat. En 1982, quand l'OLP transféra son QG de Beyrouth à Tunis, Moughnieh décida de rester au Liban, à la suite d'une rencontre capitale dans la ville de Baalbek.

L'émissaire des Gardes révolutionnaires iraniens se présenta à Imad sous le nom de « cheikh Hussein ». Il connaissait visiblement très bien le dossier de son interlocuteur et sans perdre de temps lui exposa son diagnostic et sa proposition. Les États arabes laïques n'avaient jamais été capables de reprendre un centimètre carré de terre aux sionistes. L'OLP avait piteusement échoué dans toutes ses batailles, à la fois par manque de discipline et par corruption. Si le Liban voulait se libérer du joug sioniste et occidental, il fallait changer sa façon de voir, et oublier les dissensions entre Perses et Arabes pour s'unir contre les infidèles. Que proposa-t-il ? Rien moins que de déclencher, avec des moyens illimités, une guerre totale contre les Occidentaux présents au Liban. Cette guerre serait menée par lui, exclusivement avec ses frères libanais, soigneusement choisis parmi les anciens du Fatah, lesquels coopteraient à leur tour des hommes jugés sûrs. Moughnieh deviendrait officier de la Garde révolutionnaire iranienne, mais ne pourrait en faire état publiquement et n'en référerait qu'au seul cheikh Hussein. Il dirigerait une unité d'élite, (la sécurité des Gardiens), chargée des opérations les plus audacieuses et dotée d'un budget confortable et d'armes modernes. Il n'y aurait aucune trace écrite de cet accord, aucune communication téléphonique, aucune piste permettant de remonter aux commanditaires iraniens. L'argent serait remis en liquide lors de leurs entrevues à Baalbek. Croyant et chiite, Moughnieh adhéra sans réticence à cette proposition de rapprochement irano-libanais, et il vit immédiatement l'opportunité qui s'offrait à lui : tout simplement celle d'émerger comme un leader de la lutte contre Israël. Imad ne tarda pas à accepter.

Le pari des Iraniens, très bien informés sur le jeune Imad, allait réussir au-delà de toute espérance. Même s'il se soumettait aux préceptes religieux, c'était surtout un homme d'action, un spécialiste des opérations audacieuses et furtives. À partir de 1983, et du second attentat de Tyr, les services de renseignement israéliens et américains le prirent enfin au sérieux. Mais ils eurent beaucoup de mal à suivre ses mouvements : on le signalait à un moment donné dans plusieurs pays à la fois ! Imad fit son entrée dans la liste des hommes les plus recherchés par le FBI et allait y demeurer pendant une vingtaine d'années. Selon un ancien du Mossad : « Moughnieh était un homme d'une intelligence et d'une créativité hors du commun, à la fois compétent sur les aspects techniques pointus, capable d'appréhender les situations les plus complexes mais aussi exerçant un fort ascendant sur ses hommes. Il n'hésitait pas à aller lui-même sur le terrain superviser des opérations dangereuses, ce qui augmentait encore son aura. Il se tenait au fait des technologies les plus innovantes pour les mettre au service de la terreur. Dans son genre, c'était un artiste. » Bref, le pire ennemi possible : stratège, créatif, destructeur, cruel et imprévisible. Le Mossad allait mettre vingt-cinq ans à s'en débarrasser.

Le « *chacal* » *du Hezbollah*

Selon une source recrutée par le Mossad après les faits, en mars 1983 se tint à Damas une réunion à laquelle participaient des leaders du Hezbollah, dont Moughnieh, des responsables des services syriens, ainsi qu'un représentant de Khomeini, Hojat Mohtashmi-Pour. D'une ambition sans borne, ce dernier était chargé de superviser l'organisation et le financement du Hezbollah. Au cours de cette réunion, il fut décidé de mettre en œuvre une série d'attentats sur le modèle de Tyr, contre les garnisons françaises et américaines, avec comme objectif d'obliger les forces de l'ONU à se retirer du Liban. Les Syriens avaient pour mission de fournir au Hezbollah les « dossiers d'objectifs » comprenant les plans des garnisons et un maximum de renseignements sur l'organisation de la sécurité, les personnes habilitées à pénétrer dans les bâtiments, etc. Le Hezbollah fut chargé des attentats eux-mêmes, avec un financement iranien. Moughnieh vit dans ce tournant la chance de devenir une figure-clé du mouvement et d'acquérir une aura internationale. La suite est connue : le 18 avril 1983, un camion suicide venu du territoire sous contrôle syrien de la Bekaa fit sauter un immeuble de sept étages de l'ambassade américaine, tuant soixante-trois personnes, parmi lesquelles l'équipe locale de la CIA. Et six mois plus tard, deux camions firent exploser leur cargaison, l'un devant le QG des Marines près de l'aéroport de Beyrouth, l'autre dans la base française de l'immeuble « Drakkar ». Le résultat : deux cent quarante et un morts côté américain, cinquante-huit côté français. Perché sur un toit voisin, Moughnieh observait la scène au télescope. Celui qui ambitionnait de se hisser au rang des plus grands terroristes internationaux savourait l'instant.

L'ensemble des services américains et israéliens coopérèrent pour enquêter sur ce double attentat. Des appels enregistrés la veille et le jour même entre Téhéran, Damas et Beyrouth par la NSA, la toute-puissante agence américaine de surveillance des communications, ne laissaient guère de doute sur les sponsors de l'opération. La CIA et le Mossad tombèrent d'accord sur le fait que Yasser Arafat était au minimum informé à l'avance de ces attentats, mais la CIA choisit de ne rien laisser filtrer pour ne pas compromettre sa relation avec l'OLP. Pour autant, il fallait réagir. Un colis piégé censé contenir un Coran précieux fut envoyé à Mohtashmi-Pour, le contrôleur iranien du Hezbollah. Il fut légèrement blessé dans l'explosion mais reprit aussitôt ses activités. En novembre 1984, le président Reagan mit fin à l'ordre présidentiel n°12333 qui interdisait aux services américains de se livrer à des assassinats. Quatre mois plus tard, un attentat à la voiture piégée dirigée contre le cheikh Hussein Fadlallah fit quatre-vingts morts parmi les Libanais. Le cheikh s'en tira indemne mais parmi les victimes on comptait son garde du corps Imad, le plus jeune frère de Moughnieh, qui porte le même prénom que lui. Un peu plus tard, les contacts du Mossad à la CIA confieraient qu'ils avaient fait appel à trois anciens des milices chrétiennes phalangistes, leur avaient fourni l'équipement et le financement mais les avaient laissés agir de façon autonome, pour pouvoir ensuite nier tout lien avec l'attentat[1].

De leur côté, les Français voulaient eux aussi marquer le coup. Une opération punitive fut montée par le service «action» de la DGSE, avec un 4 x 4 piégé qui devait exploser devant l'ambassade d'Iran. Mais en dépit d'une préparation minutieuse, le mécanisme ne fonctionna pas, ce qui valut au chef du service «action» d'être limogé par son patron, l'amiral Lacoste, sur demande expresse du ministre de la Défense Charles Hernu[2].

Ces vaines tentatives laissèrent de marbre Imad Moughnieh qui put bientôt savourer sa victoire : en se retirant du Liban, les forces de l'ONU abandonnaient le terrain au Hezbollah, dont la suprématie militaire était désormais sans égale.

À la différence de l'OLP, facilement pénétrée par le Mossad et en proie à d'éternelles dissensions, le Hezbollah était une

---

1. Voir Ronen Bergman, *The Secret War with Iran, op. cit.*
2. Voir le témoignage du patron de la DGSE de l'époque, l'amiral Lacoste dans Sébastien Laurent, *Les espions français parlent*, Nouveau Monde éditions, 2011.

organisation quasi inviolable, à la discipline de fer, ultra-cloisonnée. Les recrutements se faisaient sur la base de liens familiaux, claniques ou religieux les plus anciens possible, qui rendaient extrêmement difficile une infiltration. Les recrues fanatisées sur le plan religieux et politique n'offraient que peu de prise à l'approche et au recrutement. Moughnieh ne faisait totalement confiance à personne, changeait ses plans en permanence et restait très difficile à localiser. En vrai paranoïaque, il détenait une quantité impressionnante de faux papiers, changeait sans cesse de téléphone. Lui seul était au courant de ses déplacements. Son cercle de proches collaborateurs était régulièrement renouvelé, y compris ses gardes du corps. Personne ne pouvait prétendre avoir une vue complète sur ses activités.

En face, pas moins de huit services israéliens différents opéraient au Liban, dans une rivalité qui confinait parfois à la guerre des polices. «Il a fallu des années pour prendre au sérieux la menace du Hezbollah et en faire une priorité, déplore un ancien du Mossad. À aucun moment on n'a mis dans une seule pièce les patrons des différents services en les obligeant à coopérer!» Pendant ce temps, le Hezbollah développait et entraînait son armée, et se faisait livrer par ses sponsors des armes toujours plus sophistiquées. Il pouvait compter sur les largesses de son financier iranien, qui lui versait sans sourciller jusqu'à 100 millions de dollars par an. Et le fournissait en missiles toujours plus performants.

Comme les agents du renseignement israélien purent s'en rendre compte lorsqu'ils eurent l'occasion – rare – de capturer des membres du Hezbollah et de les interroger, ceux-ci étaient remarquablement préparés et formés à ce genre de situation. À partir des questions qu'on leur posait, ils étaient capables d'identifier s'ils avaient affaire à la sécurité militaire ou au Mossad ; ils connaissaient à l'avance leurs méthodes de déstabilisation psychologique, et semblaient s'en moquer. Bref, c'étaient des adversaires coriaces.

Le Hezbollah devint une force centrale du paysage politique libanais, grâce à ses œuvres caritatives, à sa chaîne de télévision Al-Manar créée en 1992, son site Web, etc. Pour compléter son budget et financer son développement, le Hezbollah choisit également de s'implanter dans le trafic de drogue (l'opium et le cannabis sont cultivés au Liban). Selon les estimations des services israéliens, cette activité rapportait au bas mot 10 millions de dollars annuels supplémentaires, auxquels il fallait ajouter le produit de diverses taxes prélevées sur l'importation de marchandises et automobiles de luxe.

Autre business lucratif : les Iraniens incitèrent le Hezbollah à capturer des otages occidentaux pour s'en servir comme moyen de pression sur les opinions publiques, et donc les États. Le Hezbollah utilisa les otages comme monnaie d'échange pour récupérer ses hommes faits prisonniers, en plus de ses objectifs politiques. Et ce malgré l'opposition de principe du chef religieux chiite libanais, l'imam Fadlallah, dont l'avis comptait peu au regard des ordres de l'ayatollah Khomeini. Entre 1984 et 1989, pas moins de quarante-cinq Occidentaux furent capturés dont trente-quatre seraient finalement libérés en échange de diverses concessions. Les Français furent particulièrement visés, en raison du contentieux Eurodif[1] : deux diplomates en 1985 (Marcel Carton et Marcel Fontaine), ainsi que Michel Seurat, chercheur au CNRS et Jean-Paul Kauffmann, journaliste ; en 1986 ce furent encore quatre journalistes et cameramen d'Antenne 2 (Philippe Rochot, Georges Hansen, Aurel Cornéa et Jean-Louis Normandin) qui furent capturés, puis le journaliste Roger Auque en janvier 1987... sans compter quelques autres, moins médiatisés. À partir de cette époque, la connaissance du Hezbollah devint une priorité pour tous les services de renseignement.

---

1. Un accord passé par la France avec le Shah d'Iran au début du septennat de Giscard et qui fut annulé après la révolution iranienne. La France refusa de rembourser à l'Iran les sommes payées par le Shah pour être associé à un consortium nucléaire européen. Voir Yvonnick Denoël, *1979 – Guerres secrètes au Moyen-Orient*, Nouveau Monde éditions, 2007.

Pendant des années, le Mossad resta perplexe quant à l'organigramme exact du mouvement et au rôle de Moughnieh : était-il un dirigeant du Hezbollah ou un agent des services iraniens ? Lui-même s'évertuait à brouiller les pistes, allant jusqu'à désinformer ses propres troupes afin que si l'un ou l'autre était capturé, son témoignage ajoute encore à la confusion au sein des services occidentaux et israéliens. Enfin, au moindre soupçon envers un de ses hommes, ce dernier était froidement abattu et finissait sa carrière coulé dans le béton d'un building en cours de construction, ce qui incitait les autres à méditer sur les mérites d'une loyauté absolue. Cette paranoïa compliquait singulièrement la tâche des espions israéliens. Les patrons du renseignement en firent pourtant une priorité absolue : il fallait pénétrer au cœur du système.

Il est aujourd'hui possible de révéler que le renseignement israélien réussit à recruter au moins une « taupe » au sein de l'organisation chiite… Elle fut traitée non pas par le Mossad mais par l'unité 504 du renseignement militaire. Cette recrue de haut niveau qui travaillait au quartier général du Hezbollah avait accès à de nombreux documents sensibles et voyait passer les « mémos » de Moughnieh à ses collaborateurs. Pour éviter d'être repérée, la source ne disposait pas de radio, et ne pouvait donc pas demander son exfiltration d'urgence en cas de problème. Pour se rendre à ses rendez-vous avec son officier traitant, elle devait traverser plusieurs barrages du Hezbollah et se soumettre à plusieurs fouilles. Il était donc exclu de transporter le moindre document. Il fallait donc sélectionner les mémos les plus importants, en prendre copie, plier minutieusement la feuille qui était introduite dans un préservatif qu'il fallait avaler. Une fois en lieu sûr, on pouvait récupérer l'indigeste mémo par les voies naturelles. Selon le major David Barkai, un ancien officier de l'unité 504, cette source lui permit d'informer le Mossad du projet d'enlèvement de William Buckley, le chef de poste de la CIA à Beyrouth, qui devait avoir lieu en mars 1984. Mais, toujours selon Barkai, la vieille rivalité entre renseignement militaire et Mossad fit que ce dernier, qui était chargé de prévenir la CIA, jugea l'information peu crédible et ne la transmit pas[1]. William Buckley mourut sous la torture après avoir révélé nombre de secrets opérationnels de l'agence américaine[2].

La diversification des activités du Hezbollah ne devait pas s'arrêter aux prises d'otages : en 1985, Moughnieh orchestra le détournement d'un vol TWA Athènes-Rome, qui fut envoyé vers Beyrouth avec à son bord cent cinquante-deux passagers, dont le chanteur grec Demis Roussos. Les pirates de l'air exigèrent la libération de huit cents prisonniers libanais aux mains d'Israël. Sur médiation du ministre libanais Nabih Berri, leader de la milice Amal, mais aussi des Syriens, les otages furent libérés... Un mois plus tard, Israël libéra soixante prisonniers sur intervention américaine, tout en niant que cela ait un quelconque lien avec la prise d'otages.

En avril 1988, un Boeing koweïtien faisant la liaison Bangkok-Koweït fut détourné à son tour vers l'Iran, puis Chypre. Les pirates exigèrent cette fois la libération de membres du Hezbollah détenus au Koweït, parmi lesquels figurait le beau-frère de Moughnieh. Ces hommes étaient emprisonnés pour des attentats commis contre les ambassades américaine et française au Koweït en décembre 1983, pour le compte de l'Iran. À plusieurs reprises, Moughnieh avait proposé à ses officiers traitants des opérations afin d'obtenir leur libération. Mais Téhéran avait bloqué ses projets. La guerre Iran-Irak était en train de s'achever, laissant les adversaires exsangues. L'heure était à la reconstruction et à l'ouverture internationale : il n'était pas opportun de s'attaquer à un autre pays arabe. Il ne s'agissait plus d'exporter la révolution mais de conforter ses positions et de gagner de nouveaux alliés. Il fallait se concentrer sur l'ennemi israélien, qui fédérait tout le monde

---

1. Témoignage recueilli par Ronen Bergman, *op. cit.*
2. Voir Gordon Thomas, *Les armes secrètes de la CIA*, Nouveau Monde éditions, 2006.

arabe. Il serait bientôt temps d'abandonner le terrorisme au profit de la lutte armée. Alors, le détournement du vol 422 de la Kuweit Airways fut-il autorisé du bout des lèvres pour faire plaisir à Moughnieh, ou ce dernier a-t-il agi de sa propre initiative ?

Toujours est-il que quand l'avion détourné atterrit à Mashhad, en Iran, l'accueil fut glacial : apparemment, Téhéran n'avait pas prévu d'être impliqué. Il était hors de question de laisser les pirates débarquer, comme cela avait pu être le cas dans d'autres affaires. Depuis sa base de Beyrouth, Moughnieh ordonna à son équipe de rapatrier l'appareil à l'aéroport de Beyrouth, contrôlé par le Hezbollah. Mais, coup de théâtre, des forces syriennes se positionnèrent autour de l'aéroport, prêtes à prendre l'avion d'assaut quand il atterrirait. Les Syriens demandèrent au Hezbollah s'il était derrière ce détournement et, après consultation de Téhéran, la réponse fut : « Nous ne connaissons pas ces gens, faites comme bon vous semblera ! »

Moughnieh changea alors de plan et renvoya l'avion sur l'aéroport de Larnaca à Chypre. Le choix ne devait rien au hasard : son mouvement disposait d'une équipe sur place, qui pouvait surveiller le petit aéroport situé en terrain dégagé : impossible d'y tendre une équipe d'assaut, et d'ailleurs les Chypriotes ne disposaient pas d'unité d'élite entraînée à ce sport. L'avion s'installa donc sur le tarmac... et plus rien ne se passa pendant des jours. Le gouvernement koweïtien refusa de libérer un seul prisonnier. Un passager fut exécuté pour faire monter la pression. Mais l'effet fut nul. Nouveau changement de programme : Moughnieh décida alors d'envoyer l'avion en Algérie, où des négociateurs de l'OLP entrèrent en négociation avec les pirates. Ces derniers n'obtinrent rien, sinon la liberté et le droit de revenir au Liban, *via* la Syrie. Ce dénouement eut un goût amer pour Moughnieh, mais il allait falloir s'y faire : désormais le Hezbollah visait des sièges au Parlement libanais et il devait apparaître comme un mouvement d'ordre et non plus de chaos. Une page se tournait.

Moughnieh dut certes réfréner ses ardeurs dans les mois qui suivirent, mais il resta très actif, et continua à voyager beaucoup. Ses mouvements laissaient parfois songeurs les services de renseignement...

Selon un ancien responsable du Mossad, Imad Moughnieh aurait pu être arrêté dès 1988, à Paris. Il fit en effet escale à l'aéroport Charles de Gaulle, en route vers le Soudan pour une réunion avec des responsables du renseignement iranien et des représentants des moudjahidine afghans. La CIA aurait transmis aux services français les détails du faux passeport utilisé par Moughnieh, et même identifié ce dernier sur les caméras de contrôle à l'aéroport. Or, il n'a pas été arrêté et a pu prendre son vol sans encombre. Pour le Mossad et la CIA, l'affaire était entendue : les Français n'avaient pas voulu capturer Moughnieh par crainte de représailles contre leurs otages (restaient alors en détention Carton, Fontaine et Kauffmann). L'imputation est sérieuse et provoque une gêne évidente chez les anciens de la DST qui ont eu à connaître ce dossier.

Voici comment l'événement est raconté dans *Carnets intimes de la DST* d'après le témoignage de son ancien directeur Rémy Pautrat[1] :

« Un jour de l'année 1987, la CIA transmet un message directement à François Mitterrand. Son contenu est bref : « Imad Moughnieh, chef d'orchestre bien connu des attentats du Hezbollah (pro-iranien), doit passer par un aéroport parisien. Merci de l'interpeller. » Le président de la République transmet à Pierre Joxe, ministre de l'Intérieur, qui alerte la DST. « Tout de suite, rapporte Rémy Pautrat, cette information nous a semblé aussi farfelue qu'énorme, ce que nous avons dit au ministre en lui proposant de mettre en place un dispositif de surveillance à Orly et Roissy. » Mais le ministre refuse. Il préfère un autre mode d'intervention. Et, plutôt que d'arrêter l'un des terroristes les

---

1. Éric Merlen et Frédéric Ploquin, *Carnets intimes de la DST*, Fayard, 2003.

plus recherchés du monde, ils choisissent de lui faire simplement savoir qu'on le suit à la trace, faveur dont les Iraniens ne manqueront pas de remercier la France d'une façon ou d'une autre. Une mission délicate confiée à la police de l'air et des frontières. Le jour « J », les Américains annoncent le numéro du vol par lequel doit arriver le dangereux Libanais. La DST n'y croit pas. Son directeur est en revanche certain que la CIA a établi son propre dispositif de surveillance dans l'aéroport, et qu'il s'agit pour elle de mesurer le degré de mobilisation (et de fiabilité) de l'allié français. Décision est donc prise d'envoyer quelques fonctionnaires sur place, non sans en avertir obligeamment le partenaire américain. L'avion se pose. Les agents de la police de l'air et des frontières cherchent vainement leur homme. Ceux de la DST photographient discrètement les passagers du vol, pour la plupart en transit, parmi lesquels ils ne repèrent pas davantage Moughnieh. Ceux de la CIA prennent note, en troisième ligne, de cet étrange ballet de dupes. Peu après, Rémy Pautrat retrouve Pierre Joxe :

« – Imad Moughnieh n'est pas venu.

– Comment le saviez-vous ? interroge le ministre.

– J'ai mis une équipe sur place, des fonctionnaires connus de la CIA. Sans cela, ils en auraient probablement déduit qu'on leur avait fait un enfant dans le dos. »

Une précaution qui vaut à François Mitterrand un chaleureux message de remerciements. »

Cette version de l'histoire est avantageuse... mais démentie par deux autres témoignages que nous avons pu recueillir auprès d'anciens des services français. Il semble bel et bien que les Français aient fermé les yeux sur la présence d'Imad Moughnieh à Paris. Dès 1985, il y a eu des négociations entre le ministère de l'Intérieur et le Hezbollah *via* deux intermédiaires, un Syrien et un Iranien, pour négocier la libération des otages français et prévenir tout nouvel attentat sur le territoire national. Pierre

Péan va même plus loin, affirmant que Moughnieh a disposé pendant quelque temps d'un appartement à Neuilly, lequel aurait été « sonorisé » par les Français[1]. Même si ce n'était pas très glorieux, laisser venir Moughnieh sur le sol français s'inscrivait dans la même logique que les arrangements des années 1970 avec divers patrons ou commanditaires de groupes terroristes : la pratique s'inscrivait dans le cadre d'une « sanctuarisation » du territoire. Entre la fermeté affichée contre le terrorisme et les contorsions dictées par le réalisme d'État, le grand écart est parfois douloureux...

Pour la seule année 1988, Moughnieh orchestra des dizaines d'attaques contre les forces israéliennes au Liban, causant vingt victimes parmi les soldats israéliens. Il était parfaitement dans la ligne du Hezbollah contre Israël : « Il faut mener une guerre d'usure, drainer toute leur énergie, les affaiblir, puis un jour les forcer à se retirer. » Les moukhabarats syriens, qui servaient de base arrière au Hezbollah, estimèrent que Moughnieh en faisait trop et qu'il risquait de devenir incontrôlable. L'homme fut renvoyé en Iran, ce qui coïncida avec une chute brutale du nombre de victimes dans les rangs de Tsahal au Liban. En 1990, il revint au Liban et le nombre de victimes recommença à croître. C'est à ce moment-là que Saddam Hussein décida d'envahir le Koweït. Dans le chaos de la guerre, le beau-frère de Moughnieh (qui était toujours détenu au Koweit) arriva à s'évader et trouva refuge à l'ambassade d'Iran. Il fut exfiltré et retrouva enfin sa place auprès d'Imad au Liban.

Tout comme Moughnieh, il allait assister à l'ascension fulgurante d'un de leurs camarades de combat, un membre du premier noyau formé en 1983 par les Gardiens de la Révolution, et qui allait devenir leur chef : Hassan Nasrallah.

Comme Imad Moughnieh, Nasrallah était le fils d'un vendeur de légumes issu d'un petit village chiite du Sud-Liban.

---

1. Pierre Péan, *La menace*, Fayard, 1987.

Né en 1960, il avait fui la guerre civile avec sa famille. Jeune homme pieux, il partit étudier le Coran dans la ville irakienne de Nadjaf. Il en fut expulsé au début du conflit Iran-Irak, en 1980. Il rentra au Liban et intégra la milice chiite Amal. En 1983, au même âge que Moughnieh, et déçu comme lui par la corruption ambiante, il rejoignit le petit groupe en train de se former. Ensemble, ils accomplirent de nombreuses opérations clandestines, kalachnikov à la main. Nasrallah fut aussi mêlé à l'enlèvement d'otages occidentaux au milieu des années 1980. Mais au bout de quelques années, il évolua vers un poste plus politique, jusqu'à devenir le patron de Moughnieh. Et c'est lui qui mit en œuvre à partir de 1990 le « virage social » du Hezbollah : arrêter le terrorisme tous azimuts, mettre l'accent sur le développement de services aux Libanais : écoles, hôpitaux, routes, etc., et enfin préparer la confrontation avec Israël. En 1991, Nasrallah donna l'ordre de libérer les derniers otages, signant son évolution vers la « respectabilité ». Et il refusa à Moughnieh la reprise des attentats en Europe, notamment en France. Ce qui ne signifiait pas l'abandon total des attentats, mais une discipline stricte consistant à éviter les actions « gratuites », se limiter à celles qui étaient strictement nécessaires, avec un objectif politique précis et limité. À la différence de Moughnieh, Nasrallah ne joua jamais les francs-tireurs. Lorsque son fils se fit tuer en 1997 au combat contre les Israéliens, Nasrallah devenu secrétaire général du Hezbollah accueillit la nouvelle de façon stoïque et ne réclama pas d'action punitive aux Iraniens. Ce sang-froid expliquait la confiance que lui portait Téhéran et la large autonomie dont il bénéficiait.

Désormais le Hezbollah « tenait » une grande partie du Liban. La Syrie avait dû retirer ses troupes d'occupation et concéder le contrôle du pays, sans qu'à aucun moment il y ait eu d'affrontement entre eux. Cette stratégie d'évitement de la part du Hezbollah fut une des clés de sa puissance. La nouvelle donne au Liban marqua un tournant historique pour la région :

le vieil ordre sunnite s'était montré incapable de contrer le développement iranien. Et la Syrie, ancienne alliée de l'Arabie saoudite, était désormais un proche allié de l'Iran, seul capable de la protéger en cas de conflit avec Israël.

Le monde ne suffit pas

En février 1992, trois soldats israéliens furent tués lors d'une attaque du Jihad islamique de Palestine sur un camp d'entraînement de l'armée à Gilad.

Le Aman et le Mossad tentèrent de reprendre la main face au Hezbollah, en montant une opération conjointe : il s'agissait ni plus ni moins que de kidnapper son secrétaire général, le cheikh Abbas Moussaoui, pour pouvoir l'interroger à loisir puis en faire une monnaie d'échange. Le plan était de capturer le cheikh par surprise pendant un de ses trajets en voiture au Sud-Liban. Il devait se rendre à Jibchit pour assister à une cérémonie funéraire en l'honneur du cheikh Ragheb Harb, tué par les Israéliens. Un drone fut spécialement chargé de suivre les déplacements de son convoi, formé de quatre Land Rover, et d'envoyer des images au quartier général de l'armée à Tel-Aviv. Mais il était entouré d'une escorte trop nombreuse pour que le commando chargé de l'intercepter puisse parvenir à ses fins rapidement et sans trop de casse. Le chef d'état-major, Ehud Barak, proposa alors de transformer l'opération en élimination : si on ne pouvait capturer la cible, restait la possibilité de l'éliminer. Les cadres du Mossad n'étaient pas chauds pour une telle opération, dont les conséquences sont par nature imprévisibles. Mais Barak persista et obtint l'accord du Premier ministre, deux hélicoptères furent envoyés sur l'objectif à 15 heures : il fut pulvérisé à coups de missiles. Le cheikh était accompagné de sa femme et de son fils âgé de 6 ans. La mort de Moussaoui enfreignit une règle tacite du conflit, limité à la zone tampon, dite « de sécurité » entre le Liban et Israël. Les mois précédents, le Hezbollah s'était gardé de bombarder Israël. Le jour même, l'organisation chiite répliqua par un tir nourri de roquettes « Katioucha » en Galilée, au nord d'Israël. Mais ce n'était que le début de sa vengeance.

Le 17 mars 1992, l'ambassade d'Israël en Argentine fut soufflée par l'explosion d'un camion suicide. Vingt-neuf personnes furent tuées, y compris des enfants d'une école située à proximité. Ce fut un choc politique mais aussi sécuritaire : c'était la première fois que le Hezbollah se montrait capable de répliquer contre les intérêts israéliens à l'autre bout de la planète. Cette opération impliquait des réseaux actifs partout dans le monde. Une équipe du Mossad et du Shin Bet fut dépêchée pour enquêter sur place, tandis que les autorités locales, embarrassées, semblaient surtout pressées de passer à autre chose. Les agences de renseignement américaines activèrent leurs réseaux. La NSA exhuma un message intercepté trois jours avant l'explosion (mais non exploité car en attente de traduction) entre l'ambassade iranienne de Moscou et Téhéran. Il y était question d'une attaque imminente contre un poste diplomatique israélien en Amérique du Sud. La même agence fournirait ensuite au Mossad l'enregistrement d'une conversation entre Imad Moughnieh et un autre responsable du Hezbollah, dans lequel les deux hommes évoquaient « notre projet en Argentine ». Pourquoi avoir choisi Buenos Aires ? Selon les éléments de l'enquête, l'équipe de l'attentat était arrivée d'Europe *via* la ville de Ciudad del Este, au Paraguay, qui comptait une importante colonie chiite pouvant servir de base arrière à des opérations de ce genre[1]. Il semblait établi que l'équipe du Hezbollah avait corrompu des membres de la police argentine pour obtenir les informations nécessaires sur la sécurité de l'ambassade. C'est peut-être pourquoi la coopération ne sembla pas optimale entre le Mossad et les forces de police

---

1. Ami Pedahzur, *The Israeli Secret Services and the Struggle against Terrorism*, Columbia University Press, 2009.

locales. Pourtant, les deux parties allaient être amenées à se revoir beaucoup plus vite qu'elles ne le croyaient...

Au-delà de cette tragédie, l'autre conséquence majeure de la mort de Moussaoui allait être l'ascension aux plus hautes fonctions d'Hassan Nasrallah : il deviendrait en effet secrétaire général du Hezbollah en 1996. Ses qualités politiques en faisaient un leader bien plus charismatique que Moussaoui. Et, d'une prudence extrême dans ses déplacements, il saurait rester hors de portée des missiles israéliens. Car la guerre secrète continua de plus belle.

En juin 1994, Israël lança un raid aérien contre l'un des camps d'entraînement du Hezbollah dans la vallée de la Bekaa : une quarantaine de soldats furent tués. La même année, le 20 mai, débuta une opération destinée à capturer Moustafa Dirani, chef de la sécurité de la milice libanaise Amal, responsable de la capture du soldat Ron Arad, copilote d'un avion abattu au-dessus du Liban en 1986 (on apprendrait par la suite sa mort en captivité). Tout comme plus tard Gilad Shalit, Ron Arad fit l'objet de très nombreuses démarches de la part des Israéliens. Ceux-ci soupçonnaient Dirani d'avoir « revendu » l'otage au Hezbollah, ou en tout cas de savoir où il se trouvait. Vers 11 heures du soir, deux gros hélicoptères se posèrent près de sa maison dans le village de Kasser Naba. Deux voitures en descendirent par des rampes ; elles foncèrent sur l'objectif et en quelques secondes, la maison fut investie par les soldats de l'unité d'élite Sayeret Metkal. Dirani fut capturé mais les forces spéciales furent prises sous le feu ennemi. Elles parvinrent à s'extraire moyennant quelques blessés légers. Le Hezbollah afficha son impassibilité *via* un porte-parole : « Nous ne comprenons pas ce langage. Les Israéliens n'obtiendront rien ainsi. »

Ce n'était pas tout à fait exact. La réponse, une nouvelle fois, fut apportée en Amérique du Sud. Le 18 juillet 1994, une nouvelle bombe fit exploser les bureaux de l'association Israël-

Argentine, l'AMIA (Asociación Mutual Israelita Argentina), au 663 de la rue Pasteur, en plein quartier juif, faisant quatre-vingt-six morts et deux cent cinquante-deux blessés. Selon l'enquête, le mode opératoire, et sans doute l'équipe, étaient identiques au premier attentat : Moughnieh avait géré l'affaire de bout en bout. Dix jours avant l'attentat, les ambassadeurs iraniens en Argentine, en Uruguay et au Chili furent rappelés sous un prétexte quelconque à Téhéran. Le responsable des services iraniens à Buenos Aires, Mohsen Rabbani, s'éclipsa à son tour. Un personnage-clé de l'opération se révéla être un garagiste argentin d'origine libanaise, Carlos Alberto Talaldin, qui avait fourni le véhicule. Il sembla qu'à nouveau il y ait eu des brebis galeuses au sein de la police argentine.

Cette fois, les services argentins prirent la mesure du défi, et des risques encourus si rien n'était fait pour stopper la prolifération du Hezbollah. Mais l'équipe du Mossad arrivée en catastrophe, essentiellement la même que deux ans plus tôt, resta méfiante à leur égard. Selon le témoignage de Yigal Carmon[1], alors conseiller antiterrorisme auprès du Premier ministre, les enquêteurs argentins semblaient délibérément éviter d'interroger certains témoins-clés, en particulier le garagiste. Des documents mettant en cause les Iraniens disparurent du dossier.

De son côté, la CIA fit également pression sur les services argentins et une opération conjointe fut mise sur pied avec le SIDE (sécurité intérieure) en octobre 1994. Les Américains fournirent du matériel d'écoutes sophistiqué, des fonds et de la formation. L'expertise d'autres services fut aussi mise à contribution pour comprendre les ramifications et subtilités des différents groupes islamiques présents en Amérique du Sud, Hamas, Hezbollah, etc. La DST fut ainsi consultée : à partir d'un numéro de téléphone fourni par le SIDE, elle réussit à localiser un agent du Hezbollah recherché depuis deux ans. En 1997, le

---

1. Recueilli par Ami Pedahzur, *op. cit.*

SIDE parvint à recruter un informateur au sein de la cellule du Hezbollah au Paraguay. Celui-ci permit de découvrir un projet d'attentat contre l'ambassade américaine à Asuncion. Cette fois, les Américains intervinrent directement et envoyèrent un commando des forces spéciales pour une intervention nocturne chargée de démanteler le réseau... et dont la presse n'a jamais parlé jusqu'à présent. Cette collaboration américano-argentine s'interrompait cependant en 1999, suite à l'élection d'un nouveau président argentin.

Malgré ce dénouement, les hommes du Mossad conservèrent un goût amer de cette affaire. Ils pointaient un certain nombre d'attitudes troublantes de la part du président Carlos Menem et du SIDE. Certes, le chef d'État avait condamné sévèrement l'attentat. Mais ils le soupçonnèrent d'avoir tout simplement saboté l'enquête. Le SIDE n'avait-il pas gardé pour lui certains signes avant-coureurs d'une action terroriste dirigée contre la communauté juive ? Quant à Menem, issu d'une famille arabe originaire de Syrie, il avait commencé sa carrière politique comme président d'une association syriano-libanaise. En 1983, il devint gouverneur de sa province natale, La Rioja. Six ans plus tard, il était élu président. Il allait notamment intensifier les relations de l'Argentine au sein du monde arabe et avec l'Iran. Le Mossad était donc persuadé qu'au minimum il cherchait à préserver ces bonnes relations. Mais il y a plus : un membre des services iraniens qui fit défection à l'Ouest affirma plus tard que Menem aurait reçu sur son compte personnel dans une banque suisse la somme de 10 millions de dollars de la part de Téhéran !

L'Amérique du Sud n'était pas le seul théâtre d'opérations du Hezbollah. En mars 1994, une tentative pour faire sauter l'ambassade d'Israël à Bangkok échoua de justesse. Le Mossad soupçonnait Imad Moughnieh d'être à nouveau à la manœuvre et renforça sa présence dans la région. En 1999, ses équipes découvrirent que le Hezbollah s'efforçait de recruter des

Malaisiens et des Indonésiens pour des attentats en cours de préparation. En Afrique, le Hezbollah se montrait actif dans certains pays comme la Côte d'Ivoire, qui servait de base arrière pour le trafic d'armes à destination du Liban. On retrouva aussi des cellules au Zaïre ou en Afrique du Sud. Le Mossad disposait dans ces pays d'anciens contacts qu'il réactiva.

La guerre était désormais globale, et sans merci. Fin 1994, le Mossad décida de s'intéresser de plus près à un frère de Moughnieh, Fouad. Celui-ci était un agent de second rang du Hezbollah, mais sa proximité avec Imad lui donnait accès à des informations importantes. Pour l'approcher, le Mossad décida d'instrumentaliser Ahmed Hallaq, un ancien membre de l'organisation pro-syrienne As-Saiqa. Évidemment, les hommes du Mossad ne déclinèrent pas leur véritable appartenance. Ils se présentèrent comme des agents américains. Hallaq, persuadé de travailler pour la CIA, se vit chargé de recruter comme informateur le frère de Moughnieh. Mais six mois d'efforts n'aboutirent à rien, ou presque. C'est alors que le Mossad adopta une stratégie beaucoup plus audacieuse. Le 23 décembre 1994 au sud de Beyrouth, Ahmed Hallaq plaça une bombe sous une voiture garée devant une boutique appartenant à Fouad Moughnieh. Lorsque ce dernier apparut à proximité, la bombe explosa, faisant trois morts, dont deux passants.

Le but de l'opération n'était pas seulement d'éliminer Fouad, petit soldat du Hezbollah. Il s'agissait surtout d'attirer Imad aux funérailles de son frère, pour le faire abattre par un sniper. Mais l'homme était trop paranoïaque pour tomber dans le piège et, malgré son deuil, ne se présenta pas. Celui qui avait conçu cette opération n'était autre que Meir Dagan, alors haut responsable de l'armée israélienne, futur directeur du Mossad. Quant à Hallaq, il dut disparaître au plus vite. Il fut exilé aux Philippines avec sa famille pendant cinq mois. Mais bientôt, il voulut rentrer au pays. On lui fabriqua une nouvelle identité et il s'installa dans une ville sous contrôle de l'armée israélienne. Le Hezbollah ne tarda pourtant pas à le repérer. Un agent fut envoyé pour faire sa connaissance et gagner sa confiance. Le fuyard était amateur d'alcool et de jeunes femmes. On l'attira à une fête privée. Là, on lui passa les menottes et on l'embarqua dans un taxi. Il fut remis aux forces de sécurité libanaises, auxquelles il avoua tous les détails de son parcours. Condamné à mort par un tribunal militaire, il fut exécuté le 21 septembre 1996.

La connexion Al-Qaida

En 1990, le renseignement militaire israélien repéra d'importantes livraisons d'armes iraniennes au Soudan, régime sunnite extrémiste hébergeant des camps d'entraînement pour combattants islamistes du monde entier. À l'époque la Somalie voisine était passée sous la coupe de diverses milices, dont celle du général Aidid, soutenu par l'Iran et le Soudan. Les deux théocraties, la chiite et la sunnite, en principe ennemies, étaient donc en train d'unir leurs efforts! La nouvelle fut digérée non sans quelques frissons par les analystes du Mossad et du Aman. Les services israéliens avaient déjà observé, quelques années plus tôt, des liens entre des mouvances islamistes égyptiennes, d'obédience sunnite et le département 15 du Vevak, le service secret iranien. Le point de contact identifié par le Mossad était un certain Ayman al-Zawahiri, commandant du Jihad islamique égyptien. L'un de ses titres de gloire était d'avoir participé à l'assassinat du président Sadate, en 1981. Or, qui retrouvait-on à la manœuvre dans les opérations soudanaises, non loin de la frontière égyptienne? Le même Al-Zawahiri... Dopé par les livraisons d'armes iraniennes, son groupe allait multiplier les raids en territoire égyptien. En 1993, il lança un attentat-suicide contre le ministre de l'Intérieur, Hassan al-Alfi. Ce dernier en réchappa avec quelques blessures. Un autre groupe de la même mouvance lança en 1995 une opération encore plus audacieuse.

Le 7 juillet 1995, le président égyptien Hosni Moubarak arriva en Éthiopie pour participer à un sommet de l'OUA (Organisation de l'unité africaine). À l'aéroport d'Addis-Abeba, sa délégation s'engouffra dans une série de limousines. Quelques minutes plus tard, le convoi fut stoppé par un van bleu dont jaillirent cinq hommes armés de kalachnikovs et de lance-grenades. Ils commencèrent à mitrailler les véhicules présidentiels. Les gardes du corps répliquèrent par un feu nourri tandis que le chauffeur de Moubarak parvint à faire demi-tour et foncer vers l'aéroport. Le président égyptien, indemne, remonta dans son avion qui décolla aussitôt. Pour Yoram Schweitzer, un ancien du Mossad, ces affaires ont marqué un changement d'époque et de nature dans le terrorisme islamique: « Nous avons découvert quelque chose d'entièrement nouveau. Ce n'était pas une attaque à la petite semaine, mais une opération d'envergure planifiée et exécutée par une infrastructure nouvelle, aux ramifications inconnues[1]. »

Furieux mais démunis de renseignements, les Égyptiens demandèrent l'aide de la CIA. Elle-même, quasi absente du Soudan, se tourna vers le Mossad. Selon le rapport que ce dernier leur envoya, avec copie au moukhabarat égyptien, c'étaient bien des activistes égyptiens qui s'en étaient pris au convoi du président. Le chef du commando était un certain Moustafa Hamza. Toujours selon le rapport israélien, on trouvait derrière eux bien plus qu'un groupe d'opposants égyptiens: une véritable internationale islamiste était en train de se former dans les camps soudanais, accueillant notamment les vétérans de la guerre d'Afghanistan contre les Soviétiques. Parmi eux, le rapport désignait un entrepreneur en travaux publics du nom d'Oussama Ben Laden. Moustafa Hamza était désigné comme l'un de ses plus proches collaborateurs.

1. Cité par Ronen Bergman, *op. cit.*

On le sait désormais, c'est à cette époque qu'Al-Zawahiri devint le médecin personnel de Ben Laden. En 1998, l'organisation d'Al-Zawahiri se fondrait officiellement dans Al-Qaida. Mais ce que l'on sait moins, c'est qu'Al-Zawahiri fut aussi le principal point de contact des islamistes sunnites avec l'Iran et le Hezbollah. En 1995, il organisa ainsi la visite à Khartoum d'Imad Moughnieh, prélude à la fourniture par le Hezbollah d'armes et de bombes. Cette incroyable connexion entre deux organisations que tout aurait dû opposer conduisit le Mossad à ouvrir un bureau baptisé «Jihad mondial» et à se fixer comme objectif l'infiltration d'Al-Qaida au Soudan.

Une étude de l'entourage de Ben Laden permit d'identifier une secrétaire travaillant dans une de ses sociétés de construction et qui semblait avoir toute sa confiance. Celle-ci était originaire d'un pays du Moyen-Orient dont les services collaboraient discrètement avec le Mossad. Une opération conjointe fut mise sur pied : on fit pression sur la famille de la secrétaire pour que cette dernière vienne rendre visite à ses proches. En échange de divers passe-droits pour sa famille, la jeune femme accepta de réunir le plus d'informations possible sur son patron. Il fut même prévu qu'elle pourrait l'empoisonner. Cependant, l'opération allait être victime d'un durcissement politique des relations entre Israël et le pays en question : suite à des raids meurtriers d'extrémistes juifs en territoire arabe, la coopération fut interrompue[1].

En 1995, suite aux rapports de la CIA, de la NSA et du Mossad, le Soudan fut clairement désigné par les États-Unis comme un État terroriste. De son côté, le président Moubarak exigea des autorités soudanaises qu'Al-Zawahiri soit expulsé et ses camps d'entraînement fermés. Alors qu'une guerre civile faisait rage dans le sud du pays et déclenchait une véritable catastrophe humanitaire, le président Omar al-Bachir et le chef spirituel

---

1. *Op. cit.*

du pays Hassan al-Tourabi décidèrent d'obtempérer. En 1996, cédant aux pressions américaines, ils demandèrent aussi à Ben Laden de déménager son organisation. Il choisit l'Afghanistan, d'où il lancerait sa déclaration de guerre contre les États-Unis et planifierait des attentats contre les ambassades américaines en Afrique. Pendant ce temps, son bras droit Al-Zawahiri effectua plusieurs déplacements en Iran, pour négocier des transferts de matériels *via* le Hezbollah.

Après le 11 Septembre et son onde de choc mondiale, la connexion Iran-Hezbollah-Al-Qaida fut soigneusement effacée, l'Iran gardant désormais ses distances. Pourtant, selon une enquête du FBI, les Iraniens avaient prêté main-forte à l'attentat qui coûta la vie au commandant Massoud, le 9 septembre 2001. L'ambassade d'Iran à Bruxelles aurait aidé deux tueurs d'Al-Qaida à obtenir de faux passeports belges qui devaient leur permettre d'entrer en Afghanistan en tant que journalistes et d'interviewer Massoud.

Bien qu'aucune implication directe de l'Iran n'ait été découverte dans les attentats du 11 Septembre, plusieurs services de renseignement n'ont pas manqué de remarquer les séjours en Iran d'un des fils de Ben Laden, Saif al-Adel, de plusieurs membres d'Al-Qaida et d'Al-Zawahiri lui-même, entre 2001 et 2003. Signe de dissensions au plus haut niveau sur ce sujet : en 2003, le président Khatami aurait demandé leur arrestation, mais tous ont alors fait preuve d'une prescience remarquable et ont pu disparaître avant d'être interpellés.

Cherchez la taupe

Jusqu'au milieu des années 1990, le Hezbollah évita soigneusement toute activité indésirable en Amérique du Nord, ce qui ne veut pas dire qu'il ne disposait pas d'équipes sur le continent. Cette discrétion fut mise à mal à partir de mars 1997, lorsque plusieurs de ses membres furent arrêtés au Canada. Interrogés, ces derniers révélèrent l'implication de leur organisation dans un attentat contre la base militaire de Khobar (Arabie saoudite) qui avait coûté la vie à dix-neuf Américains et fait cinq cents blessés l'année précédente. Selon leur témoignage, c'était une cellule du Hezbollah basée à Bahreïn qui avait mené l'opération. Pour le FBI, chargé de l'enquête, les indices formaient une piste qui permettait « en pointillés » de désigner l'Iran. Les Saoudiens furent particulièrement peu coopératifs sur cette enquête mais officieusement, certains enquêteurs du royaume confirmèrent le diagnostic.

Dès 1993, les Canadiens avaient arrêté un membre du Hezbollah. Celui-ci avoua avoir pris des photos de sites à Ottawa et Montréal qui pourraient par la suite servir de cibles à des attentats, « au cas où il y aurait un problème avec le Canada ». La police canadienne informa le gouvernement dès 1997 que le Hezbollah était solidement implanté dans le pays et l'utilisait comme base pour réunir des fonds, notamment grâce au vol et au trafic de voitures.

Dans les années 1990, le Hezbollah s'était aussi implanté aux États-Unis, notamment en Caroline du Nord et dans le Michigan. Le réseau de Caroline du Nord menait des activités directement criminelles : fraudes à la carte de crédit, trafic de cigarettes entre États aux fiscalités différentes, levée de fonds. Les appels du réseau au Liban furent détectés par la NSA, qui prévint le Mossad, mais pas le FBI, en raison du vieil antagonisme entre les deux agences américaines. Il fallut donc que le Mossad alerte à son tour le FBI pour que celui-ci mette le réseau sous surveillance. Les dix-huit membres du réseau furent arrêtés et condamnés en 2002.

Le réseau du Michigan, basé à Dearborn et dirigé par un certain Fawzi Moustafa Assi, avait en charge la levée de fonds, mais aussi l'acquisition d'armes et de technologies de pointe comme des lunettes de vision nocturne ou des GPS sophistiqués. En juin 1997, le renseignement militaire israélien intercepta des échanges téléphoniques entre la direction du Hezbollah au Liban et ce réseau. C'était le début d'une opération qui serait menée conjointement par le Mossad, le Shin Bet et la section antiterroriste du FBI. En mai 1998, un premier envoi de matériels sensibles en route vers le Liban fut saisi par la douane de Detroit, discrètement alertée par le FBI. Assi fut arrêté dans la foulée. Les juges le placèrent en liberté conditionnelle, avec obligation de porter un bracelet électronique. Mais une fois libéré, il parvint à s'en débarrasser et prit aussitôt la fuite.

Au début des années 2000, les premiers réseaux du Hezbollah en Amérique du Nord furent démantelés grâce à la coopération Mossad-FBI-police canadienne. Mais l'organisation chiite ne se tenait pas pour battue : en 2005, un nouveau réseau fut repéré à Montréal. Il était en train de préparer des attentats à New York pour le cas où les États-Unis décideraient d'attaquer les installations nucléaires iraniennes. À nouveau les trois services de renseignement coopérèrent dans une opération de surveillance qui allait s'étaler sur sept mois. Mais, alors que ses membres étaient sur le point d'être arrêtés, ils disparurent brutalement dans la nature. Il sembla certain qu'ils avaient été alertés du coup de filet imminent. Au sein du FBI, ce fut la consternation. On regardait avec suspicion les partenaires du Mossad, mais aussi ses propres collègues. Qui avait trahi ?

Certains, dans l'équipe antiterroriste, se firent vite leur petite idée. Ils surveillaient en effet le propriétaire d'un restaurant libanais, du nom de Talal Khalil Chahine, qu'ils soupçonnaient fort d'être un leveur de fonds du Hezbollah. Leurs soupçons furent confirmés lorsqu'ils apprirent que ce Chahine avait pris la parole à Beyrouth dans un meeting aux côtés du cheikh Mohammed Hussein Fadlallah et que de surcroît il faisait sortir frauduleusement des États-Unis plusieurs millions de dollars qui rejoignaient les caisses du Hezbollah. Or, que trouva-t-on en étudiant son environnement ? Que la sœur de son épouse était une ancienne du FBI, qu'elle avait quitté en 2003 pour rejoindre la CIA! En enquêtant sur cette jeune femme, il ne fallut pas longtemps pour découvrir que la personnalité de l'agent Nada Nadim Prouty recelait quelques zones d'ombre.

En apparence, c'était un élément brillant. Née en 1970 au Liban, elle quitta son pays en guerre à 19 ans, pour fuir un mariage arrangé par sa famille, et émigra aux États-Unis. Elle passa un diplôme de comptabilité, épousa un Américain, ce qui lui donna la nationalité, et présenta sa candidature au FBI. Elle y fut très bien notée par ses supérieurs (elle fut même nominée pour le titre d'agent de l'année 1999) et participa à des enquêtes très en vue : attentat d'Al-Qaida contre le navire *USS Cole* en 2000, attentat des tours de Khobar, etc. Après le 11 Septembre, le renseignement américain avait un besoin crucial d'éléments de sa trempe, parfaitement à l'aise dans le monde arabe. Elle fut donc débauchée par la CIA en 2003 et envoyée en poste à Bagdad dans les mois précédant l'invasion de l'Irak, ce qui en dit long sur la confiance qu'on lui portait. Après le 11 Septembre, elle rejoignit l'antenne du Pakistan, puis de Jordanie, et reçut les éloges unanimes de ses collègues, presque tous des hommes.

Seul problème : ses anciens collègues du FBI découvrirent qu'elle avait menti pour acquérir la nationalité américaine : son mariage était blanc! Elle n'aurait donc pas dû être admise au sein de l'agence fédérale. Plus troublant encore : avant de quitter le FBI, elle se connecta sans raison de service à une base de données rassemblant tous les éléments d'enquête sur le Hezbollah : elle y tapa son nom, puis celui de sa sœur et enfin de son beau-frère restaurateur. Ces éléments étaient trop graves pour ne pas ouvrir une enquête.

Saisi de l'affaire, le Département de la Justice ne fit pas dans la dentelle : la jeune femme fut suspendue de la CIA, sa nationalité annulée, ses comptes bancaires bloqués. On la menaça de communiquer aux médias son passé et de la renvoyer avec son jeune enfant au Liban. Nada Prouty refusa de reconnaître sa culpabilité, en dehors du mariage blanc qu'elle avait déjà déclaré dans son dossier de candidature au FBI. Stigmatisée par la presse américaine comme l'espionne du Hezbollah (le *New York Post* la surnomma « Jihad Jane »), elle allait mener un combat juridique de plusieurs années. En 2010, la CIA vint à son secours et certifia ses états de service impeccables. Une douzaine d'anciens collègues du FBI firent de même. Une enquête de l'émission *60 minutes* sur CBS conclut à son innocence. En novembre 2011, le directeur de la CIA et le ministre de la Justice prirent officiellement position en sa faveur. Pour autant, début 2012, le procureur n'avait toujours pas lâché prise. Et les blogs et médias conservateurs continuaient de vitupérer contre elle.

Pour les équipes du Mossad qui ont suivi l'affaire, Nada Prouty n'était pas une taupe du Hezbollah. En 2005, lors du fiasco de Montréal, elle n'avait plus accès au détail des opérations du FBI contre le Hezbollah. Ce qui ne peut signifier qu'une chose : la véritable taupe est toujours en poste, quelque part, au sein du FBI. Il n'y a pas d'autre explication possible. Du moins si on s'en tient à l'idée que le Mossad ne peut avoir lui-même été pénétré…

La lutte contre le Hezbollah s'accomplissait désormais à l'échelle mondiale. Certes, les groupes d'activistes chiites étaient tous plus ou moins sous surveillance, mais la grande crainte du Mossad était que le mouvement fasse appel à des mercenaires ou sympathisants européens. Un ancien du Mossad, Michael Ross, se souvient de la première affaire de ce genre : « En mai 1997, une source en Europe nous informa qu'un Allemand nommé Stephen Smyrek avait été recruté par le Hezbollah et s'apprêtait à faire un petit voyage en Israël. Comme nous n'avions que peu de temps avant son départ, nous établîmes rapidement une équipe de surveillance conjointe avec le BfV allemand, leur service de sécurité intérieure. C'était une grosse opération qui impliquait, outre moi-même et mes homologues de la CIA, le département antiterrorisme du Mossad, l'officier de liaison avec les services antiterroristes allemands et la division des affaires arabes du Shin Bet. Le plan consistait à laisser les Allemands suivre Smyrek jusqu'à son embarquement à Francfort sur un vol El Al, où il serait placé à côté de deux agents incognito d'une équipe du Shin Bet en charge de la sécurité aérienne. À l'arrivée, il serait placé sous la surveillance du Shin Bet. Je plaidai pour qu'on ne l'arrête pas avant d'avoir identifié qui il devait rencontrer et pour quoi faire. Mais le Shin Bet décida de le faire arrêter dès son arrivée à l'aéroport Ben Gourion[1].» Deux logiques s'affrontaient. Le Mossad voyait dans cette affaire une occasion unique d'identifier le réseau du Hezbollah en territoire hébreu. Le Shin Bet avait pour mission de protéger ses compatriotes et ne voulait pas prendre le risque de laisser filer son homme, pour le voir ensuite commettre un attentat. Smyrek fut donc arrêté, puis relâché en 2004 lors d'un échange de prisonniers. Il s'agissait à l'évidence d'une toute nouvelle menace, des plus dangereuses : un terroriste d'origine européenne qui pouvait aisément passer à travers les dispositifs de surveillance classiques.

Berne, 19 février 1998, 2 heures du matin. Un insomniaque se retourna dans son lit, perturbé par des bruits dans son immeuble. Il se leva et appela la police pour signaler des mouvements anormaux dans le quartier. La police arriva un quart d'heure plus tard. Elle surprit et arrêta deux hommes et une femme : Ben Tal, Dan Shifrin et Sheli Rivlin, qui eurent beaucoup de mal à expliquer ce qu'ils étaient en train de faire en pleine nuit dans le hall de l'immeuble. Tous étaient porteurs de passeports israéliens. Les policiers saisirent une valise marquée du sceau diplomatique. Elle contenait du matériel d'écoutes. À ce moment on entendit un cri de l'extérieur : «Au secours ! Crise cardiaque ! Appelez une ambulance !» Mais la manœuvre de diversion échoua : les policiers ne lâchèrent pas leurs proies d'une semelle. L'équipe était en train d'installer du matériel d'écoutes pour suivre les

---

1. Michael Ross, *The Volunteer*, Vision Paperbacks, 2007.

conversations d'Abdullah al-Zayn, une figure-clé du Hezbollah en Europe.

Les autorités suisses évitèrent de monter en épingle cet incident. La Suisse a de bonnes relations avec Israël et est un des meilleurs clients de son industrie militaire. Seul Ben Tal fut emprisonné, avant d'être libéré sous caution de 3 millions de francs suisses au bout de deux mois, avec engagement de se présenter à son procès. Lequel eut lieu en juillet 2000 à Lausanne. Ben Tal fut condamné à un an avec sursis et 100 000 francs suisses d'amende.

2006, ou la défaite du renseignement militaire

En mai 2000, Israël se retira du Liban, sans préavis ni condition, sur décision du Premier ministre Ehud Barak. C'était un tournant capital aux yeux du monde arabe qui analysa cette décision comme le premier recul d'Israël dans la région, contraint par la puissance du Hezbollah. *De facto*, la milice chiite prit alors le contrôle du pays avec le soutien accru de ses « parrains ». Cette même année, Bachar al-Assad succéda à son père Hafez à la tête de la Syrie et décida de renforcer sa collaboration avec le Hezbollah[1]. Désormais, les moukhabarats syriens avaient pour instruction non plus seulement de transférer des armes et matériels mais d'aider aussi activement le Hezbollah. De leur côté, les Iraniens ne cessaient de renforcer les moyens pour préparer le Hezbollah à une confrontation militaire de grande ampleur : outre le versement d'une subvention de 120 millions de dollars par an, la force d'élite Al-Qods des Gardes révolutionnaires iraniens assurait la formation de forces spéciales, aidait le Hezbollah à construire des bunkers souterrains permettant de stocker armes et missiles, tandis qu'elle formait des techniciens

---

1. Voir le chapitre « Morts suspectes à Damas ».

capables d'opérer des lance-missiles. Ces investissements de longue haleine portèrent leurs fruits lors de la guerre de 2006.

Grâce à l'afflux de moyens financiers, le Hezbollah renforça son emprise sur la société libanaise grâce à ses dons aux plus démunis, en développant un mouvement de jeunesse, sans compter une chaîne de télévision très professionnelle, ainsi que des journaux et sites Web de qualité.

En octobre 2000, les équipes de Moughnieh attaquèrent une patrouille israélienne sur un poste-frontière et capturèrent trois soldats qui devinrent une monnaie d'échange très recherchée. Il faudrait plusieurs mois pour découvrir que les soldats étaient en réalité morts pendant l'opération. Encore plus audacieux, le jour même de ce raid, le Hezbollah annonça avoir mis la main sur un colonel de l'armée israélienne! Il faudrait près de vingt-quatre heures pour comprendre de qui il était question, personne ne manquant à l'appel dans les rangs de l'armée. En réalité, il s'agissait d'un colonel de réserve devenu homme d'affaires que l'on avait attiré à Dubai avec la promesse d'une affaire juteuse. Sa capture n'en fut pas moins désastreuse car il venait tout juste de participer à des exercices de l'armée israélienne en prévision d'un conflit avec la Syrie et le Hezbollah. Il était donc au courant des plans les plus récents de Tsahal contre le Hezbollah. Or, il allait rester trois ans aux mains de ce même Hezbollah et ne serait libéré qu'en échange de quatre cent trente-six prisonniers arabes. On n'a jamais su s'il avait dévoilé d'importants secrets militaires qui ont pu défavoriser Israël pendant la guerre de 2006, mais pour les responsables du Aman et du Mossad, c'est une hypothèse plus que probable.

L'après-11 Septembre ouvrit une période de relative désescalade : sur instruction de l'Iran, le Hezbollah prit garde de ne pas être assimilé au terrorisme salafiste qui venait de frapper durement les États-Unis et provoqua l'invasion de l'Afghanistan, puis de l'Irak (ce dont l'Iran tira parti en prenant quasiment le contrôle du Sud à travers les chiites irakiens). De plus, le retrait israélien enleva au mouvement chiite ce qui faisait son principal cheval de bataille. Afin de ne pas être désigné à la vindicte, le Hezbollah préféra donc garder un profil bas et soutenir discrètement les mouvements palestiniens, notamment par des fournitures d'armes (dont on reparlera).

Le 26 mai 2006, Mahmoud al-Majzoub, chef des opérations du Jihad islamique au Liban, et son frère Nidal sortirent des bureaux du mouvement à Sidon, une ville côtière du Liban, en compagnie d'Abou Hamza, un des cadres de l'organisation. La rue étant dégagée, ils se dirigèrent vers leur voiture, une Mercedes. Après avoir ouvert les portières, ils furent soufflés par une explosion, commandée à distance.

Les forces de sécurité libanaise enquêtèrent plusieurs semaines pour reconstituer les événements. La bombe n'avait pas été déclenchée par l'ouverture des portières ni par la clé de contact, mais par une télécommande : toute la scène était filmée à distance, de manière à s'assurer que les cibles étaient bien présentes et l'environnement dégagé. L'enquête permit de dévoiler un réseau de vingt civils libanais qui confessèrent travailler pour le Mossad. Leur réseau était coordonné par Mahmoud Kassem Rafa, un Druze de 59 ans. Avant le retrait de Tsahal en 2000, il avait servi dans l'armée du Sud-Liban comme colonel. Ce sont ses dépenses jugées somptuaires pour un ancien militaire qui attirèrent l'attention sur lui. Après une mise sur écoutes, une perquisition de sa luxueuse villa permit de découvrir des équipements de vision nocturne et d'écoutes, ainsi que des faux papiers. Interrogé, il avoua travailler pour le Mossad depuis 1994. Le meurtre avait été soigneusement préparé. Deux artificiers du Mossad étaient venus installer la bombe dans une portière du véhicule. Après quoi Mahmoud Kassem Rafa en fit cadeau à Mahmoud al-Majzoub... qui se montra curieusement peu méfiant !

L'attentat de mai 2006 fut la dernière opération du réseau, qui s'écroula avec lui. Mais on lui attribua plusieurs meurtres commis les années précédentes sur des cadres du Hezbollah et du FPLP.

En guise de rétorsion, le Hezbollah, le FPLP et le Jihad islamique firent bombarder la base aérienne du mont Méron, ce qui provoqua en retour des tirs de missiles israéliens sur des installations de ces organisations. On sentait que les deux camps se préparaient à l'affrontement qui ne tarderait plus.

Le déclenchement de ce que l'on a appelé la guerre de 2006 au Liban intervint dans un contexte de forte tension entre le Conseil de Sécurité de l'ONU et l'Iran, causée par la révélation publique de l'ampleur prise par le programme nucléaire iranien. À l'été 2006, l'Iran fut sommé d'interrompre avant le 12 juillet son programme d'enrichissement d'uranium. La réponse fut indirecte mais des plus lisibles : le 12 juillet au matin, le Hezbollah lançait ses roquettes sur Israël.

Depuis le retrait de Tsahal du Liban en 2000, le renseignement militaire plaçait la menace du Hezbollah à un niveau moyen, prenant acte du travail de légitimation entrepris par Hassan Nasrallah pour s'intégrer au jeu politique libanais, et de la décrue des accrochages depuis 2001. C'était compter sans l'obéissance du mouvement envers l'Iran, qui utilise toujours le Hezbollah pour envoyer des messages ciblés et précis aux gouvernements étrangers. En l'espèce : si la communauté internationale cherche à acculer l'Iran, elle risque de se retrouver avec un embrasement du Moyen-Orient. C'est la même logique qui fut à l'œuvre en janvier 2012, lorsque l'Iran, sous la menace d'un embargo pétrolier de la part des Européens, menaça par un tir de missile de bloquer le détroit d'Ormuz où transitait une grande partie du pétrole saoudien.

Non seulement l'armée israélienne fut prise de court par l'attaque de 2006, mais elle subit un véritable affront avec la capture de deux officiers au matin du 12 juillet. C'était d'autant plus surprenant que plusieurs alertes avaient précédé ce coup de main. En 2005, un commando du Hezbollah s'infiltra dans le village de Rajar (coupé en deux par la frontière israélo-libanaise) sous camouflage des Nations unies et se mit à pilonner les forces israéliennes à coups de missiles antichars depuis un bunker. Lorsque les soldats de Tsahal en furent venus à bout, ils trouvèrent sur eux des clés de décodage en usage dans l'armée israélienne ! En 2006, le 25 juin, un commando du Hamas réussit, au terme d'une opération audacieuse, à s'infiltrer en Israël par un tunnel pour attaquer un détachement de l'armée. Le commando fit quatre victimes et un prisonnier, promis à une notoriété planétaire : le caporal d'origine française Gilad Shalit. Placée en état d'alerte après ce coup de main susceptible d'être réédité, l'armée israélienne n'aurait donc pas dû se laisser surprendre. L'expérience récente aurait dû suffire à démontrer le professionnalisme accru des milices chiites.

La guerre de 2006 fut menée par Israël sur le modèle américain des bombardements massifs. Depuis le retrait du Liban, le Aman avait soigneusement étudié l'acheminement de missiles iraniens de moyenne et longue portée auprès du Hezbollah, et recensé leur positionnement. Cela n'aurait pas été possible sans les données considérables recueillies par les satellites de la NSA américaine. De ce fait, les frappes des premières heures eurent un impact significatif, détruisant des centaines de missiles. Leur efficacité déclina beaucoup par la suite car le Aman avait beaucoup plus de mal à recenser les nombreuses installations souterraines du Hezbollah. D'autre part, l'organisation chiite disposait toujours de ses lance-missiles de courte et moyenne portée, plus légers et faciles à déplacer, donc impossibles à cibler correctement par l'aviation et les drones israéliens.

En dehors des informations satellitaires, le Aman se découvrit très mal informé, comme ne manquèrent pas de le souligner ses collègues du Mossad après coup : « Pendant que le Hezbollah construisait à découvert des bunkers bien visibles du ciel et des populations avoisinantes, d'autres étaient fabriqués loin des regards, souvent dans des profondeurs rocheuses. En raison d'un cloisonnement extrême, aucune unité du Hezbollah ne connaissait l'emplacement de plus de trois bunkers. Autant dire que les rares sources dont on pouvait disposer ne servaient à rien », se souvient un ancien du Mossad.

Alors que Hafez al-Assad gérait le Hezbollah comme un partenaire dangereux à surveiller de près, son fils Bachar renforça la relation avec les Iraniens et le Hezbollah. Il suivit de près la guerre de 2006, et la résistance plus qu'honorable du Hezbollah contre Tsahal fut pour lui une divine surprise. Il intensifia donc ses livraisons d'armes à la milice. Un service de renseignement européen informa le Mossad que pendant la guerre, les Syriens avaient également fourni au Hezbollah des images satellites d'Israël et que l'adjoint d'Imad Moughnieh s'était rendu à l'ambassade iranienne à Damas pour traiter et transmettre en temps réel les informations livrées par les moukhabarats syriens.

Tsahal paya cash en 2006 son retrait soudain et unilatéral du Liban en 2000. Le renseignement militaire ne disposait presque plus de sources significatives sur le terrain, d'autant qu'il en avait abandonné certaines en fâcheuse posture. Certes, des détachements furent envoyés derrière les lignes ennemies, mais leur apport se révéla très approximatif. La vérité est qu'Israël avait laissé le Hezbollah se développer à l'abri des regards, constituant sur tout le territoire des réserves clandestines, ce qui le rendait désormais très difficile à annihiler. Les ennemis n'étaient plus les miliciens mal dégrossis des années 1990 : à l'école des services iraniens et syriens, ils avaient appris l'hébreu, surveillé les sites Web, écouté les communications radio, étudié les modes opératoires et codes israéliens, etc. Chaque village dans lequel pénétra l'armée israélienne recelait des snipers redoutables et bien camouflés. En revanche, les maisons fortifiées qui semblaient abriter les bataillons du Hezbollah n'étaient le plus souvent que des leurres bourrés d'explosifs, qui firent de nombreuses victimes.

Tsahal essaya de frapper le commandement du Hezbollah, mais ne parvint pas à faire de victimes éminentes. Hassan Nasrallah raconterait plus tard : « Même moi, je ne savais pas dans quel endroit on m'avait caché [1] ! » Toujours le cloisonnement.

Le 14 juillet, après deux jours d'attaques israéliennes, le leader du Hezbollah apparut à la télévision et invita les téléspectateurs à regarder la mer derrière lui. Quelques secondes plus tard, un missile guidé de fabrication iranienne surgit en direction d'un navire israélien, le *Hanit*, et le fit exploser, provoquant une clameur immense dans les quartiers chiites. Ce coup de maître résumait bien la situation : même éprouvé par un déluge de mitraille, le Hezbollah gardait la maîtrise de l'image.

Autre désastre en termes de communication : une attaque aérienne mal ajustée fit vingt-huit morts civils, dont dix-sept adolescents, dans la ville de Qana, où avait déjà été frappé par erreur un camp des Nations unies dix ans plus tôt. Pourquoi une telle erreur ? L'armée israélienne se rendit très vite compte que les premières frappes n'emportaient pas d'avantage décisif et décida donc d'élargir la liste des cibles. Sans prendre garde au risque d'augmentation des victimes civiles. Contrairement à ce qui était prévu, l'armée dut également pénétrer de plus en plus massivement et profondément au Liban, ce qui n'alla pas sans pertes humaines. Habitués à lutter contre les soulèvements palestiniens, les soldats de Tsahal étaient souvent surpris par les tactiques plus sophistiquées du Hezbollah. Les guerriers chiites n'hésitaient pas à se déguiser en civils ou à se mélanger aux populations, femmes et enfants compris, pour que leur martyre s'accompagne de pertes humaines insupportables aux yeux de l'opinion internationale.

---

1. Alastair Crooke et Mark Perry, « *How the Hezbollah defeated Israel. Part 1 : Wining the Intelligence War* », *Asia Times*, 21 octobre 2006.

Pire encore, sur le terrain, les soldats israéliens se rendirent compte que les communications du Hezbollah se poursuivaient hors de leur portée après les bombardements, mais encore que *les leurs étaient écoutées*. Les combattants du Hezbollah semblaient anticiper chacune des frappes terrestres ou aériennes de Tsahal. Après la guerre, il sembla certain aux analystes du Aman que la milice chiite avait identifié la plupart de ses espions. Seize d'entre eux furent arrêtés dans les mois précédents, mais les autres furent très certainement retournés, ce qui explique la désinformation du renseignement militaire.

Selon un expert militaire américain, Israël a perdu la guerre dans les trois premiers jours : « Si vous avez pour vous l'effet de surprise et la puissance de feu, vous avez intérêt à gagner vite. Sinon, vous êtes parti pour un chemin de croix[1]. » Mais les chefs de l'armée ne l'entendaient pas de cette oreille, qui réclamaient au Premier ministre la permission de s'engager de plus en plus lourdement en territoire libanais. Face à eux, chaque jour les patrons du Shin Bet et du Mossad, pour une fois en parfait accord, firent un peu plus pression sur Ehud Olmert et son cabinet pour arrêter les frais. L'un d'eux dira par la suite : « Cette guerre a été une catastrophe nationale[2]. »

Une autre conséquence de la défaite aux points des Israéliens dans ce conflit fut un rapprochement entre Hezbollah et Hamas, déjà esquissé après l'assassinat du cheikh Yassine en 2004. Fin 2006, le Premier ministre palestinien Ismaïl Haniyeh se rend en visite officielle à Téhéran, ce qui marqua le début d'un partenariat incluant finances pour le mouvement et formation pour les miliciens[3].

---

1. Crooke et Perry, *op. cit.*
2. Daniel Byman, *A High Price, The Triumphs and Failures of Israeli Counterterrorism*, Oxford University Press, 2011.
3. Voir le chapitre suivant.

Le conflit de 2006 a mis au jour les faiblesses de Tsahal et du Aman, et favorisé le rapprochement entre ennemis d'Israël. Par contrecoup, l'Iran a démontré sa capacité de nuisance et récolté les fruits de ses lourds investissements. Rien au Moyen-Orient ne se fera sans son accord. Depuis la création d'Israël, les sunnites coalisés ont perdu quatre guerres contre l'État hébreu : 1948, 1967, 1973 et, indirectement, 1982. Les coups de théâtre de 2000 et surtout 2006 conférèrent à la coalition pro-chiite (Iran-Syrie[1]-Liban et sud de l'Irak) un prestige inégalé dans le monde arabo-musulman. Les Iraniens avaient fait la preuve qu'Israël n'était pas invincible. Les militaires n'ayant pas convaincu, il allait falloir faire appel plus intensément aux services de renseignement.

Chasse aux espions

Au Sud-Liban le Hezbollah n'a fait que se renforcer depuis 2006, achetant notamment des terrains pour y construire discrètement des fortifications souterraines. Les unités du mouvement implantées dans la région ont renforcé leur équipement, se dotant de missiles de moyenne portée capables de frapper les villes israéliennes. Le Mossad a multiplié les frappes et les actions préventives pour empêcher les livraisons d'armes en provenance d'Iran et de Syrie, mais a aussi subi des revers.

En 2009 et 2010, plus de cent personnes ont été arrêtées par les services de renseignement libanais pour espionnage à la solde d'Israël. Ceux-ci ont renforcé leurs moyens d'action et coopèrent désormais avec les forces paramilitaires du pays, en premier lieu le Hezbollah (le renseignement militaire libanais était déjà assez proche du Hezbollah, tandis que les Forces de sécurité intérieure – FSI – de composition majoritairement sunnite s'en méfient). Les services libanais disposent surtout désormais de technologies

---

1. La Syrie est gouvernée par une dynastie alaouite, mais est devenue étroitement dépendante des chiites pour sa pérennité.

ultramodernes et de formations au contre-espionnage dispensées par les pays occidentaux, en particulier la France et les États-Unis. Mais les équipements d'interception électronique qui leur ont été fournis pour lutter contre les militants islamistes sont désormais utilisés contre les agents du Mossad, ce qui n'était pas prévu au départ.

La CIA a elle aussi fait les frais de la chasse aux espions suscitée par le Hezbollah au Liban. En juin 2011, Hassan Nasrallah est apparu à la télévision pour annoncer l'arrestation d'au moins deux espions à la solde des États-Unis dans les rangs du Hezbollah. En 2009, l'Iran a fourni au Hezbollah des moyens de contre-espionnage accrus. Ses contre-espions ont notamment examiné en profondeur les données des réseaux de téléphones portables, à la recherche d'anomalies : ils recherchaient par exemple les téléphones rarement utilisés, et seulement depuis les mêmes endroits pendant un laps de temps très court. Une fois une population « à risque » identifiée, on en revenait ensuite aux vieilles méthodes du contre-espionnage : qui parmi cette population disposait d'informations de valeur pour l'ennemi ? Les suspects ainsi déterminés étaient mis sous surveillance. Parmi la centaine de personnes arrêtées figuraient des hauts gradés, des politiciens et des hommes d'affaires. Certains furent condamnés à mort. Lorsque la nouvelle sortit dans la presse d'un vaste coup de filet contre les suspects d'espionnage, la CIA informa son équipe basée à Beyrouth de redoubler de précautions.

Mais cette dernière n'avait pas prévu la manœuvre qui suivit : deux hommes du Hezbollah se présentèrent à l'ambassade américaine, déclarant vouloir vendre leurs informations sur le mouvement. Ceux-ci furent recrutés. Ils rencontraient leur officier traitant dans une pizzeria où les hommes de la CIA avaient leurs habitudes. À partir de là, il ne fut pas difficile au Hezbollah de repérer les agents de la CIA ainsi que leurs informateurs puisqu'ils se retrouvaient à chaque fois au même endroit, au mépris des règles élémentaires de sécurité. Résultat :

en novembre 2011, c'est l'ensemble de la base CIA de Beyrouth qui fut arrêté, en même temps que ses informateurs libanais. C'était un revers considérable pour l'agence américaine. Ancien chef de poste de la CIA à Beyrouth, Robert Baer n'est pas étonné par ce fiasco : « Depuis que j'ai servi à Beyrouth dans les années 1980, j'ai été frappé par le lent mais inexorable transfert de souveraineté en faveur du Hezbollah. Non seulement ce mouvement dispose de la plus large force militaire, avec près de 50 000 roquettes pointées vers Israël. De fait, il contrôle les espions libanais, militaires et civils. Il donne son feu vert aux nominations. Le Hezbollah est aussi branché sur les bases de données du pays, il suit la trace de qui entre dans le pays, qui en sort, où les gens résident, qui ils voient et qui ils appellent. Il est capable de surveiller n'importe quel serveur dans le pays. Il peut même surveiller les communications sur Internet comme Skype. Et, bien sûr, il ne s'embarrasse pas de formalisme légal du genre mandat d'arrêt. Si des étrangers doivent se faire pincer au Liban, c'est le Hezbollah qui les arrêtera.

Les événements sont de mauvais augure pour les services américains, car ils suggèrent que n'importe qui, capable de combiner activités terroristes et crime organisé, peut accroître ses capacités de contre-espionnage simplement en se payant du matériel en vente libre et le savoir-faire qui va avec. Comme beaucoup de gens, je pensais que les choses seraient faciles avec la fin de la guerre froide et le démantèlement du KGB. Au lieu de quoi la globalisation et la mise à disposition de technologies sophistiquées ont ouvert la boîte de Pandore[1]. »

Le Madoff du Hezbollah

Si les sanctions économiques contre l'Iran n'ont pas abouti à un changement de régime, les responsables du renseignement

---

1. « *Did Hizbollah beat the CIA at its own Techno-Surveillance Game?* », *Time*, 30 novembre 2011.

américain et israélien se félicitent qu'elles aient au moins contribué à réduire le budget du Hezbollah et du Hamas, en diminuant la contribution iranienne à ces organisations et en compliquant les circuits de transferts financiers.

Les familles chiites de la diaspora sont de leur côté soumises aux pressions du FBI pour ne plus financer l'organisation. Le général transfuge Ali Reza Asgari, qui a fait défection en 2007, a fourni aux services américains une cartographie des réseaux de financement du parti. Ses informations ont permis le démantèlement de plusieurs cellules en Amérique latine, Afrique de l'ouest et Irak. Elles ont aussi chamboulé les circuits de financement international. Les leveurs de fonds ont été repérés et mis sur écoutes et leurs réunions de levées de fonds en Afrique ou en Amérique du Sud sont systématiquement perturbées par les autorités locales. Le Trésor américain sanctionne les affaires des grandes familles qui versent leur dîme au Hezbollah. D'autre part, les positions de Nasrallah, très critiques envers les monarchies du Golfe, ont entraîné l'expulsion de certains hommes d'affaires chiites[1].

Les banques utilisées par le Hezbollah sont également dans le collimateur de l'administration américaine. En février 2011, la Lebanese Canadian Bank a été accusée de blanchir l'argent de la drogue pour le compte du Hezbollah, des cartels colombiens et du gang mexicain Los Zetas. Selon les responsables du Trésor américain, des dirigeants de la banque ont aidé un groupe de détenteurs de comptes à mettre sur pied un système de blanchiment d'argent de la drogue en le mélangeant avec les revenus de commerces de voitures d'occasion achetées aux États-Unis pour être revendues en Afrique. Les hommes d'affaires détenteurs de ces comptes sont des chiites qui opèrent en Afrique de l'Ouest, dans le commerce de diamants, de poulets

---

1. Georges Malbrunot, « Le Hezbollah affaibli par la révolte syrienne », *Le Figaro*, 15 décembre 2011.

ou de produits de beauté. Le Hezbollah détient indirectement des participations dans certaines de ces sociétés.

Toute l'affaire a débuté avec une enquête colombienne sur le cartel de Medellin. Les policiers colombiens ont repéré un homme d'affaires chiite en contact avec le cartel, Chekri Mahmoud Harb, qui se targuait de pouvoir livrer n'importe quelle quantité de drogue au Liban en vingt-quatre heures grâce à ses connexions avec le Hezbollah. En mettant ce personnage sur écoutes, les policiers colombiens et américains mirent au jour une affaire de voitures d'occasion dirigée par un de ses associés. Elle faisait un chiffre d'affaires bien trop important par rapport aux voitures qu'elle vendait. Elle servait en fait à blanchir l'argent du trafic de drogue. Depuis, la banque elle-même a été purgée de ses quelque deux cents comptes douteux avant d'être revendue à la branche libanaise de la Société générale.

Le Hezbollah est sans doute un des plus formidables ennemis que le Mossad ait eu à combattre, bien plus redoutable qu'une nébuleuse palestinienne certes violente et désordonnée, mais somme toute corruptible, pénétrable et dans une certaine mesure manipulable. La principale source de popularité du Hezbollah dans la société libanaise était sans doute sa réputation d'intégrité. C'est pourquoi l'épisode étonnant du « Madoff libanais », révélé en septembre 2009, constitua pour les équipes du Mossad une « divine surprise ».

Salah Ezzedine était jusqu'alors un des hommes d'affaires libanais les plus en vue et les plus courtisés. Né dans une petite communauté chiite du Sud-Liban, très pauvre et très pieuse, il avait bâti un petit empire personnel, comprenant une maison d'édition religieuse, une chaîne de télévision, une entreprise de commerce pétrolier, de l'immobilier et un fonds d'investissement. Ezzedine était surtout connu pour ses généreuses actions caritatives : il participait à la construction de mosquées, d'un stade, subventionnait des pèlerinages à La Mecque et faisait des dons réguliers aux œuvres du Hezbollah. Il était considéré comme un ami personnel de nombreux dirigeants du parti. C'est justement le rejet par sa banque d'un chèque de 200 000 dollars émis à l'ordre du Hezbollah qui causa l'effondrement de son empire, et le scandale. Car en plus de s'afficher comme un généreux mécène, Salah Ezzedine offrait à qui le souhaitait de participer à son fonds d'investissement : il acceptait toutes les cagnottes à partir de 100 000 dollars et garantissait un profit de 20 à 40 % ! Compte tenu des liens d'Ezzedine avec le parti, des centaines et peut-être des milliers de Libanais de la classe moyenne ou supérieure lui avaient confié leurs économies... à mauvais escient. Car bien évidemment les faramineux profits annoncés par le financier reposaient sur une pyramide de Ponzi, schéma popularisé par l'extravagant Bernard Madoff aux États-Unis : les mirifiques profits annoncés n'existaient qu'en rêve et les nouveaux dépôts servaient en fait à payer les intérêts de ceux qui souhaitaient réaliser leur investissement.

Lorsqu'on annonça l'inculpation de Salah Ezzedine pour fraude et le montant de sa banqueroute – 1,2 *milliard* de dollars – la panique se répandit dans Beyrouth. Certains de ses farouches partisans parmi les petits porteurs escroqués refusèrent d'y croire et proclamèrent qu'il s'agissait d'un coup du Mossad. Les spécialistes du Hezbollah au sein du service israélien auraient adoré pouvoir se prévaloir d'une telle opération, mais pour cette fois ils n'y étaient pour rien et se contentèrent de porter un toast à la santé de Salah Ezzedine qui avait plus fait pour abîmer la réputation du mouvement chiite que le département de guerre psychologique du Mossad en vingt-cinq ans.

Très vite, Hassan Nasrallah essaya de dégager la responsabilité du mouvement en niant toute relation officielle avec le financier véreux et annonça même l'ouverture d'une enquête pour le préjudice subi. Mais beaucoup d'hommes d'affaires libanais protestèrent, affirmant que des responsables du Hezbollah les avaient incités à placer leur argent chez Ezzedine, garantissant que ses placements étaient halal (ce qui paraît aujourd'hui bien étonnant à toute personne un tant soit peu au fait des principes de base de la finance islamique, qui interdit spécifiquement l'usure). Les dommages étaient très importants sur le plan financier, en raison du nombre de familles touchées, parfois dramatiquement, par cette faillite, au point que le Hezbollah envisagea un moment de contribuer à l'indemnisation partielle des victimes avant de reculer devant les sommes nécessaires. Mais l'effet le plus désastreux était le coup porté à la réputation d'intégrité et de compétence du mouvement, qui s'était laissé berner. Conjugué avec la découverte d'espions à la solde de l'étranger dans les rangs du Hezbollah et au rétrécissement des ressources financières, ce scandale concourut à une certaine banalisation du Hezbollah.

Bien entendu, cette crise n'a pas suffi à provoquer le déclin du mouvement, ni suscité une hémorragie dans ses rangs : elle a juste terni son aura d'invincibilité acquise en 2006. Au point que l'on peut se demander si ses dirigeants n'attendent pas avec impatience la prochaine confrontation militaire avec Israël pour redorer leur blason.

La crise syrienne constitue depuis 2011 une menace sérieuse pour le Hezbollah, qui a rapatrié au Liban une partie de son arsenal caché en Syrie. Cependant, même si le régime Assad chute, le Hezbollah restera une puissance incontournable au Liban, avec la maîtrise du port et de l'aéroport de Beyrouth, qui lui permet d'acheminer des armes.

Chapitre 7

Les ombres du Hamas

L'autre grand ennemi d'Israël qui s'est affirmé au détriment de l'OLP dans les années 1980, c'est bien sûr le Hamas.

Dès les années 1970, le paysage politique palestinien se diversifia. De jeunes activistes qui avaient toujours connu l'occupation israélienne depuis leur naissance rejoignirent des groupuscules islamistes. Gaza, en particulier, connut une vague de spiritualité : le territoire comptait une soixantaine de mosquées en 1967, elles devinrent deux cents dans les années 1980, souvent accompagnées d'écoles ou de cliniques financées par les pays du Golfe. Cette floraison était entretenue par le mouvement des Frères musulmans, né en Égypte et qui se développa dans toute la région. Sa version palestinienne allait donner naissance au Hamas, dans le sillage de la première Intifada qui éclata en 1987. Un autre mouvement le concurrença, lui aussi issu des Frères musulmans : le Jihad islamique palestinien dirigé par Fathi al-Shkaki, basé la plupart du temps à Damas. Son mouvement se positionnait comme une force d'appoint au Hamas. Selon un ancien du contre-terrorisme israélien, « les candidats qui n'étaient pas retenus par le Hamas étaient acceptés par le Jihad islamique ».

Une créature incontrôlable

Même si la question reste débattue aujourd'hui, il semble que l'armée israélienne et le Shin Bet aient délibérément soutenu l'émergence de mouvements islamistes durs pour faire pièce à l'OLP, qui était à l'époque l'ennemi numéro un. Un rapport de la DGSE daté d'avril 2002[1] rappelle que le Mouvement de la résistance islamique (Hamas) s'est implanté en 1973 à Gaza. Prenant d'abord la forme d'une association cultuelle dirigée par le cheikh Ahmed Yassine, cette mouvance est « reconnue et autorisée par Israël en 1979 », car « considérée comme un antidote à la montée du nationalisme palestinien ». L'État hébreu « commet l'erreur de croire qu'avec le Hamas, les Palestiniens seraient occupés à se battre entre eux au lieu de lutter contre Israël ». Mais les frères ennemis, « conscients des visées israéliennes, ont tôt fait de signer une charte régissant leurs rapports ». Nombre d'officiers et chercheurs israéliens confirment aujourd'hui de façon plus ou moins nette cette stratégie qui a abouti à un échec majeur. Selon une source israélienne, cette tactique de soutien aux islamistes fut élaborée par un ancien du Mossad, Shmuel Goren, et appliquée avec enthousiasme par le commandement militaire de Gaza. Le problème est que ce dernier autorisa sans restriction l'arrivée de fonds en provenance d'Arabie saoudite, pourvu qu'ils aillent aux islamistes et non à l'OLP. Et à cette époque, Tsahal ne disposait pas des moyens suffisants pour surveiller étroitement ce que les islamistes faisaient de tout cet argent. Ils n'avaient pas les ressources pour faire traduire les sermons prononcés dans les mosquées. Ils se seraient alors rendu compte que les islamistes étaient en train de s'emparer de tous les lieux de culte, parfois en payant les imams modérés simplement pour qu'ils restent chez eux. Cette prise de contrôle ne s'arrêta pas aux activités religieuse : le lendemain de chaque shabbat, les soldats israéliens revenant dans les quartiers de

---

1. Publié par Anne Giudicelli dans *Bakchich*, le 9 janvier 2009.

Gaza découvraient de nouveaux immeubles repeints en vert et blanc. Autant dire que les tentatives ultérieures de faire émerger de nouvelles élites palestiniennes laïques seraient vouées à l'échec.

La première Intifada, déclenchée en 1987, mit en lumière la tragique erreur. Alors que depuis 1982 l'OLP avait dû replier son QG sur Tunis, le Shin Bet dut faire face à des gangs locaux protéiformes, des réseaux informels d'adolescents qui se révélèrent beaucoup plus difficiles à pénétrer. Le Hamas, qui adhérait aux valeurs des Frères musulmans, profita du chaos créé par l'Intifada pour étendre son emprise sur la société en développant des services sociaux et de santé. Pendant plusieurs mois, l'organisation eut les mains libres. Il fallut attendre en 1988 le kidnapping de deux soldats israéliens pour que des moyens importants soient consacrés au Hamas par la sécurité intérieure israélienne. Elle mit à profit ses sources dans les organismes de charité islamique pour reconstituer avec une certaine précision l'organigramme des fondateurs du mouvement.

En 1992, Israël décida de frapper un grand coup en réponse au meurtre d'un policier, en expulsant vers le Sud-Liban quatre cents cadres du Hamas. Le Hezbollah profita de cette aubaine pour les accueillir avec des tentes, des vêtements et de la nourriture. Commença alors un rapprochement que tous les analystes jugeaient auparavant impossible. Les chefs du Hamas furent accueillis à Beyrouth, où le Hezbollah leur procura des appartements, pourvut à leurs besoins et leur attacha des gardes du corps. Ces prévenances eurent raison de la méfiance du Hamas. Les chefs donnèrent leur accord pour que les cadres du mouvement soient transférés dans des camps d'entraînement du Hezbollah de la vallée de la Bekaa. Ils y suivaient une formation militaire qui devait les rendre plus disciplinés et efficaces. Le temps était venu d'arrêter de jeter des pierres et de se donner les moyens militaires de prendre le contrôle à Gaza. Tsahal allait l'apprendre à ses dépens dans les années qui suivent. Sans l'erreur tactique d'Israël, ce rapprochement n'aurait peut-être pas eu lieu.

En septembre 1993, Yasser Arafat et Yitzhak Rabin signèrent sous l'égide du président américain Bill Clinton les accords d'Oslo, qui définissaient un processus progressif d'autonomie politique palestinienne, à partir de Gaza et de la Cisjordanie. Mais ces accords firent l'impasse sur la force politique montante des territoires palestiniens : le Hamas, à la différence du Fatah, était encore trop jeune et trop enraciné dans la lutte armée pour considérer sérieusement la négociation politique comme une voie efficace pour arriver à ses fins. Lorsque les cadres du mouvement exilés au Liban revinrent dans les territoires, ils prirent la mesure d'une nouvelle donne : l'OLP était désormais un allié objectif d'Israël, donc un ennemi. C'est un jeu à trois qui allait se jouer à partir de 1994, date à laquelle fut créée l'Autorité palestinienne. Cette dernière naviga constamment entre l'indulgence et la sévérité vis-à-vis du Hamas, sous les pressions contradictoires du peuple palestinien et de la communauté internationale. Afin de ne pas perdre le lien avec la jeunesse palestinienne radicale, Arafat fit ou laissa créer la milice Tanzim, indépendante mais proche de l'Autorité palestinienne. Les Israéliens espéraient faire des services de sécurité palestiniens des auxiliaires dans leur lutte contre le terrorisme. Après tout, ils étaient bien mieux placés pour cela que le Shin Bet ou le Aman pour ce qui est de la connaissance des objectifs. Mais ils étaient aussi bien plus désorganisés et politisés. Tout compris, Arafat disposait d'un appareil sécuritaire de 60 000 personnes à la fin des années 1990 (avec pas moins de quatorze services !). Le Hamas ne voulut pas entrer en conflit ouvert avec l'Autorité palestinienne : seul Israël y trouverait son compte. C'est pourquoi en décembre 1995, les frères ennemis palestiniens se donnèrent clandestinement rendez-vous au Caire, où ils négocièrent une trêve. L'Autorité palestinienne poursuivrait ses négociations de paix et le Hamas ne renoncerait pas à la violence mais s'abstiendrait d'embarrasser

Arafat par des actions dans les zones qu'il contrôlait directement. Pour nombre d'analystes du renseignement israélien, c'était la preuve du double jeu d'Arafat.

Il apparut donc assez vite nécessaire que le Shin Bet et le Aman poursuivent leur travail sur les territoires en principe autonomes. Il leur fallut pour cela reconstituer des réseaux d'informateurs. Ils purent s'appuyer sur les demandes de rassemblement familial : de nombreuses familles palestiniennes étaient dispersées entre les territoires, la Jordanie et le reste du Moyen-Orient. En décidant qui pouvait faire venir sa famille, les services disposaient d'un levier efficace pour faire de certains demandeurs des informateurs. Ils repérèrent également les liaisons homosexuelles ou adultères, qui offraient une source imparable de chantage dans une société arabe conservatrice.

Jusqu'à la création de l'Autorité palestinienne à Gaza, la répartition des tâches entre services israéliens était relativement claire. Le Mossad et le Aman se concentraient sur l'OLP dans le monde entier tandis que le Shin Bet suivait les mouvements palestiniens des territoires. Le retour d'Arafat fut la cause indirecte d'une nouvelle lutte feutrée entre services. Le Mossad et le Aman perdaient soudain le contrôle de sources très importantes au sein de l'OLP, qu'ils devaient confier au Shin Bet lorsqu'elles s'installaient dans les territoires. Les analystes de chaque service reflétaient l'opposition croissante entre leurs boutiques : pour le Shin Bet, Arafat et ses cadres étaient devenus de purs politiques désireux de gérer et de développer leur embryon d'État, tandis que Mossad et Aman continuaient de le décrire comme un combattant, un homme de double discours qui reviendrait tôt ou tard à la lutte armée et au terrorisme. La tension entre services était telle qu'ils ne se transmettaient plus aucun renseignement. Le Premier ministre Rabin dut intervenir et força les patrons de chaque service à signer un document qui précisait les attributions de chacun : le recueil d'information dans les territoires relevait exclusivement du Shin Bet, à l'exception du renseignement politique sur lequel le Aman restait qualifié. Le Mossad n'avait plus matière à intervenir dans les territoires et devait transmettre tous ses contacts. Les équipes en charge des mouvements palestiniens en furent très amères.

Le premier accroc au processus de paix ne vint pas du Hamas mais d'un extrémiste juif, émigré américain, qui pénétra le 25 février 1994 dans une mosquée de Hébron et abattit vingt-neuf fidèles en prière. En réplique à ce massacre, le Hamas et le Jihad islamique lancèrent une série d'attentats-suicides qui firent quarante morts et cent quarante-quatre blessés. Et un soldat israélien fut kidnappé par le Hamas qui réclama la libération de ses prisonniers. Le Premier ministre Rabin ordonna alors un blocus de Gaza, une pratique qui se répéterait en de nombreuses occasions similaires. L'Autorité palestinienne arrêta de nombreux responsables du Hamas. Rabin faisait pression sur elle : le processus de paix ne se poursuivrait que si elle démantelait les réseaux terroristes.

La multiplication des attaques-suicides par le Hamas en 1995 obligeait Rabin à durcir ses positions. Lors d'une réunion avec les patrons du renseignement en septembre 1995, le Hamas et le Jihad islamique furent désignés comme une priorité, et une menace contre la paix. Les services devaient désormais se coordonner pour mettre à mal les capacités d'action des mouvements islamistes. Cette instruction fut traduite par le chef du Mossad comme un feu vert pour revenir aux bonnes vieilles méthodes qui avaient servi contre l'OLP. Le 26 octobre de la même année, le chef du Jihad islamique Fathi al-Shkaki arrivait à Malte dans la ville touristique de Sliema, où il descendait sous une fausse identité. Lorsqu'il sortit de l'hôtel, on l'appela par son nom. Se retournant, il fut frappé de cinq balles de pistolet au visage et s'effondra. Une moto arriva alors à la hauteur du tireur, qui l'enfourcha derrière le conducteur. En quelques secondes, les deux hommes du Mossad avaient disparu. Cette opération marquait le grand retour de Césarée, la division opérationnelle du Mossad pour les éliminations, dans les affaires palestiniennes. D'autres allaient suivre.

Le Shin Bet n'était pas en reste. En janvier 1996, le service touchait au but d'une opération de longue haleine pour localiser l'homme le plus recherché de Gaza : Yehiya Ayash, « l'ingénieur » du Hamas qui préparait les ceintures d'explosifs et entraînait les jeunes Palestiniens pour leurs missions suicides. À lui seul, Ayash était responsable de la mort d'au moins quatre-vingt-dix Israéliens. Mécanicien de grand talent, il avait comme étudiant demandé un visa pour partir étudier en Jordanie, mais on le lui avait refusé. Ce qui fit dire plus tard au patron du Shin Bet, Yaacov Peri : « Si on avait su à l'époque ce qu'il allait devenir, on lui aurait donné son visa avec un million de dollars en prime[1] ! » Jusqu'ici, rien n'avait fonctionné ; Ayash se gardait de contacts directs avec sa famille qui auraient permis de le repérer. Pour échapper à ses poursuivants, il ne dormait jamais plus de quelques jours dans la même maison et changeait constamment d'apparence physique. Au point de faire dire à Rabin : « Pour ce qu'on en sait il pourrait très bien se trouver parmi nous à la Knesset ! »

Un coup de chance permit enfin de le trouver : il vivait dans la maison d'un ami à Gaza. Peres, alors en campagne électorale et ayant besoin d'affirmer sa fermeté pour réfuter les critiques de son adversaire Netanyahou sur la sécurité, donna le feu vert à l'opération. Le Shin Bet s'arrangea pour que le jeune homme qui hébergeait Ayash, à l'époque sans emploi, soit recruté par une société de construction et doté, chose rare à l'époque, d'un téléphone portable de fonction. Le 5 janvier au matin, le jeune homme entra dans la chambre d'Ayash et lui passa son

---

1. Voir Zaki Chehab, *Inside Hamas, the Untold Story of the Militant islamic Movement*, Nation Books, 2007. Voir aussi Samuel Katz, *The Hunt for the Engineer: How the Israeli Agents Tracked the Hamas Master Bomber*, Lyons Press, 2002.

téléphone portable pour qu'il puisse prendre un appel de son père (le Shin Bet avait fait en sorte que la ligne fixe soit mise hors service). Pendant les premières phrases de la conversation, Ayash entendit un bruit perçant et de plus en plus fort. Personne n'avait remarqué le drone qui s'était positionné au-dessus de la maison et se branchait sur la fréquence du téléphone portable. Ce dernier contenait 15 grammes d'explosif RDX, assez pour lui faire un grand trou dans le crâne. Il n'avait aucune chance d'en réchapper. En réplique, le Hamas lança plusieurs attentats-suicides faisant plus d'une centaine de morts. L'émotion provoquée par cette escalade suscita un sommet entre chefs d'État à Charm-el-Cheikh. Et elle conduisit à une rupture du *gentlemen's agreement* entre l'Autorité palestinienne et le Hamas : 1200 activistes furent arrêtés sur ordre d'Arafat et détenus pendant plusieurs mois.

En septembre 1995, la signature des accords d'Oslo II sembla indiquer une nouvelle volonté d'aller de l'avant. Mais la désillusion fut quasi immédiate : quelques semaines plus tard, Rabin était assassiné par un extrémiste juif, Yigal Amir.

Les élections de 1996 en Israël furent chaudement disputées. Peres se présenta comme le successeur de Rabin, soutenu par Bill Clinton, qui appelait à ne pas céder à l'escalade des extrémistes de tous bords. Face à lui, Netanyahou jouait à fond la carte sécuritaire, avec des affiches et spots télé suggérant de façon peu subtile que Peres était l'ami des Palestiniens au détriment des Juifs. Netanyahou l'emporta avec moins de 1 % d'avance. Les premiers mois de son mandat allaient être particulièrement chaotiques, et surtout exposer le Mossad à l'un des pires désastres de son histoire. C'est à Amman, en Jordanie, que la tragédie allait se jouer.

Anatomie d'un désastre[1]

L'un des hommes-clés du grand jeu moyen-oriental des années 1990 n'apparaissait jamais sur les écrans de télévision : le patron du GID, le service de renseignement jordanien, Samih Batikhi était un homme élégant et raffiné ; sa garde-robe provenait des plus fameux tailleurs londoniens. Il était respecté comme un des plus grands professionnels du renseignement par ses confrères occidentaux, et certainement comme un des meilleurs connaisseurs des mouvements islamistes. Il était le gardien des intérêts du roi Hussein, et accessoirement le vrai patron du royaume lorsque le roi était en voyage. S'il savait charmer les diplomates et espions occidentaux lors de cocktails diplomatiques, il ne fallait pas pour autant croire Batikhi converti à toutes les valeurs occidentales : dans ses prisons, on pratiquait quotidiennement la torture. La survie de la monarchie jordanienne, entourée de menaces intérieures et extérieures, justifiait les moyens. Chacun garde en mémoire la tentative par l'OLP de renverser le roi en 1970 pour faire de la Jordanie la terre des Palestiniens, et surtout la terrible répression qui a suivi, obligeant Yasser Arafat à déménager son organisation à Beyrouth. Cette tragédie, que l'on a baptisée Septembre noir, a montré qu'il faut toujours prendre au sérieux l'appareil sécuritaire jordanien.

Dans ces conditions, il peut paraître étrange que la Jordanie ait accepté d'héberger la direction en exil du Hamas. Fin politique, le roi Hussein estimait qu'il faut trouver un juste chemin entre les attitudes également inefficaces de l'Égypte et de l'Arabie saoudite vis-à-vis des islamistes : la première a toujours

---

1. Ce récit qui apporte des éléments nouveaux par rapport à celui de Gordon Thomas est composé à partir des témoignages de Ephraïm Halevy (*Man in the shadows : Inside the Middle East Crisis with the Man who Led the Mossad*, St Martin's Press, 2006), George Tenet (*At the Center of the Storm : My Years at the CIA*, Harper Collins, 2007), Samih Batikhi et Dennis Ross [propos recueillis par Paul Mc Geough] (*Kill Khalid, the Failed Mossad Assassination of Khalid Mishal and the Rise of Hamas*, The New Press, 2009), ainsi que plusieurs interviews.

réprimé férocement les Frères musulmans, pour un résultat quasi nul. Quant au royaume saoudien, il a toujours cherché des accommodements financiers avec les fondamentalistes, les subventionnant pour garantir sa tranquillité... ce qui revient à vider la mer avec une petite cuiller. En accueillant la direction du Hamas, Hussein faisait à la fois la démonstration de son soutien au combat du peuple palestinien, mais surtout il gardait sous étroite surveillance d'éventuels fauteurs de trouble, parfaitement informés par l'histoire de ce qui pourrait leur arriver s'ils mettaient en danger la sécurité du royaume. Ce faisant, Hussein restait au centre du jeu moyen-oriental et maintenait son statut de « sage », écouté à la fois par les Arabes et par les Occidentaux, mais aussi de façon plus discrète par Israël.

De son côté, le Hamas maintenait le plus large secret possible sur son organisation et la composition de ses instances dirigeantes : son assemblée, le Majlis al-Choura, comptait une soixantaine de personnalités dont une moitié issue des Frères musulmans des pays voisins. Le chef incontesté du mouvement était son cofondateur le cheikh Yassine, emprisonné par les Israéliens dans les territoires occupés. Après lui, les deux personnalités majeures du mouvement étaient Abou Marzouk, chef du bureau politique, et Khaled Mechaal, officiellement en charge des relations extérieures. Ce dernier prenait soin de ne pas apparaître dans les médias, mais le renseignement jordanien s'intéressait de très près à lui, et à ses activités : réunir des fonds, des armes, et des moyens militaires. Pour un observateur affûté des mouvements islamistes comme Batikhi, Mechaal n'était pas un acteur de second plan. Il faisait également partie d'un triumvirat qui décidait de toutes les opérations militaires de la branche armée du mouvement, les Brigades al-Qassam. Ce double rôle politique et militaire faisait de lui, estime Batikhi, un des hommes les plus puissants du Hamas. Qui contrôlait l'argent ? Mechaal. Qui contrôlait les armes ? Mechaal. Qu'il adoptât un profil bas dans le débat politique interne ne changeait rien au fait qu'aucune opération d'importance ne pouvait être lancée sans son feu vert. Ce n'est qu'en 1995, lorsque la Jordanie décida d'expulser Abou Marzouk vers les États-Unis (où il serait emprisonné avant d'être livré à la justice israélienne), que Mechaal fut amené à occuper une position plus visible de l'extérieur. Issu d'une famille palestinienne des classes moyennes vivant dans les territoires occupés, il avait accompli ses études au Koweït. Si Abou Marzouk était un homme d'action énergique et pragmatique, Mechaal était perçu comme un stratège doctrinaire et visionnaire, avec une vision politique de long terme.

À la mort de Rabin, le roi Hussein perdit un ami et le seul dirigeant israélien en lequel il avait totalement confiance. Il voulut désormais amener le Hamas à prendre une position plus pragmatique vis-à-vis d'Israël. Et il réalisa que, de ce point de vue, Mechaal l'inflexible doctrinaire n'était pas le meilleur interlocuteur possible. Hussein comprit qu'il avait eu tort d'expulser Abou Marzouk, et il manœuvra auprès des Israéliens pour le récupérer. Seul problème : à son retour qu'il espérait triomphal, Abou Marzouk trouva Mechaal fermement installé dans son fauteuil de chef du bureau politique, et n'ayant nulle intention de le lui restituer. Cette lutte d'influence allait peser sur l'attitude du Hamas qui devait se prononcer sur les accords d'Oslo en participant ou non aux élections palestiniennes de 1996. Marzouk y était plutôt favorable, Mechaal allait faire pencher la balance en faveur de l'abstention.

De son côté Benyamin Netanyahou arrivé au pouvoir la même année ne mit que quelques mois à décevoir le roi Hussein. Ce dernier lui avait pourtant donné un sérieux coup de main pendant la campagne électorale, en acceptant de le recevoir, manière de dire aux électeurs israéliens que « Bibi » serait malgré sa réputation d'intransigeance un interlocuteur apprécié par la Jordanie. Mais en accordant à ses alliés ultra-religieux la construction de nouvelles colonies juives, Netanyahou s'aliéna le roi Hussein et porta un coup fatal aux négociations en cours avec Yasser Arafat. Et, malgré ses promesses aux électeurs israéliens de leur apporter la sécurité, les attentats ne tardèrent pas à reprendre : le 30 juillet 1997 à Jérusalem, et encore début septembre dans la même ville. Le Hamas revendiqua les attentats et exigea la libération du cheikh Yassine. C'était la première fois qu'il frappait en dehors des territoires palestiniens. Le processus d'Oslo, qui tentait de mettre sur pied un État palestinien par étapes progressives, était désormais dans une impasse.

Netanyahou, qui avait promis la sécurité à ses électeurs, se devait de réagir de façon musclée, mais comment ?

Lors d'une réunion de crise, Netanyahou réclama aux patrons des services de renseignement une liste d'objectifs possibles pour une opération de rétorsion. Danny Yatom, qui était à la tête du Mossad depuis quelques mois, rêvait d'inscrire à son tableau de chasse une opération spectaculaire. Il s'empressa donc de satisfaire la demande de son patron. Lors de la réunion suivante, le nom de Mechaal apparut sur sa liste, comme le principal objectif possible au sein du Hamas. Mechaal semblait relativement mal protégé en Jordanie. Mais en raison du traité de paix jordano-israélien de 1994 qui était respecté jusqu'ici, Israël s'abstenait de toute action offensive au sein du royaume hachémite... ce qui ne l'empêchait pas d'y avoir des agents. Puisque l'on cherchait à frapper le Hamas, la décision fut prise au cours de cette réunion : Mechaal devait mourir !

Le jeudi 25 septembre 1997, deux agents du Mossad porteurs de passeports canadiens déambulaient dans les rues d'Amman. Vers 10 heures du matin, Khaled Mechaal sortit de son domicile, s'apprêtant à rejoindre son bureau. Son chauffeur l'attendait au volant d'une première voiture où avaient pris place ses trois enfants sur le siège arrière : il devait les conduire chez le coiffeur après avoir déposé son patron au bureau. Dans une seconde voiture se trouvaient un autre chauffeur et Mohammed Abou

Sayif, le garde du corps habituel de Mechaal. Le convoi démarra lentement, dans les embouteillages habituels de la capitale. Peu après, Mechaal reçut un appel de sa femme sur son portable : elle dit avoir repéré des étrangers à proximité de l'appartement. De son côté, le chauffeur surveillait du coin de l'œil une Hyundai verte qui semblait suivre le convoi depuis un moment. Enfin le cortège arriva devant le bâtiment qui abritait les bureaux du Hamas. Mechaal descendit du véhicule en surveillant les alentours. Devant lui arriva un jeune homme blond et barbu avec la main droite bandée. Alors que Mechaal rejoignait le trottoir, le jeune homme trébucha et sembla choir devant lui. Sa main toucha brièvement le sol mais il se redressa aussitôt et projeta sa main bandée vers le visage de Mechaal. Elle s'arrêta juste avant de le toucher et il ressentit comme un souffle d'air dans l'oreille. Le garde du corps bondit sur le jeune homme et le plaqua au sol. Arriva alors un deuxième homme brun, à la rescousse. Les deux hommes essayèrent de s'enfuir. Le chauffeur de Mechaal s'interposa et fit chuter l'homme brun, qui se releva aussitôt et repartit avec l'agresseur, à toutes jambes. Ils furent pris en chasse par le garde du corps. Les fugitifs rejoignirent une voiture dont un complice faisait déjà tourner le moteur. Le garde du corps eut le temps de mémoriser le modèle et le numéro de plaque. Il se retourna et arrêta de la main la première voiture qui arrivait. Surpris, le chauffeur freina, accepta d'embarquer le garde du corps et de donner la chasse au véhicule, une Hyundai verte ! Bientôt les voitures furent à nouveau prises dans le trafic. Les passagers de la Hyundai et leur chauffeur choisirent d'abandonner le véhicule et de poursuivre à pied. Le garde du corps descendit de son taxi improvisé et les poursuivit jusqu'à un jardin public. Là, le jeune homme blond lui fit face et le frappa au visage avec un outil tranchant. Il se mit à saigner mais riposta par un coup de poing en pleine figure qui fit chuter son adversaire. Les deux hommes entrèrent dans une mêlée et tombèrent dans un bassin où ils continuèrent de lutter, tandis que le complice brun entrait dans la bagarre. Une foule se rassembla pour suivre le combat. Les deux hommes du Mossad étaient sur le point de venir à bout du garde du corps quand un passant intervint. Il se trouva qu'il s'agissait d'un officier palestinien, du nom de Saas Khatib. Il entendit le garde du corps crier: «Ils ont tué Khaled Mechaal, c'est le Mossad!» Dans le monde arabe on a pris depuis longtemps l'habitude de dénoncer le Mossad derrière la plupart des crimes inexpliqués, mais en l'espèce le garde du corps avait raison. Khatib décida de rassembler sous la menace de son arme les trois hommes dans un taxi et de les emmener au poste de police afin de tirer l'affaire au clair.

Pendant ce temps, réfugié chez un camarade du Hamas, Mechaal semblait être sorti indemne de l'attentat. Il ignorait qu'il avait reçu dans l'oreille un poison à action lente, qui devait faire effet dans les quarante-huit heures, pour permettre à l'équipe du Mossad de quitter la Jordanie tranquillement. L'opération ne devait laisser aucune trace d'empoisonnement. Ensemble, les cadres du Hamas décidèrent de parler à la presse et de faire un maximum de bruit autour de l'événement. C'est justement l'appel d'une journaliste de l'AFP en quête de confirmation qui avertit le chef du GID Samih Batikhi que quelque chose de grave était en train de se passer. Batikhi détestait le Hamas et se méfiait des accusations en l'air contre le Mossad. La relation de travail avec Danny Yatom était tout à fait correcte et il ne voyait pas pourquoi ce dernier monterait une opération contre Mechaal sans lui en parler. Au pire, si Israël avait besoin d'intimider le chef du Hamas, le GID pourrait s'en charger. De leur côté les deux «Canadiens» interrogés par ses hommes se présentèrent comme deux touristes agressés par un Palestinien fou furieux. Mais plusieurs détails commençaient à infirmer leur version des faits: ainsi, aucune agence de location n'avait loué de véhicule à des touristes canadiens. Et il fut confirmé que deux hommes présents dans la foule près de la bagarre s'étaient réfugiés à l'ambassade d'Israël. Plus tard, interrogés par un diplomate canadien, les deux hommes se révéleront incapables de citer le nom des rues où ils étaient censés avoir vécu, des écoles où ils étaient censés avoir étudié, et encore plus incapables de fredonner l'hymne national canadien. Une faille surprenante de la part du Mossad, ou bien le signe d'une trop grande précipitation dans le montage de l'opération ?

De son côté, Benyamin Netanyahou était justement en train de visiter le Mossad lorsqu'il reçut la nouvelle du fiasco de la bouche d'un Danny Yatom sous tension. Deux agents sous les verrous, six autres en fuite ou réfugiés à l'ambassade : la situation était explosive. L'équipe sélectionnée dans les rangs de la division Césarée (en charge des exécutions) s'était rassemblée une semaine plus tôt à Amman, après avoir longuement répété l'opération. Chacun était arrivé de son côté dans la capitale jordanienne par des vols de provenances différentes, avec des passeports canadiens. La jeune femme médecin était là pour soigner ses collègues au cas où l'opération se passerait mal et où l'un d'eux serait contaminé par le poison. Des chambres étaient louées dans plusieurs hôtels pour le cas où ils auraient à s'y réfugier. Sachant que le GID jordanien surveillait de près le chef de poste du Mossad à Amman, ce dernier avait pour instruction le jour dit de vaquer ostensiblement à des occupations anodines pour ne pas éveiller l'attention. Bref, toutes les précautions semblaient prises pour une opération qui devait durer tout juste quelques dizaines de secondes et ne pas éveiller l'attention. Yatom avait raté sa première grande opération.

Il n'y avait plus qu'à entrer en mode « contrôle des dégâts » en utilisant le canal politique. De retour à son bureau, Benyamin Netanyahou contacta le roi Hussein pour le prévenir qu'il lui envoyait le chef du Mossad Danny Yatom, et lui demanda de bien vouloir le recevoir en audience dès son arrivée. Hussein demande à son chef espion de se joindre à l'audience. Batikhi comprit dès lors que l'incident était bien une opération ratée du Mossad. Il fit mettre les deux prisonniers en lieu sûr et donna l'ordre d'encercler l'ambassade d'Israël. Pour la première fois depuis le traité de paix de 1994 entre les deux pays, des armes furent pointées contre la représentation diplomatique d'Israël. C'était le début de la crise la plus grave qu'ait connue le royaume hachémite depuis les années 1970.

Entretemps, Mechaal jusque-là en bonne santé commença à se sentir de plus en plus faible. Son entourage décida de le faire transporter à l'hôpital, afin de faire pratiquer des examens.

La réception du chef du Mossad fut organisée dans la résidence royale de Bab al-Salam, au nord de la capitale. Dès sa descente d'avion, Danny Yatom fut conduit au palais et amené en présence du général Shukri, chef de cabinet du roi, et de Batikhi, qui l'accueillit très froidement et le conduisit dans la salle de réception. « J'espère que vous n'êtes pas ici à cause de ce qui est arrivé ce matin ? » lui lâcha-t-il. Yatom ne répondit pas, ce qui était une manière de confirmation. Le roi Hussein fit son apparition et salua son invité. Ce dernier en vint immédiatement au fait. « C'est nous qui avons fait cela. Il va mourir d'ici vingt-quatre heures. Nous lui avons pulvérisé un poison chimique. On ne peut plus rien y faire. » Le roi resta silencieux, ce qui trahissait une violente colère chez un homme qui ne criait jamais et observait toujours des manières policées. Ce fut à Batikhi d'exploser : il conspua son homologue, l'accusa de saboter la paix pour laquelle le royaume s'était engagé au-delà du raisonnable. Israël était en train de donner raison à tous ceux qui pensaient qu'on ne pouvait pas négocier avec lui. Et que dire du calendrier d'une telle opération à six semaines d'élections en Jordanie ? Le martyr Mechaal allait ouvrir un boulevard politique aux islamistes ! Ils refuseraient de croire que le roi n'était pas au courant de l'opération. C'est le régime qui était en cause… Finalement le roi prit la parole pour prévenir son invité : « Je vais devoir réagir. »

La priorité immédiate était de sauver la vie de Mechaal, il en allait de la survie politique du roi. Batikhi et Hussein mirent la pression sur Yatom qui commença par expliquer qu'il n'y avait rien à faire, avant de demander l'autorisation de joindre son Premier ministre au téléphone. À son retour, il reconnut qu'il existait un antidote, confié à une deuxième équipe actuellement réfugiée à l'ambassade. Il fut convenu que Shukri et Yatom partiraient immédiatement pour mettre la main dessus. Il faudrait ensuite trouver comment faire accepter aux médecins de l'hôpital islamique qui soignaient Mechaal en ce moment même de lui administrer un produit provenant d'Israéliens qui venaient d'attenter à sa vie !

Pendant ce temps, le roi réunit son conseil, où il fit venir son frère le prince Hassan, et distribua les tâches urgentes. Batikhi allait entrer en contact avec le patron de la CIA, George Tenet, pour l'informer de l'affaire. Il devrait ensuite convaincre le Hamas de laisser transférer Mechaal, dont l'état se dégradait d'heure en heure, dans un hôpital militaire où il serait plus facile de le soigner. D'une certaine façon, Batikhi trouva un interlocuteur plus conciliant en la personne d'Abou Marzouk que Mechaal lui-même ne l'aurait été. Il fallut ensuite, avec l'aide de Yatom, mettre la main sur la jeune femme médecin du Mossad qui détenait les précieuses seringues. Méfiant à l'extrême, Batikhi réclama qu'on fasse analyser l'antidote avant de l'administrer au mourant, afin d'être sûr qu'il ne s'agissait pas d'un piège.

Pendant ce temps, le roi Hussein avait convoqué le chef de poste de la CIA à Amman, Dave Manners, ainsi que l'ambassadeur des États-Unis, Wesley Egan. Il les informa de la situation et leur expliqua que le président Clinton allait devoir «peser de tout son poids sur cette affaire». Hussein avait l'intention de dicter ses conditions pour une résolution pacifique de la crise et, que cela plaise ou non à Netanyahou, il devrait faire exactement ce que le roi – et Bill Clinton – lui demanderaient. Sans quoi il ne répondait plus de rien. Les deux hommes étaient d'accord pour plaider en ce sens auprès du président, mais le roi voulait plus. Il souhaitait qu'une délégation jordanienne menée par son frère le prince Hassan soit reçue par le président des États-Unis. Bill Clinton était alors en pleine campagne électorale pour se faire réélire à la Maison-Blanche. Son emploi du temps quotidien était donc plus que jamais minuté.

À la sortie de l'audience, lorsque Manners et Egan se retrouvèrent seuls dans la voiture, l'ambassadeur se retourna vers l'homme de la CIA et lui demanda seulement : « Mais qui diable est ce Khaled Mechaal ? »

Dans les heures qui suivirent, on téléphona beaucoup entre Amman et Washington, Tel-Aviv et Washington. Netanyahou appela à l'aide Dennis Ross, envoyé spécial de Clinton au Moyen-Orient. Informé de la situation, ce dernier lui pose la question à mille dollars :

« Mais à quoi pensiez-vous ?

– Le président doit parler à Hussein.

– Je peux essayer de faire en sorte que cela arrive, mais… à quoi pensiez-vous en faisant cela ?

– C'est à cause des attentats du Hamas.

– Vous me dites que vous avez monté cette opération contre lui à Amman. Avez-vous pensé que cela pourrait mal tourner ?

–… *(long silence)* Non…

– Comment avez-vous pu être aussi irresponsable ? Ne comprenez-vous pas à quel point la relation avec la Jordanie est essentielle pour vous ? Si vous mettez Hussein le dos au mur, il n'a pas d'autre choix que de réagir ainsi…

–… *(long silence)*

– Si vous aviez un problème avec Mechaal, pourquoi n'en avez-vous pas parlé avec les Jordaniens ? Au minimum, ils l'auraient certainement arrêté, ils l'auraient peut-être même expulsé. Il n'aurait plus été en mesure d'agir depuis la Jordanie.

–…. *(long silence)* Clinton doit appeler le roi…. Clinton doit appeler le roi…

– Je comprends les enjeux. Mais c'est vous qui avez mis cette merde. Si vous ne voulez pas que Hussein mette ses menaces à exécution, vous allez devoir faire ce qu'il demande ! »

Quelques heures plus tard, dans la matinée du vendredi, le roi Hussein put enfin parler en direct avec le président Clinton. Il lui fit comprendre sans équivoque qu'il se sentait prêt à abandonner le traité de paix. De leur côté, les hommes de la CIA confirmèrent que Hussein était disposé à faire pendre les hommes du Mossad et à faire donner l'assaut de l'ambassade israélienne devant les caméras du monde entier. Abasourdi par les détails de l'affaire, Clinton ne put que répondre (parlant de Netanyahou) : « Ce type est vraiment incroyable… » Le président tomba d'accord pour imposer au Premier ministre israélien les conditions que poserait le roi Hussein. Pour bien montrer sa détermination, il refusa de prendre Netanyahou au téléphone, laissant le soin à ses conseillers de lui expliquer autant de fois que nécessaire que la position américaine serait celle du roi Hussein et qu'il ne servait à rien de réclamer sa médiation.

Le roi Hussein fixa au samedi minuit (c'est-à-dire le lendemain soir) la limite pour qu'Israël remplisse la première de ses conditions : livrer la formule secrète du poison utilisé contre Mechaal. Passé ce délai, l'assaut serait donné à l'ambassade et ce serait la fin des relations diplomatiques entre les deux pays. Netanyahou n'avait plus le choix, mais il voulut impliquer un maximum de monde dans les décisions qui seraient prises, car lui aussi risquait sa place, et sa carrière. Il convoqua donc dans la soirée de samedi une réunion avec ses principaux ministres et les responsables du renseignement. Tous convinrent qu'il n'y avait guère le choix. Il ne serait pas nécessaire que la Maison-Blanche leur remette la pression. La priorité du Premier ministre était désormais de sauver l'équipe du Mossad bloquée à l'ambassade ou prisonnière des geôles jordaniennes : l'opinion publique israélienne ne lui pardonnerait pas s'il leur arrivait quelque chose.

Quelques heures plus tard, les médecins jordaniens en charge du patient Khaled Mechaal recevaient un dossier détaillé et des échantillons de levofentanyl, une drogue découverte par hasard dans les laboratoires d'une entreprise pharmaceutique. Elle était comparable à la morphine mais cent fois plus puissante et pouvait donc plonger le patient dans un coma profond où il cesserait même de respirer. Comment le Mossad se l'était procurée, cela n'était pas précisé, mais on peut comprendre qu'il ait tenté jusqu'au bout d'en garder le secret : cette drogue ne laisse pas de trace et cause une mort qui a toutes les apparences du naturel. C'est donc une arme redoutable entre les mains de quelque service secret que ce soit, pire encore si elle venait à tomber entre les mains de groupes terroristes ou mafieux.

La voie diplomatique étant choisie de part et d'autre, Netanyahou allait avoir besoin d'un négociateur. Il décida, sur la suggestion de son conseiller militaire, de faire intervenir une personnalité extérieure au dossier, mais qui connaissait très bien le Mossad pour y avoir fait carrière pendant presque trente ans (avant de le quitter dans des circonstances peu claires). Ephraïm Halevy était très apprécié du roi Hussein. Il était désormais le représentant d'Israël auprès de l'Union européenne à Bruxelles. On le rappela d'urgence à Tel-Aviv, où il arriva le vendredi en fin de journée. Il fut immédiatement conduit au quartier général du Mossad où on lui expliqua la crise en cours. Halevy préféra ne pas connaître les détails de l'opération, mais voulut se concentrer sur les solutions possibles : quelles sont les cartes qu'Israël pourrait jouer dans la négociation qui s'annonçait ? Quelles étaient les réelles concessions qui permettraient au roi Hussein de sauver la face ? En se mettant à la place du roi, Halevy en arriva assez vite à la conclusion que son objectif principal serait d'obtenir la libération du cheikh Yassine, le cofondateur et leader spirituel du Hamas. Un homme aveugle et en chaise roulante mais qui exerçait un magistère considérable sur les partisans du Hamas, et dont la libération serait une immense victoire pour le mouvement, un gain propre à relativiser la tentative de meurtre contre Khaled Mechaal. L'idée choqua les interlocuteurs d'Halevy, mais petit à petit elle fit son chemin jusque Netanyahou, qui une fois de plus n'eut guère le choix : il dut donner à son négociateur le pouvoir d'accorder cette libération, si tel était bien l'objectif d'Hussein.

Si Halevy était apprécié du roi Hussein, qu'il avait fréquenté lors de la négociation du traité de paix en 1994, il ne connaissait pas Batikhi, qui arriva à la tête du GID à l'époque où lui-même quittait le Mossad. Le premier contact entre les deux hommes fut donc rugueux. Lorsqu'il retrouva le roi, Halevy perçut plutôt de la tristesse que de la colère dans son regard et sa voix. Par des contacts préliminaires, les deux hommes savaient déjà que Yassine allait être l'objet central de leur discussion. Mais le roi voulait plus : « Le roi Hussein était prêt à accepter l'offre de relâcher le cheikh Yassine, mais avec d'autres restant à préciser », se souvient Halevy dans ses Mémoires[1].

Lors de leur deuxième entrevue, Halevy réclama la libération des agents du Mossad réfugiés à l'ambassade, que Batikhi lui avait précédemment refusée. Il obtint de pouvoir repartir avec eux en hélicoptère. Et s'en revint dans la nuit de dimanche, accompagné de Netanyahou, plusieurs ministres et responsables militaires pour une rencontre secrète avec le prince Hassan et le général Batikhi, au cours de laquelle pas mal de noms d'oiseaux furent échangés. De retour à Tel-Aviv, Netanyahou changea alors de stratégie : il proposa à Ariel Sharon, alors ministre de la Défense et personnalité peut-être la plus détestée des Jordaniens, qui était aussi l'adversaire de Netanyahou au sein du Likoud, de se rendre seul à la prochaine négociation le lendemain. Si Sharon réussissait, tant mieux pour Israël. S'il échouait, il serait le premier blâmé. Sharon accepta en connaissance de cause de mener la prochaine délégation. La nouvelle réunion, en présence

---

1. *Man in the Shadows, op. cit.*

du roi, commença très mal : en guise d'excuses, Sharon déclara que le seul tort du Mossad était d'avoir raté son coup, et que s'il avait réussi, tout le monde autour de la table en serait satisfait. Ce qui déclencha la fureur du roi. Quand le calme fut revenu, le général Batikhi présenta les exigences jordaniennes : libération de Yassine et d'autres personnalités du Hamas, transfert au GID de tous les prisonniers jordaniens et libération d'une douzaine de prisonniers OLP, de façon à obtenir le soutien d'Arafat pour le schéma global. Sharon sembla sincèrement surpris et choqué par ces demandes ; il répondit qu'elles seraient impossibles à satisfaire. On lui expliqua que le Hamas réclamait réparation devant la justice jordanienne : il ne serait donc pas possible de libérer les agents du Mossad s'il ne retirait pas sa plainte. La libération du cheikh Yassine était la seule « carotte » capable de leur faire admettre une chose pareille. Et encore faudrait-il au général Batikhi des trésors de persuasion pour faire accepter cela à Abou Marzouk. Sharon déclara qu'il devait maintenant rendre compte de ce qu'il avait entendu et la séance fut levée. À 6 heures du matin, le général Batikhi fut réveillé par le téléphone. Au bout du fil il reconnut la voix d'Ariel Sharon : « Général, vous avez votre accord. »

Quelques jours plus tard, Mechaal sortait de l'hôpital, encore affaibli mais toujours combatif. Comme on pouvait s'y attendre, la presse israélienne ne fut pas tendre avec le Mossad et le Premier ministre, Shimon Peres saisit l'occasion de réclamer la démission de son ennemi politique. Comme lors de précédents désastres, une commission d'enquête fut chargée de déterminer ce qui n'avait pas fonctionné. Mais celui qui se retrouvait le plus sur la sellette était Danny Yatom. On reprocha à ce militaire qui avait fait carrière dans l'antiterrorisme avant de venir conseiller du Premier ministre Rabin, puis d'être nommé par Shimon Peres à la tête du Mossad, de ne pas être un vrai pro du renseignement, d'avoir voulu plaire au pouvoir politique, de ne pas savoir dire non quand on lui demandait d'accomplir une mission impossible… Même si officiellement Netanyahou ne lui reprocha rien, l'affaire était entendue : Yatom ne ferait pas long feu au Mossad. Dans ce genre de situation, il n'est pas inutile d'avoir un peu de chance… ce qui ne fut pas le cas de Danny Yatom. Au mois de novembre éclata un nouveau scandale, presque aussi embarrassant : on apprit qu'un agent du bureau syrien du Mossad avait fabriqué pendant des années des rapports alarmistes d'une source imaginaire (dont il empochait les paiements), conduisant le Mossad à annoncer que l'on était au bord d'une guerre avec la Syrie. Et quelques mois plus tard fut publié le rapport de la commission d'enquête, d'où il ressortait que le patron du Mossad avait géré l'affaire d'Amman en solitaire avec le Premier ministre. Encore un mois plus tard, un agent du Mossad fut arrêté en Suisse alors qu'il tentait de mettre sur écoutes un membre du Hezbollah[1]. Yatom finit par jeter l'éponge et démissionna. Qui allait lui succéder ? Le choix se porta sur… Ephraïm Halevy.

Le Prince vert

L'échec du processus d'Oslo, évident à la fin des années 1990, et la multiplication d'actes terroristes atypiques ravivèrent la guerre des services israéliens. En janvier 1999, une nouvelle répartition des tâches entre services fut décidée, qui donna cette fois un rôle prééminent au Aman dans les territoires. Le Shin Bet vit ses attributions réduites. Bien entendu, malgré leurs promesses, les services ne coopérèrent pas mieux. Ils s'empoignaient notamment pour savoir qui devait s'occuper des actions terroristes commises sur le territoire d'Israël, mais préparées à l'extérieur. À tel point que le nouveau Premier ministre Ehud Barak, dès son entrée en fonctions, dut nommer une commission de sages qui rendit son oracle : les actions terroristes issues de l'extérieur seraient

---

1. Voir le chapitre précédent.

désormais du ressort du Shin Bet. Ce qui ne manquerait pas de provoquer des frictions avec le Aman et le Mossad. Un rapport de l'inspection d'État émit un diagnostic très sombre sur la coopération entre services : ceux-ci ne voulaient pas d'entraînement commun pour leurs agents, ne partageaient pas le renseignement brut qu'ils recueillaient mais seulement des synthèses, beaucoup de leurs analystes exécutaient des tâches redondantes, etc. Des problèmes réels, mais qui frappent à vrai dire la plupart des appareils sécuritaires occidentaux : le même diagnostic pourrait à cette époque désigner aussi bien les services américains ou français.

Le déclenchement d'une deuxième Intifada, baptisée « Al-Aqsa », en octobre 2000 illustra à nouveau les guerres de position entre Aman et Shin Bet, et ne facilita pas la vie d'Ehud Barak. Selon le Aman, cette Intifada était une manœuvre calculée de Yasser Arafat pour faire monter les enchères, comme il l'avait souvent fait dans les années 1980 en laissant libre cours à la violence de certains groupuscules tout en prônant lui-même le dialogue : manière d'avoir deux fers au feu, de faire monter les enchères et de rester au centre du jeu. Le Shin Bet au contraire affirma que l'Autorité palestinienne était débordée par une violence née de façon plus ou moins spontanée dans les rues des Palestine. Et qu'Arafat affectait d'organiser ce mouvement pour ne pas être dépassé par son peuple. Patron du Shin Bet, Ami Ayalon déclarerait plus tard : « Arafat ne pouvait pas réprimer l'Intifada. Les Palestiniens l'auraient pendu dans un jardin public[1]. »

Comment définir une politique lisible face à des diagnostics aussi incompatibles ?

Lors du sommet de Charm-el-Cheikh en octobre 2000, Barak fit des propositions inédites à Arafat, incluant la restitution d'environ 95 % du territoire cisjordanien. Les négociateurs américains pensèrent toucher du doigt un accord historique...

---

1. *Le Monde*, 22 décembre 2001.

mais Arafat posa d'autres conditions et finalement ne signa pas. À partir de ce moment, Israël considéra que la paix n'était plus possible, du moins avec Arafat, et que priorité devait être donnée à la fermeté.

Lorsque Ariel Sharon devint Premier ministre à son tour en février 2001, il trancha clairement, à rebours de ses positions passées, en faveur des analyses du Shin Bet, alors dirigé par son ami Avi Dichter qui le rejoindrait par la suite dans la fondation du parti centriste Kadima. Malgré des moyens considérables, Tsahal ne parvint pas à obtenir des résultats probants contre l'Intifada. Sharon donna donc au Shin Bet le feu vert pour des assassinats ciblés. L'agence de sécurité intérieure, qui n'avait pas une pratique aussi fréquente que le Mossad de ces opérations, chercha à se doter d'une doctrine pour les encadrer et en préciser les conditions. Elle retint les critères suivants : les assassinats sont légitimes s'ils permettent de stopper un attentat terroriste qui est entré dans sa phase d'exécution et si aucun autre moyen ne permet de l'empêcher. Ils ne sont pas légitimes en revanche comme outil de vengeance pour des crimes passés (ce qui distinguait le Shin Bet des pratiques du Mossad notamment dans la poursuite des membres du commando Septembre noir après les JO de Munich). Toutefois, avec le temps cette doctrine devait être peu à peu oubliée et la pratique du Shin Bet allait rejoindre peu ou prou celle du Mossad. La multiplication des attentats-suicides, et la pression du pouvoir politique pour répliquer à chacun d'entre eux, obligea le Shin Bet à appliquer des critères de moins en moins rigoureux pour la constitution de listes de cibles potentielles. Au bout d'une année, une position éminente au sein du Hamas suffisait à désigner une personnalité comme cible potentielle. Le choix était de moins en moins collégial, et se faisait entre le patron du Shin Bet et le Premier ministre.

Toujours en 2001, certains chefs du Hamas se rendirent à Téhéran pour discuter avec les commanditaires du Hezbollah, mais ils ne furent pas reçus à un haut niveau. Dans l'esprit des Gardiens de la Révolution, le Hamas devait être subordonné au Hezbollah, à l'égal du Jihad islamique. Le Hamas ne put évidemment accepter. Lorsque les Iraniens comprirent leur erreur, ils acceptèrent de donner des interlocuteurs de haut niveau au Hamas. Et à partir de là, les financements et livraisons d'armes purent se développer en direction de Gaza.

Après les attentats du 11 septembre 2001 aux États-Unis, un cessez-le-feu fut déclaré par Israël et l'Autorité palestinienne, mais il ne dura pas longtemps. Le 3 janvier 2002, des commandos de marine israéliens interceptèrent un navire, le *Karin A*, qui transportait 50 tonnes d'armes d'Iran en Palestine : roquettes « Katioucha », fusils à longue portée, missiles antichars, etc. Or l'Autorité palestinienne était censée acheter ses armes de façon officielle en passant par Israël. Et à Washington, on était désormais intraitable avec tout ce qui pouvait ressembler à du terrorisme : le vice-président Dick Cheney déclara que cette affaire prouvait qu'Arafat « appartenait à un réseau terroriste » en raison de la provenance iranienne des armes. L'élimination par le Shin Bet d'un activiste palestinien, Raed Karmi, acheva d'enterrer le cessez-le-feu et déclencha une nouvelle vague d'attentats. Les divers mouvements palestiniens et islamistes se livraient désormais à une lugubre surenchère dans leurs opérations.

À cette époque, les responsables du Mossad, qui avaient jusqu'ici le quasi-monopole des actions clandestines d'élimination et de déstabilisation contre des mouvements terroristes, se demandèrent comment le Shin Bet pouvait obtenir autant de victoires contre le Hamas, alors que rien ne semblait l'y avoir préparé. Ils ignoraient, et continuèrent à ignorer, ce qui est sans doute la plus grosse opération du Shin Bet pendant les années 1990-2000 : le recrutement d'une taupe au sein du Hamas. Pas un simple opérationnel de bas étage, mais tout simplement le fils d'un des dirigeants-fondateurs! Le jeune homme s'appelait Mosab Hassan Youssef; il était le fils aîné du cheikh Hassan Youssef, l'un des sept fondateurs du Hamas avec le cheikh Ahmed Yassine. Adolescent, il portait une profonde admiration à son père pieux et adepte de la non-violence, qui ne désavouait toutefois pas les actions terroristes commises par le mouvement. Il vit son père partir plusieurs fois entre deux soldats israéliens: à chaque fois il passait plusieurs mois dans une prison. En 1994, lorsque s'établit l'Autorité palestinienne, Mosab n'avait encore que 16 ans mais commençait déjà à se radicaliser, comme il est courant dans son milieu. Avec un cousin, il chercha à passer à l'action deux ans plus tard et voulut se procurer des armes. Il fut aussitôt repéré par des écoutes téléphoniques. Il fit la première expérience d'un centre de détention du Shin Bet. Par sa parenté, il intéressait particulièrement ses interrogateurs. Au bout de quelques semaines, un capitaine du Shin Bet qui se présenta sous le nom de «Loai» lui proposa de devenir un informateur. Il fit mine d'accepter pour qu'on le libère immédiatement. Mais il dut auparavant faire un séjour de quelques mois, comme tous ses camarades, à la prison de Megiddo. L'établissement est structuré selon les affiliations des prisonniers: Hamas, Fatah, Jihad islamique, FPLP, etc. Le Hamas est l'organisation la plus puissante de l'établissement. Il régente la vie des prisonniers jusqu'à l'absurde: un prisonnier est ainsi chargé d'actionner un cache devant la télévision pour éviter aux prisonniers la vue de femmes têtes nues… Mosab fut surtout choqué par l'inégalité qui existait entre les chefs aux privilèges exorbitants et les exécutants, alors que son père avait toujours vécu dans le dénuement. La terreur que faisaient régner les chefs du Hamas, pouvant aller jusqu'à la torture de quiconque soupçonné sans preuve de trahison, semblait bien éloignée des principes coraniques au fils du cheikh Youssef. Mosab fut relâché en septembre 1997, tout heureux de retrouver les siens. Il s'inscrivit aux cours du soir dans une école catholique de Ramallah. Deux mois plus tard, il reçut sur son portable un appel de félicitations du capitaine Loai, pour avoir réussi ses examens. Le Shin Bet lui demandait à présent de remplir son engagement. Les premiers rendez-vous clandestins ne réclamèrent aucune trahison de sa part : son officier traitant lui remit de l'argent et lui prodigua des formations accélérées à la pratique du renseignement sur le terrain. Le jeune homme était surpris de la chaleur de son formateur, qui lui proposa de surcroît de relâcher son père, toujours en prison. On lui demanda ensuite d'aller à l'université et d'y passer une licence. Le Shin Bet couvrirait ses frais. À la longue, le regard du jeune homme sur ses contacts israéliens commença à évoluer : il comparait le lavage de cerveau, la rigueur et l'injustice qu'il avait connus dans les quartiers du Hamas à Megiddo avec la relation respectueuse qui se nouait avec Loai. L'homme du Shin Bet savait bien que Mosab n'allait pas se transformer du jour au lendemain en collaborateur et trahir tout ce en quoi il croyait. Mais par petites touches il put l'amener à reconsidérer l'antagonisme ancestral avec les Israéliens. À cette époque, Mosab commença à fréquenter un groupe d'études chrétiennes et fut peu à peu attiré par les enseignements de la Bible. De fil en aiguille, ses nouveaux amis lui permirent de trouver un emploi au sein du programme de l'USAID (Agence américaine d'aide au développement) pour l'eau dans la ville d'Al-Bireh, ce qui serait pour lui une efficace couverture.

Un soir, le cheikh Youssef demanda à son fils de le conduire chez Marouane Barghouti, le secrétaire général du Fatah, annoncé comme le possible successeur d'Arafat. Ariel Sharon prévoyait d'effectuer le lendemain une visite à la mosquée d'Al-Aqsa et l'Autorité palestinienne estimait que c'était le bon moment pour déclencher un soulèvement. Les manifestations organisées par le cheikh Youssef allaient donner le signal de la deuxième Intifada. Le Hamas, que l'on croyait en perte de vitesse suite aux accords de paix, se réveillait plus puissant que jamais. C'est à ce moment seulement que le Shin Bet toucha les dividendes de son investissement sur Mosab. Écœuré par ce qui était en train de se passer, par la manipulation du Fatah qui envoyait le Hamas au combat et par la fureur guerrière de ce dernier, Mosab décida cette fois de son plein gré de devenir un agent infiltré du Shin Bet. C'était le résultat d'un travail long et subtil de manipulation de source comme on l'enseigne dans les écoles de renseignement. Et qui allait produire des résultats inespérés[1].

À 22 ans, Mosab devint pour le Shin Bet le «Prince vert», son plus important agent capable d'évoluer aussi bien dans les branches militaire et politique du Hamas. Servant de chauffeur et d'assistant à son père, il l'accompagnait dans toutes les réunions d'importance. À l'époque apparut un nouveau groupe terroriste, baptisé Brigade des martyrs d'al-Aqsa, qui accomplissait de nombreux raids d'une précision mortelle contre les implantations israéliennes. C'est Mosab qui, le premier, parvint à découvrir que ces hommes faisaient en réalité partie de la force 17, la garde personnelle de Yasser Arafat. Ces informations transmises par le Shin Bet furent ensuite exploitées contre Arafat devant le Conseil de Sécurité de l'ONU, et confirmées un an plus tard lors de l'invasion par Israël de Ramallah et l'assaut du QG d'Arafat, grâce à la saisie de documents sur la Brigade d'al-Aqsa.

L'Intifada s'intensifia. En juin 2001, un groupe de jeunes faisant la queue devant la discothèque *Dolphinarium* à Tel-Aviv fut victime d'un attentat-suicide. En représailles, Jamal Mansour, l'un des sept cofondateurs du Hamas, fut pulvérisé dans son bureau par un tir de missile. Mosab commença à craindre pour la vie de son père. Il décida de le cacher dans un hôtel et de porter ses messages à sa place. Il devint ainsi le seul point de contact entre son géniteur et le reste du mouvement : incontournable.

---

1. Nous suivons ici le récit que donne Mosab Hassan Youssef lui-même dans son autobiographie, *Le Prince vert*, trad. Denoël, 2010.

Mosab passait désormais pour un des chefs du Hamas. Beaucoup de jeunes militants cultivaient son amitié et lui parlaient d'opérations en préparation. Un jour, un collaborateur de Barghouti lui demanda de lui procurer des explosifs pour des kamikazes de Jénine. Tout en acceptant, il tenta de repérer les cellules de candidats aux attentats-suicides en Cisjordanie. Il fallut beaucoup de prudence dans ce double jeu : l'Autorité palestinienne disposait d'équipements d'écoutes sophistiqués fournis par la CIA et s'en servait pour débusquer d'éventuels collaborateurs. Mosab avait désormais établi le contact, pensait-il, avec tous les chefs du Hamas en Cisjordanie, à Gaza et même en Syrie. Cela incluait Khaled Mechaal, qui avait été expulsé manu militari de Jordanie avec ses camarades du Hamas par le général Batikhi, sur ordre du nouveau roi Abdallah, en 1999. Ce qui fait que le Mossad finit par demander l'aide du Shin Bet : «Nous avons repéré à Ramallah quelqu'un de très dangereux qui s'entretient toutes les semaines avec Khaled Mechaal et nous n'arrivons pas à savoir qui c'est!» Comme on pouvait s'y attendre, le Shin Bet laissa ses collègues du Mossad s'interroger sur l'identité du jeune homme... À l'époque les services israéliens tuèrent ou arrêtèrent la plupart des gradés du Hamas. Les Brigades al-Qassam étaient épuisées et Mechaal manquait de ressources humaines. Il s'appuya donc de plus en plus sur Mosab, qui échappait miraculeusement aux griffes du Shin Bet et qui connaissait tout le monde en Cisjordanie.

Pour transmettre des informations d'importance à Damas, le Hamas utilisait comme courriers des personnes sans relations connues avec le mouvement. Avant de passer la frontière, elles avalaient une ou plusieurs gélules dans lesquelles étaient logés des messages, écrits sur papier ultra-fin et roulé très serré.

Au début des années 2000, tous les dossiers du renseignement israélien sur le terrorisme mentionnaient comme source principale le «Prince vert», mais seuls Avi Dichter, le chef du Shin Bet, ainsi que le capitaine Loai et son supérieur étaient au courant de sa véritable identité, qu'ils refusaient de partager avec les autres agences.

Toutefois, la cadence à laquelle Mosab «balançait» les terroristes et les responsables du Hamas rendait problématique sa couverture. Tôt ou tard, on allait le soupçonner. Et il avait de plus en plus envie de s'exiler, le plus loin possible de cet enfer. Lors de l'arrestation de cinq kamikazes, l'un d'eux reconnut Mosab qui était imprudemment présent sur les lieux. Pour discréditer ce témoin dangereux, le Shin Bet décida d'enfermer ses compagnons mais d'expulser seulement ce dernier vers la Jordanie, en faisant courir le bruit qu'il avait collaboré.

Il devenait urgent de protéger le meilleur agent du Shin Bet. Il fut décidé de lancer une grande chasse à l'homme contre Mosab, présenté comme un dangereux responsable du Hamas en lien avec de nombreux terroristes. Pour que l'opération soit crédible, il fallait que l'armée le cherche réellement. Sans être au courant de sa véritable fonction, bien entendu. Pendant plusieurs mois, le jeune homme devint donc un fugitif.

Signe de radicalisation du conflit : à la fin mars 2002, l'armée israélienne déclencha, en réplique au massacre commis deux jours plus tôt dans un hôtel de Netanya, l'opération «Bouclier défensif», qui débuta par une invasion massive des grandes villes et bourgs de Cisjordanie, aboutissant à 4 200 arrestations. Celles-ci permettaient de reconstituer par la pression un réseau de sources, mais ne portèrent pas un coup fatal à la guérilla clandestine. Cette occupation ne fit que décupler l'ardeur des groupes terroristes.

Quelques semaines après le début de l'opération, Mosab sortit de sa cachette pour retrouver son père. Ce qui lui permit de reprendre contact avec le Hamas et de connaître la cachette d'autres responsables, qui furent arrêtés par le Shin Bet. Mais le jeu devenait trop dangereux et Mosab était fatigué de se cacher. Il demanda au Shin Bet de l'arrêter ainsi que son père afin qu'ils soient tous les deux en sécurité en prison. Il y passa près d'un an à étudier la Bible. À sa sortie en 2003, les Brigades al-Qassam (branche militaire du Hamas) étaient en train de se reconstituer. Grâce aux indications de Mosab, dans la nuit du 1er décembre 2003, les forces spéciales encerclèrent plus de cinquante lieux suspects d'abriter les membres du groupe, dont les responsables furent tués en combattant. Tous les soldats disponibles avaient été mobilisés en Cisjordanie pour l'occasion. Presque tous les chefs du Hamas en Cisjordanie étaient éliminés. Mosab Youssef était à nouveau le contact indispensable du réseau palestinien.

Après dix ans de combats, le Shin Bet contrôlait les agissements du Hamas, mais ignorait toujours qui, de l'extérieur, prenait les décisions. Malgré toutes les arrestations réalisées avec l'aide du «Prince vert», le mouvement semblait fonctionner normalement. Alors, qui tenait vraiment les rênes? Contrôlant les communications Internet, le Shin Bet localisa un cyber-café depuis lequel un client communiquait régulièrement avec les responsables du Hamas à Damas. Mosab se rendit dans ce cyber-café pour tenter d'identifier l'homme en question. Aidé par le hasard, il rencontra ensuite un des hommes qu'il avait croisés dans ce cyber-café: Aziz Rayed dirigeait un centre d'études islamiques mais n'avait rien d'un barbu. Mosab comprit qu'il était peut-être plus important qu'il n'en avait l'air lorsqu'un membre du conseil de la choura de Naplouse suggéra à son père de rencontrer ce même homme pour évoquer les problèmes financiers du mouvement qui ne recevait plus de fonds en Cisjordanie. Rayed avait le même profil que trois autres anciens du Hamas: tous diplômés de haut niveau, tous habillés à l'occidentale, actifs au sein du Hamas à ses débuts, et qui subitement s'en éloignèrent dans les années 1990 pour mener une vie en apparence des plus banales, sans le moindre engagement politique. Comment des militants passionnés peuvent-ils ainsi tout abandonner d'un coup? Le capitaine Loai fit mettre sous surveillance ces personnages, ce qui confirma l'intuition de Mosab: en réalité, ces hommes respectables dirigeaient le Hamas non pas depuis Damas, mais de l'intérieur de la Cisjordanie, en évitant tout contact direct avec les cadres du mouvement! Ils communiquaient par des messages déposés dans des boîtes au lettres morte. Et ils ne se fiaient à personne puisque même le père de Mosab ne les connaissait pas. Leur identification et leur capture fut la plus importante opération du Prince vert pour le Shin Bet. Ce fut aussi la dernière : il était décidé à quitter le pays et resta sourd aux supplices et menaces de son officier traitant. Il voulait changer de vie et rien ne saurait l'en empêcher. Début 2006, il s'envolait pour les États-Unis, où ses amis américains l'attendaient.

Entre 2000 et 2004, on enregistra 157 attaques-suicides qui firent 507 morts côté israélien. C'est dans ce contexte que fut érigé en mai 2002 le mur de séparation avec Israël et renforcés les contrôles déjà drastiques aux points de passage entre les deux territoires. Sur la même période 2002-2004, les exécutions accomplies en grande majorité par le Shin Bet furent d'une quarantaine par an, ce qui en dit long encore une fois sur l'intensité du conflit. Les attentats-suicides et les éliminations ciblées baissèrent sensiblement à partir de 2003, jusqu'à retrouver le niveau d'avant l'Intifada en 2005. C'était sans doute l'effet immédiat du mur, mais il ne fallait pas se cacher que celui-ci aggravait le ressentiment du peuple palestinien, et donc faisait momentanément baisser la fièvre sans traiter la maladie elle-même.

L'occupation militaire qui devait durer de quelques semaines à quelques mois, le temps de ramener le calme, était partie pour se prolonger de nombreuses années. Elle s'avérait coûteuse, aussi bien en moyens qu'en termes d'image sur le plan international. Elle marquait aussi l'abandon officiel du partenariat avec l'Autorité palestinienne. Et ses effets dramatiques sur l'économie palestinienne et la vie quotidienne dans les territoires ne faisaient que renforcer la réprobation.

Pour le Shin Bet, le bilan des opérations était globalement positif : au fur et à mesure qu'il parvenait à retirer de la circulation les éléments les plus dangereux du Hamas (avec l'aide que l'on sait), ceux-ci étaient remplacés par d'autres, moins expérimentés et donc plus faciles à contrer. En 2004, le Shin Bet estima avoir bloqué 95 % des projets d'attentats contre Israël. Avec le recul, la multiplication des checkpoints, des arrestations et déportations, des démolitions de maisons et autres moyens de quadrillage de la société palestinienne a certes permis de venir à bout de la deuxième Intifada.

Mais elle a laissé intactes, voire renforcé les racines de la violence.

Yasser Arafat était désormais assigné à résidence et ne pouvait plus voyager à l'étranger, sous peine de ne plus pouvoir revenir. Le périmètre autour de son immeuble était minutieusement rasé par des bulldozers et les arrivées d'eau et d'électricité neutralisées. Un homme était à l'origine de cette nouvelle stratégie : Ephraïm Halevy, nommé par Netanyahou à la tête du Mossad après le sacrifice de Danny Yatom. Israël ne pouvait pas se permettre d'éliminer Arafat, mais il pouvait l'isoler, et tout faire pour qu'un changement de régime intervienne, sans effusion de sang : « L'idée était de lui laisser son titre de président mais de redistribuer son pouvoir de façon à ce qu'il n'ait plus que le nom de chef d'État, en faire une sorte de reine d'Angleterre[1]. » Halevy reprit sa casquette de diplomate pour effectuer un tour secret des capitales arabes et occidentales et vendre son plan aux chefs d'État. Compte tenu de la haine que les leaders arabes entretenaient pour Arafat, ils ne furent pas les plus difficiles à convaincre. In fine, tout dépendrait des Américains. « Le monde était préparé non seulement à écouter, mais aussi à adopter l'idée comme si c'était la leur », se souvient Halevy dans ses Mémoires. La fin politique du leader palestinien avait-elle sonné ? Après l'attaque d'un bus scolaire qui fit dix-

---

1. *Man in the Shadows, op. cit.*

neuf morts, le 18 juin 2002, Sharon déclara à Condoleezza Rice, la conseillère pour la sécurité du président américain G.W. Bush en visite au Moyen-Orient : « Pour ce qui me concerne, Arafat, c'est terminé. » Six jours plus tard le président américain prenait nettement parti pour un État palestinien, tout en précisant qu'il aurait besoin d'un nouveau leader qui ne soit pas compromis par le terrorisme. Son discours reprenait l'intégralité du plan Halevy : les Palestiniens avaient besoin de « nouvelles institutions, d'une nouvelle organisation de sécurité, d'une nouvelle constitution ». Halevy exultait : « Je ne pouvais pas me rappeler d'une occasion dans laquelle les hommes du renseignement aient eu une telle influence pour changer la donne politique de la région. J'avais l'impression de faire l'histoire. »

Sous la pression, Arafat accepta de nommer Mahmoud Abbas Premier ministre en mars 2003. Sharon ne prit pas Abbas au sérieux et il apparut assez vite qu'il ne disposait pas d'une marge de manœuvre suffisante pour faire la différence. En octobre 2004, Yasser Arafat tomba malade en pleine réunion. Ses collaborateurs déclarèrent qu'il avait la grippe. Mais son état empirait et il dut être transféré dans un hôpital parisien. Le 3 novembre, il sombrait dans le coma. Il mourut le 11 novembre, âgé de 75 ans.

La démocratie selon George W. Bush

Le changement de régime n'avait pas apporté la paix dans la région. Pendant l'été 2002, le Hamas impavide reprit ses attentats-suicide : le premier fit vingt-trois morts à Jérusalem le 19 août. En rétorsion, Ismail Abou Shanab, une figure du Hamas, fut exécuté. C'était le début d'une nouvelle escalade d'attentats et d'éliminations. Le 6 septembre, un avion F-16 décollait d'une base israélienne avec à son bord une bombe d'une demi-tonne. Le destinataire de la bombe, aveugle et paralysé, avait jusque-là échappé aux représailles, peut-être à cause de son statut de mufti ou bien de son état physique, plus sûrement encore pour ne pas en faire un martyr de la cause. Mais ce jour-là les politiques et les généraux israéliens estimèrent qu'une exécution extra-judiciaire du cheikh Yassine se justifiait par le nombre d'attentats-suicides et de morts israéliens qu'il avait personnellement ordonnés ou au minimum autorisés.

En juillet de la même année, Israël avait subi une condamnation internationale pour avoir largué une bombe d'une tonne sur une maison de Gaza qui abritait Salah Shehadeh, l'un des sept fondateurs du Hamas, mais aussi seize civils dont neuf enfants, tous tués dans l'explosion. Cette fois il fallait éviter tout dommage collatéral, d'où la réduction de la charge. Yassine devait tenir ce 6 septembre une réunion secrète avec des membres du Hamas parmi lesquels Ismaïl Haniyeh et Mohammed Deif, un dirigeant de l'aile militaire. Mais le jour dit, les hommes furent alertés par le bruit sifflant de la bombe. Ils eurent le temps de sortir de l'immeuble et s'en tirèrent avec des blessures légères, à l'exception de Yassine qui avait reçu un morceau d'explosif à l'épaule. Le soir même il prêchait devant les fidèles. Un porte-parole déclara à Al-Jazeera : « Aujourd'hui les portes de l'enfer ont été ouvertes. »

Les chances de la paix semblaient envolées pour longtemps, lorsque Sharon tenta un coup de poker en annonçant un retrait unilatéral de Gaza et de certaines parties de la Cisjordanie. Les dirigeants israéliens n'avaient pas pour autant renoncé à éliminer le cheikh Yassine. Le 22 mars 2004 au matin, des hélicoptères Apache se dirigeaient vers la mosquée dont Yassine sortait après les prières du matin. Trois missiles furent tirés et le tuèrent, en même temps que sept autres personnes. Le message de Sharon était clair : le Hamas ne pourrait pas se prévaloir d'avoir provoqué le départ de l'armée israélienne. Israël se retirait de sa seule initiative. Et ce n'était pas fini : trois semaines plus tard le nouveau leader du Hamas Abdel Aziz al-Rantissi était frappé dans sa voiture par deux missiles tirés d'un hélicoptère. Il mourut à l'hôpital. Khaled Mechaal était désormais le chef incontesté du mouvement.

Mahmoud Abbas fut élu président de l'Autorité palestinienne en remplacement de Yasser Arafat en janvier 2005. Des élections législatives étaient prévues pour juillet 2005, mais Abbas décida de les reporter à janvier 2006. Selon une enquête de *Vanity Fair*[1], la Maison-Blanche fit alors pression sur Abbas pour que les élections se tiennent rapidement. Dans l'esprit du président G.W. Bush et de sa secrétaire d'État Condoleezza Rice, le Fatah devait rapidement former un nouveau gouvernement « démocratique ».

Mais la direction du Hamas décida par la voix de Khaled Mechaal de participer au processus électoral et de cesser les attentats pendant quelques mois : si Israël se retirait totalement, le Hamas pouvait devenir un parti politique « comme les autres ».

En 2005, l'ensemble des mouvements palestiniens combattants accepta donc le principe d'une trêve : la plupart de ses chefs militaires arrêtés, tués ou vivant dans la clandestinité, le Hamas avait besoin d'un peu de répit pour reconstituer ses forces.

Mais les élections ne se passèrent pas du tout comme prévu : peut-être sans l'avoir réellement voulu, le Hamas obtint 56 % des voix et accéda au gouvernement de l'Autorité palestinienne par les urnes en 2006. Arafat disparu, le Fatah payait le prix de sa corruption et de sa division.

La Maison-Blanche se montra fort irritée de l'issue du processus démocratique palestinien, à laquelle elle ne s'attendait manifestement pas. Elle exigea aussitôt que le nouveau gouvernement se conforme aux conditions énoncées par le Quartet (groupe rassemblant les États-Unis, l'Union européenne, la Russie et les Nations unies) : renoncement à la violence, reconnaissance du droit à l'existence d'Israël, et respect de tous les engagements antérieurs de l'Autorité palestinienne. Lorsque le Hamas refusa, l'aide au budget de l'Autorité palestinienne fut suspendue. Lorsque Mahmoud Abbas entama des pourparlers avec le Hamas en vue de former un gouvernement d'unité nationale, Condoleezza Rice

---

1. « *The Gaza Bombshell* » par David Rose, avril 2008.

accourut à Ramallah, et exigea qu'il dissolve l'Assemblée pour convoquer de nouvelles élections. Abbas promit mais ne bougea pas. Il savait très bien que s'il obéissait, ce serait la guerre civile. Sur le papier, les forces du Fatah l'emportaient largement, avec 70 000 hommes répartis entre pas moins de quatorze services de sécurité (pendant sa présidence, Arafat avait continué à multiplier les structures). En face, le Hamas ne pouvait aligner que 6 000 soldats des Brigades al-Qassam et 6 000 membres de la force exécutive à Gaza. Mais elles étaient bien mieux entraînées et disciplinées. Suite au blocus de l'aide étrangère, le Fatah n'avait plus les moyens de payer ses soldats, tandis que le Hamas recevait désormais des subsides de l'Iran.

Jusqu'en 2004, le Hamas avait gardé ses distances avec l'Iran. Après l'assassinat du cheikh Yassine, l'organisation changea de stratégie et esquissa un rapprochement se traduisant par une visite du Premier ministre de l'Autorité palestinienne, Ismaïl Haniyeh, à Téhéran en 2006. Cette visite fut l'occasion d'annoncer le versement par l'Iran d'une aide de 240 millions de dollars. L'année suivante, le chef du Hezbollah, Hassan Nasrallah, reconnaissait dans une interview que le Hezbollah soutenait le Hamas par des livraisons d'armes et des aides financières.

Face à cette situation de blocage, le Département d'État et le conseiller national à la sécurité de G.W. Bush, Elliott Abrams, élaborèrent un plan audacieux. Puisqu'il n'y avait pas de moyen légal pour que le Hamas quitte le pouvoir, il allait falloir armer et entraîner le Fatah pour qu'il puisse chasser son ennemi par la force. Ce plan s'appuyait sur un homme-clé de l'appareil sécuritaire du Fatah : Mohammed Dahlan. Né en 1961, dans un camp de réfugiés à Gaza, Dahlan avait été l'un des cofondateurs du mouvement de jeunesse du Fatah. À partir de 1987, il joua un rôle important dans la première Intifada. Dans les années 1990, il devint directeur du service de sécurité préventive, l'une des forces paramilitaires palestiniennes les plus efficaces. En 1996, après la vague d'attentats-suicides qui mettait en péril les accords d'Oslo, Dahlan supervisa personnellement l'arrestation ordonnée par Arafat de 2 000 combattants du Hamas, dont beaucoup furent torturés. En tant que négociateur palestinien pour les questions de sécurité, Dahlan connaissait bien les membres de l'administration Clinton et le patron de la CIA, qui l'appréciaient. Ce fut également le cas de l'équipe Bush, qui le reçut à la Maison-Blanche à trois reprises. Le président américain déclara publiquement que Dahlan était un « bon et solide leader ». En privé, il allait jusqu'à l'appeler « notre homme chez les Palestiniens ».

Les chefs du Mossad et du Shin Bet étaient abasourdis par la nouvelle stratégie de la Maison-Blanche et par la confiance que Bush accordait à Dahlan. Mais leurs protestations furent sans effet. Cette promotion d'un « homme providentiel » était une vieille tactique de la diplomatie américaine qui avait déjà échoué au Vietnam, en Amérique centrale, ou avec l'Irak de Saddam Hussein. Visiblement, sans que toutes les leçons en aient été tirées.

Les États-Unis avaient envoyé à l'automne 2005 un coordinateur à la sécurité pour les territoires palestiniens, Keith Dayton, qui connaissait peu le Moyen-Orient. Il rencontra Dahlan pour recenser ses besoins. Les deux hommes s'accordaient pour vouloir simplifier la structure des services palestiniens. Dayton promit à Dahlan une aide de 86 millions de dollars pour rétablir la loi et l'ordre en Cisjordanie et à Gaza. Mais à Washington, la Chambre des représentants traînait les pieds, craignant que les armes livrées au Fatah soient un jour retournées contre Israël. Condoleezza Rice recourut aux bonnes vieilles méthodes du financement occulte de programmes militaires : elle rencontra de nombreux chefs d'État arabes (Égypte, Jordanie, Arabie saoudite, Émirats arabes unis) en leur demandant de contribuer à l'effort de redressement militaire du Fatah. Selon les témoignages, les sommes ainsi levées se montèrent à 20 ou 30 millions de dollars. Fin décembre 2006, quatre camions égyptiens franchissaient la frontière de Gaza avec à leur bord 2 000 armes automatiques et 2 millions de cartouches. Bien évidemment, ces transferts ne pouvaient se faire sans l'autorisation d'Israël qui insistait pour que l'on s'en tienne à des armes légères.

Dahlan avait conscience que le Fatah restait militairement fragile. Il lui faudrait donc mener une «guerre maligne» plutôt que frontale. Celle-ci passait par des kidnappings et éliminations de membres-clés de la force exécutive du Hamas. À l'automne 2006, Gaza était plongée dans une «guerre sale» : chaque mois des douzaines de combattants mouraient de part et d'autre. En décembre, un commando du Hamas ouvrit le feu sur la voiture d'un responsable du Fatah, tuant ses trois jeunes enfants et son chauffeur. En février 2007, un nouveau seuil fut franchi lorsqu'une équipe du Fatah s'empara de l'université de Gaza, une place forte du Hamas, et mit le feu à plusieurs immeubles. Le lendemain, le Hamas s'attaquait à des postes de police. La situation était en train d'échapper à tout contrôle. Mahmoud Abbas n'avait pas envie de diriger un pays en pleine guerre civile. Il accepta la médiation du roi Abdallah d'Arabie saoudite et rencontra Ismaïl Haniyeh à La Mecque. Il fut décidé que Haniyeh resterait Premier ministre mais que le nouveau gouvernement accueillerait des membres du Fatah. La nouvelle de cet accord ramena le calme dans les territoires palestiniens. La Maison-Blanche fut à nouveau prise au dépourvu par ce retournement.

Sans désemparer, le Département d'État produisit un «plan B» qui consistait à entraîner et équiper une force nouvelle de 15 000 hommes sous la direction de Dahlan. Le budget prévisionnel de cette nouvelle opération était de 1,27 milliard de dollars sur cinq ans. En avril 2007, un journal jordanien publia une copie de ce plan, qui avait circulé au sein de l'équipe Abbas. Ce fut le signal d'une nouvelle éruption de violence, alors que Dahlan se trouvait à Berlin pour une opération chirurgicale qui exigeait plusieurs semaines de convalescence. Cette fois, le Hamas avait l'initiative d'attaques toujours plus meurtrières et les forces du Fatah se trouvaient sur la défensive.

Le Hamas était désormais persuadé que les États-Unis et Mohammed Dahlan avaient pour but sa destruction. L'arrivée du convoi de munitions égyptiennes donna le signal d'une attaque contre les bâtiments du Fatah. Beaucoup de soldats en principe affiliés au Fatah refusèrent de se battre. Dahlan absent, beaucoup de rancœurs accumulées contre lui s'exprimaient au grand jour. Les combats prirent fin rapidement : Gaza était entièrement tombée aux mains du Hamas, armes égyptiennes comprises. C'était exactement ce qu'Israël souhaitait éviter : le Hamas avait désormais le champ libre pour préparer des attaques contre le territoire de l'État hébreu.

Dans un rapport réactualisé en avril 2008, l'International Institute for Counter-Terrorism (ICT), lié aux services secrets israéliens, décrit l'arsenal dont se serait doté le Hamas depuis le retrait des troupes israéliennes de la bande de Gaza en 2005 et sa prise de pouvoir en 2006 : des douzaines de roquettes (Grad) capables d'atteindre une distance de 20,4 km, autant de missiles antichars, antiaériens, des fusils-mitrailleurs et des milliers de roquettes RPG. La Syrie et l'Iran fournissent au mouvement une partie de son armement et de ses fonds, *via* les tunnels traversant la frontière égyptienne. Au sein de ses ateliers clandestins, le Hamas produit par ailleurs sa propre artillerie de missiles – les Qassam.

Exerçant le pouvoir, le Hamas n'a plus besoin d'agir clandestinement pour préparer des opérations terroristes. Le Shin Bet, qui ne dispose plus de source très bien placée, a plus de mal pour recueillir des renseignements sur ce qui se passe à Gaza : il n'est pas si facile de recruter des sources par téléphone ! Ce qui explique pourquoi, après l'enlèvement par le Hamas du soldat Gilad Shalit, les services israéliens sont restés impuissants pendant plusieurs années, avant qu'il ne soit libéré en 2011.

La guerre des tunnels

L'enjeu majeur de la fin des années 2000 fut la guerre des tunnels entre Israël et Gaza. Creusés sous la frontière, les souterrains permettaient d'acheminer des armes, de la drogue ou des vivres à Gaza, en dépit du blocus imposé par Tsahal. Ils permettaient aussi à des groupes terroristes d'infiltrer discrètement leurs combattants depuis l'extérieur, tandis que d'autres quittaient Gaza pour rejoindre des camps d'entraînement à l'étranger. Certains de ces tunnels dataient de l'époque du mandat britannique, et débouchaient dans les maisons de grandes familles de Gaza qui les louaient à des contrebandiers. D'autres furent construits spécifiquement par le Hamas, avec l'aide technique du Hezbollah. Le Hamas ne faisait que reprendre et moderniser la vieille pratique vietnamienne des refuges souterrains qui s'était révélée efficace contre l'armée américaine et que le Hezbollah pratiquait au Sud-Liban. Du coup les services du renseignement militaire firent appel à leurs homologues américains. L'US Army Corps of Engineers fournit ainsi quatre camions équipés d'antiques radars GPR (*Ground Penetrating Radar*) qui arpentaient à vitesse réduite les zones susceptibles d'abriter des tunnels. Et l'institut technologique Technion développa à marche forcée un appareil permettant de détecter les mouvements souterrains provoqués par le travail d'excavation dans le sol[1]. En attendant qu'il soit au point, le renseignement humain restait la meilleure méthode : lors de l'offensive de décembre 2008 à Gaza, une quarantaine de tunnels furent repérés grâce à des sources palestiniennes du Shin Bet (sur un total de cent cinquante environ).

L'opération « Plomb durci » fut très critiquée pour les pertes qu'elle infligea aux civils. Elle permit d'éliminer le chef de la branche militaire du Hamas, Saïd Siam et son frère Iyad, en charge de l'acheminement des armes à Gaza.

---

1. *Intelligence Online*, n° 589, 5 mars 2009.

Malgré ces victoires, ou à cause d'elles, le principal défi du renseignement israélien reste aujourd'hui de remplacer les sources palestiniennes au fur et à mesure qu'elles sont arrêtées par le Hamas, qui reste tout-puissant à Gaza. En avril 2011, de curieux objets trouvés dans des dunes de sable au sud de la ville de Gaza éveillèrent la suspicion de miliciens. Des experts furent envoyés sur le site et ils identifièrent des dispositifs d'écoutes et de surveillance vidéo clandestins, qui ne pouvaient être qu'israéliens. Ils les ramenèrent à leur véhicule et commencèrent à les démonter quand le chauffeur de l'équipe reçut un coup de fil d'un membre du renseignement israélien, l'avertissant qu'ils avaient trois minutes pour évacuer le véhicule. Trois minutes plus tard, un drone détruisait toute trace matérielle des équipements. Les membres du Hamas furent alors persuadés que des centaines d'instruments de ce type avaient été dissimulés par les Israéliens avant leur retrait, d'autant que le Hezbollah a lui même découvert pléthore d'engins similaires dans les montagnes libanaises. Du coup, on vit pendant plusieurs semaines des équipes du Hamas munies de détecteurs de métaux arpenter les agglomérations à la recherche d'espions électroniques...

Chapitre 8

Les businessmen du Mossad

Le guide suprême libyen, le colonel Kadhafi, avait des goûts très simples mais ne dédaignait pas à l'occasion la technologie occidentale. Il acheta dans les années 1970 un jet privé Grumman Gulfstream II – ce qui se faisait de mieux à l'époque, aménagé avec un grand luxe – à une société suisse spécialisée : Zimex Aviation. Outre l'avion, la société fournissait aux dirigeants et chefs d'État du monde entier, particulièrement dans le monde arabe, des équipages qualifiés et stylés. La société marchait fort bien, à la satisfaction de son P-DG Hans Ziegler. Mais également à celle du Mossad, car Ziegler était l'un de ses agents, et les avions confiés à Kadhafi et quelques autres princes de sang royal étaient truffés de micros ! Cette opération, demeurée longtemps secrète, fut probablement de l'aveu d'un de nos interlocuteurs « une des plus belles opérations du Mossad ». Elle peut aussi expliquer la qualité des renseignements dont a pu disposer le service en certaines occasions.

Une autre société d'aviation, israélienne cette fois, a suivi ce mode opératoire : il s'agit d'ATASCO, qui a par exemple vendu à l'Ouganda d'Idi Amin Dada une flotte de Boeings 707, les autres appareils qui furent achetés à cette époque l'ayant été par une filiale de la CIA ! Autant dire que rien de ce qui se passait alors en Ouganda ne pouvait échapper aux services de renseignement israéliens et américains. ATASCO était la propriété du milliardaire Shaul Eisenberg, fort actif sur les marchés de l'armement[1].

Si les anciens du renseignement israélien sont parfois intarissables sur les opérations de style commando pour capturer un criminel de guerre nazi ou éliminer un chef terroriste, ils sont en revanche beaucoup moins prolixes pour aborder la question des «businessmen du Mossad». Nous avons choisi d'appeler ainsi des hommes d'affaires véritables, qui ne sont pas ou pas seulement d'anciens espions reconvertis dans les affaires paramilitaires, mais d'authentiques entrepreneurs ayant réussi comme tels, et qui mettent leurs compétences et leur carnet d'adresses à la disposition du Mossad. La plupart du temps, ils ne sont pas rémunérés et les services qu'ils rendent leur coûtent même parfois beaucoup d'argent. Ils agissent ainsi, parfois au péril de leurs affaires, par conviction et par patriotisme. On en trouve dans tous les secteurs de l'économie, et il est bien difficile de les distinguer des businessmen ordinaires. Ils vont là où les espions classiques ne peuvent aller. Les plus influents sont reçus par des chefs d'État et font figure d'ambassadeurs officieux. En retour, ils peuvent toujours compter sur la solidarité d'Israël lorsqu'ils sont en difficulté. Enfin, presque toujours...

Affaires africaines

On l'a vu, l'Afrique devint dans les années 1980 un second champ de bataille des luttes moyen-orientales. Plusieurs pays du centre et de l'Ouest, comme la Côte d'Ivoire, comptaient une communauté libanaise chiite, bien connue pour son implantation dans le secteur du commerce. Celle-ci s'était formée dans l'entre-deux-guerres lorsque la pauvreté déclencha un mouvement migratoire depuis la vallée de la Bekaa au Liban vers les colonies françaises. Parmi les implantations chiites en Afrique, la Sierra

---

1. Voir le chapitre «Trafics d'armes».

Leone tenait une place à part, avec près de 20 000 membres. Les chefs des grandes familles chiites étaient devenus des figures majeures du pays, notamment à cause de la vénalité du président Siaka Stevens qui, au début des années 1980, avait quasiment abandonné la gestion du pays à quelques hommes d'affaires libanais. L'un d'eux était devenu un des hommes les plus influents du pays : Jamil Said Mohammed, né en 1925 d'un père libanais et d'une mère sierra-léonaise, avait développé un véritable empire dans le négoce diamantaire, les pêcheries, le pétrole et l'import-export. Il était devenu un grand ami du président Stevens, peu au fait de l'économie et grand amateur de dépenses somptuaires. Lorsque le pays connut de grandes difficultés économiques, l'homme d'affaires chiite le convainquit de « privatiser » certains pans de l'économie en échange de liquidités. Il acquit ainsi des participations majoritaires dans la National Diamond Mining Company et le Bureau gouvernemental de l'or et du diamant. En d'autres termes, il avait la mainmise sur la production nationale de diamant, dont il écoulait une partie de façon officielle et une autre par le trafic avec l'aide de son ami Nabih Berri, chef de la milice libanaise Amal et lui-même natif de Sierra Leone. Mohammed devint ainsi l'un des financiers d'Amal. C'est également par l'intermédiaire de Nabih Berri qu'il entra dans l'orbite iranienne et put négocier pour la Sierra Leone un approvisionnement en pétrole à crédit. Il devint dès lors l'homme le plus puissant du pays, bientôt à la tête d'une armée privée de mercenaires. Une ambassade iranienne fut ouverte à Freetown, dont il était le principal interlocuteur. Celle-ci constituait selon les rapports du Mossad la tête de pont des services iraniens en Afrique de l'Ouest.

Israël tentait à cette époque de renouer des relations avec les pays africains après le refroidissement des années 1970. Et le bureau africain du Mossad se montrait particulièrement préoccupé par l'emprise de Mohammed sur la Sierra Leone, à la lumière de ses attaches iraniennes. Or à cette époque, un homme d'affaires israélien fit son apparition à Freetown. Shabtai Kalmanovitch était un Juif né en 1945 en URSS ayant émigré en Israël avec sa famille au début des années 1970. Il commença sa carrière comme agent électoral des travaillistes avant d'évoluer vers le Likoud pour devenir assistant parlementaire de Samuel Flatto-Sharon, qui s'illustrerait en France par un retentissant scandale immobilier dans les années 1970. C'est à cette époque que Kalmanovitch commença à travailler pour le Mossad en tant que *sayan*. En 1981, il se lança dans les affaires en créant une société de construction, la LIAT, qui débuta ses activités en Afrique du Sud et connut un succès rapide grâce au soutien de certains politiques locaux. Son amitié avec le président du Bophuthatswana permit même à Kalmanovitch de devenir son attaché commercial en Israël.

En 1985, la LIAT désormais présente dans plusieurs pays s'implanta donc à Freetown et Kalmanovitch se débrouilla pour devenir le nouveau meilleur ami du successeur désigné du président Stevens : le général Joseph Saidu Momoh. Dès lors, plus rien n'arrêta Kalmanovitch qui multiplia les projets grandioses de bâtiments, ponts, stades, transports, etc.

Momoh une fois au pouvoir, les Libanais cherchèrent à reprendre la main et firent venir en visite discrète Yasser Arafat qui proposa au nouveau président un don de 10 millions de dollars en échange d'une implantation pour l'OLP et d'une prise de position officielle contre le sionisme et l'apartheid à l'ONU. Les groupes de Mohammed et la LIAT se livraient désormais à une compétition acharnée pour le contrôle de toutes les activités du pays. En 1986, un homme politique fut blessé par un mercenaire palestinien. Le président Momoh incrimina Jamil Said Mohammed et lui retira une grande partie de ses privilèges et contrats. En mars 1987, une tentative de coup d'État contre le général Momoh fut étouffée dans l'œuf. Pendant ce temps, Mohammed avait pris la fuite pour Londres et apparaissait comme le principal responsable. Son groupe fut dès lors démantelé et la LIAT récupéra une partie de ses activités.

Curieusement, 1987 vit l'expulsion de familles chiites de Sierra Leone, mais aussi de plusieurs États africains comme le Cameroun ou la République centrafricaine : dans chacun de ces pays les riches hommes d'affaires chiites rencontrèrent de graves problèmes qui conduisirent certains à retourner au Liban. Dans le même temps, les services de sécurité de ces pays renforçaient leurs liens avec ceux d'Israël.

Les éminents services rendus par Kalmanovitch ne lui ont pas porté chance car lorsqu'il rentra en Israël fin 1987, il fut accusé… d'espionnage ! En effet, le Premier ministre Yitzhak Shamir avait décidé en 1984 d'opérer un rapprochement avec l'Union soviétique. Le renseignement israélien avait donc fourni, sur sa demande expresse, une partie des documents obtenus par Jonathan Pollard au sein du renseignement américain, afin d'améliorer l'atmosphère entre les deux pays. Et l'agent choisi pour cette mission délicate et officieuse n'était autre que Shabtai Kalmanovitch, lui-même originaire de Riga. Malheureusement pour lui, deux ans plus tard, les Américains étaient furieux de cette traîtrise. Shamir n'était plus Premier ministre et avait quelque peu perdu la mémoire sur cette affaire. Peres trouva donc tout naturel de faire traduire le lampiste en justice, où il fut condamné pour espionnage… Le cas de Kalmanovitch, abandonné à un triste sort dont il n'était guère responsable, est assez atypique. Il se trouva mêlé à une lutte à mort entre deux grands fauves de la politique israélienne et en paya les pots cassés. Ce ne fut pas le cas des autres « businessmen » que nous allons croiser ici, et qui purent au contraire compter sur un soutien sans faille d'Israël, jusqu'au plus haut niveau…

Marc Rich, le « Prince des ténèbres »

Le 19 septembre 1983, un jeune et ambitieux procureur de New York fit son apparition devant les caméras de télévision pour annoncer qu'il avait découvert la plus grande fraude fiscale de toute l'histoire des États-Unis. Le jeune homme qui allait faire de cette affaire un tremplin pour la suite de sa carrière avait pour nom Rudolph Giuliani, et peut-être ambitionnait-il déjà à l'époque de devenir un jour maire de New York. Sa cible désignée était un parfait inconnu du grand public, un trader en matières premières et énergie à la tête d'une imposante fortune. Accusé de pas moins de cinquante et un crimes, dont une évasion fiscale de 48 millions de dollars, Marc Rich, puisque tel était son nom, allait devoir fuir la justice américaine pendant deux décennies. Il disposerait pour cela de puissants appuis du côté de Tel-Aviv. Car Marc Rich était beaucoup plus qu'un simple négociant pour Israël.

Né Marcel Reich dans une famille juive de Belgique, Rich s'enfuit avec sa famille au printemps 1940 pour gagner, après bien des péripéties, les États-Unis. Adolescent, il débuta une des plus belles carrières du siècle dans le commerce international, surfant sur les convulsions géopolitiques de la planète, de la révolution cubaine à la décolonisation en Afrique, des guerres israélo-arabes à la révolution iranienne, de l'apartheid à l'effondrement de l'empire soviétique. Marc Rich restera dans l'histoire du commerce international comme l'inventeur du « marché spot » : jusqu'aux années 1960, le marché du pétrole était régi par des contrats de long terme entre compagnies et États. Il n'y avait pas vraiment de cours « au jour le jour » en fonction de l'offre et de la demande. Le cartel des « sept sœurs[1] », les multinationales du pétrole, contrôlait pratiquement le marché, dont les prix n'évoluaient pas beaucoup. Marc Rich fut celui qui parvint à faire prendre conscience aux pays producteurs qu'ils pouvaient gagner plus en travaillant avec un outsider. Après la révolution cubaine, alors jeune trader chez Philipp Brothers, il fut le premier à rendre visite à Fidel Castro et Che Guevara (alors ministre de l'énergie) pour acquérir leurs ressources minières en échange

---

1. Chevron, Esso, Gulf, Mobil, Texaco, British Petroleum et Shell.

du cash dont la révolution avait cruellement besoin. Ce fut le premier coup d'éclat qui le fit remarquer dans la profession. Dans les années 1960, on le signala partout en Afrique au fur et à mesure que les États accédaient à l'indépendance. Il était toujours là pour aider les jeunes dirigeants à boucler leur budget. Et il payait mieux que tout le monde car quand il débutait une négociation il savait déjà à qui il allait revendre, et à quel prix. La Tunisie fut le premier État qu'il convainquit de vendre son pétrole à un indépendant. Le secteur était en train de devenir intéressant : après la guerre des Six-Jours, le monde connut son premier embargo pétrolier. L'Égypte bloqua le canal de Suez, par où transitait l'essentiel du pétrole du golfe Persique, jusqu'en 1974. Alors basé en Espagne, Rich comprit avant les autres qu'on allait pouvoir faire beaucoup d'argent en achetant et en revendant du pétrole. Étoile montante du secteur, il monta sa société Marc Rich + co AG en 1974. Le marché tel qu'on le connaissait depuis plusieurs décennies explosa justement à cette époque. En août 1971, le président américain Nixon abandonna l'étalon-or, laissant flotter librement le dollar. Le marché international du pétrole utilisait justement cette monnaie de référence. À cette époque, plusieurs pays comme l'Algérie ou la Libye décidèrent de nationaliser leur production pétrolière, bientôt suivis par l'Irak et les pays du Golfe. Ils allaient avoir besoin d'un négociant indépendant pour vendre au meilleur prix possible. Rich s'associa alors avec un spécialiste en logistique pétrolière, pour gérer tous les aspects délicats du transport, et se mit au travail. Dix ans plus tard, sa société était devenue la plus rentable du secteur et travaillait avec tous les acteurs importants de la planète. Elle vendait non seulement du pétrole mais aussi toutes sortes de métaux et de ressources minières. On la connaît aujourd'hui sous le nom du conglomérat Glencore.

Ce que peu de gens savaient alors dans la profession, c'est que Rich avait eu non pas un coup de génie mais deux. Certes il avait réinventé le marché du pétrole. Mais il avait aussi gagné beaucoup d'argent en jouant le rôle d'intermédiaire commercial entre des gens qui, officiellement, ne travaillaient jamais ensemble et ne se parlaient pas.

Israël faisait alors face à un des problèmes stratégiques les plus aigus qu'il ait jamais connus : comment face à un monde arabe hostile garantir un approvisionnement régulier en pétrole ? En 1965, Golda Meir (alors ministre des Affaires étrangères) avait rendu une visite secrète au Shah d'Iran pour lui proposer la construction d'un oléoduc. Le Shah, qui ne voulait pas porter atteinte à ses relations avec les pays arabes, était d'accord à condition que l'on parvienne à conserver l'affaire secrète. Ce qui fait que le dossier fut confié au Mossad, bien loin de ses attributions ordinaires. Lorsque le canal de Suez fut bloqué par l'Égypte, ce qui obligeait désormais les pétroliers à faire le tour de l'Afrique pour livrer l'Europe, le Shah comprit que cet oléoduc représentait sa chance de ne pas dépendre de l'Égypte. L'exportation de pétrole était la pierre angulaire de sa stratégie pour devenir une puissance régionale. Israël et l'Iran créèrent donc un joint-venture, Trans-Asiatic Oil, basé en Suisse[1]. Officiellement, Trans-Asiatic était une société purement iranienne et ne commerçait pas avec Israël. En réalité, Israël reçut à partir de 1969 jusqu'à 90 % de son approvisionnement en pétrole par ce biais, et apporta à la société son soutien logistique et sécuritaire.

De son côté, Marc Rich commençait à développer une relation d'affaires avec l'Iran, achetant une partie de sa production pétrolière transitant dans le pipeline : 60 à 70 millions de barils par an. C'est à cette époque qu'il entra en contact suivi avec le Mossad, où son sens non conventionnel des affaires fut jugé précieux. Malgré l'inconvénient politique de l'oléoduc irano-israélien, dont le secret commençait à transpirer ici et là, le pétrole de la Trans-Asiatic présentait un avantage évident : il revenait

---

1. Voir Daniel Ammann, *Marc Rich, the King of Oil*, St Martin's Press, 2009.

moins cher à transporter. L'un des clients de Rich, l'Espagne de Franco, qui refusait de reconnaître Israël, avait un grand besoin de pétrole pour nourrir sa croissance économique. Elle acheta donc une grande partie des barils offerts par Rich, le reste s'écoulant en Italie et auprès de petites compagnies américaines indépendantes. En 1973, la réussite de l'embargo décidé par les pays producteurs de pétrole après la guerre de Kippour montra que le pétrole était en train de devenir une arme économique à part entière, et surtout un produit spéculatif. Grâce à ses accords de longue durée avec l'Iran, Marc Rich se mit à gagner beaucoup d'argent sur le pétrole qu'il revendait. C'est alors qu'il franchit le pas et créa sa propre société... en Suisse.

Ses bonnes relations avec les Iraniens lui permirent de transférer sur Marc Rich + co AG les accords passés au nom de son précédent employeur. Avec quelques associés, et le soutien financier de Paribas, il ne lui fallut que quelques mois pour créer une activité florissante. Les prix du pétrole étaient alors en pleine explosion : c'était la première fois depuis la Seconde Guerre mondiale que les États-Unis se trouvaient à court de pétrole. Des énormes files d'attente se formaient dans les stations-service. Pour Rich, c'était le paradis. Dès qu'il apprenait par ses réseaux que tel pays envisageait de mettre sur le marché sa production, il envoyait un de ses négociateurs parlant la langue, avec pour instruction de ne pas revenir avant d'avoir emporté le morceau. Tous les coups étaient permis. À l'époque, l'Union soviétique soutenait Fidel Castro en lui offrant des stocks de pétrole à prix cassé. Plutôt que de payer un transport coûteux, Castro confiait le pétrole à Rich, qui le revendait aussitôt avec une confortable marge. Puis, avec les profits, il rachetait du pétrole vénézuelien qu'il livrait au voisin cubain avec un nouveau bénéfice.

Le jeu se compliqua nettement en 1979, lorsque le Shah d'Iran fut renversé par les supporters de l'ayatollah Khomeini, puis que le personnel de l'ambassade américaine fut pris en otage. La révolution islamique risquait de porter un coup douloureux aux activités de Rich, sans parler de l'approvisionnement d'Israël. Les mollahs refusaient désormais tout contact commercial avec les États-Unis et même l'Europe. De leur côté, les États-Unis édictèrent un embargo interdisant à toute organisation soumise aux lois américaines de commercer avec l'Iran. Rich sut alors faire preuve d'audace, et il tira parti de son choix de résidence. Il avait élu domicile pour sa société dans la ville de Zoug pour des raisons essentiellement fiscales. Sans se laisser effrayer par la situation, Rich rendit visite aux responsables de l'énergie iranienne et leur proposa de poursuivre les accords passés à l'époque du Shah. Il dut se montrer très persuasif puisque le régime antisioniste et antiaméricain accepta de travailler avec le Juif américain Marc Rich, en lui confiant 60 à 75 millions de barils par an. Les nouveaux responsables du pétrole iranien avaient été nommés pour leur CV idéologique et non pour leurs compétences techniques. Ils ne connaissaient pratiquement rien au commerce et au transport du pétrole. Rich rendait un service professionnel de qualité et s'abstenait de toute considération politique. Par conséquent sa relation avec l'Iran devait perdurer bien au-delà des évolutions du régime, jusqu'à ce qu'il prenne sa retraite en 1994. En échange de garanties financières, Rich avait la main sur une partie du pétrole iranien. À qui il le vendrait et pour combien était son affaire.

C'est alors que la relation amorcée entre le Mossad et Rich pendant les années 1970 prit tout son intérêt pour Israël, le «petit Satan, ennemi de l'Islam» selon les mots de Khomeini. L'État hébreu était devenu complètement dépendant du pétrole iranien. Sa survie même dépendait de la continuité de la filière iranienne. Conscient de l'enjeu et désireux de soutenir Israël, Rich organisa un circuit complexe permettant d'approvisionner son client tout en préservant les apparences : il écoulait ainsi dans le plus grand secret entre 7 et 15 millions de barils par an vers Israël à un prix supérieur à celui du marché : une sorte de prime de risque. Selon le témoignage d'Avner Azoulay, ancien colonel de Tsahal devenu officier du Mossad et « officier traitant » de Rich, « Israël a une grande dette envers Marc. Il a assuré la fourniture d'énergie à Israël dans les temps les plus difficiles[1] ». Retraité du Mossad, Azoulay fut recruté par Rich, moitié pour organiser sa sécurité, moitié pour gérer sa fondation. Les Iraniens étaient-ils conscients de ce double jeu ? C'est plus que probable, mais cela ne les dérangeait pas outre mesure, du moment que tout restait secret. Après tout, l'islamisme était peut-être soluble dans le business.

Rich devint ainsi un familier et parfois un ami des principaux dirigeants israéliens comme Rabin, Begin, Shamir et Peres. Il était désireux d'aller au-delà du pétrole iranien pour mettre ses contacts commerciaux au service de l'État hébreu. Rich traitait d'égal à égal avec bien des chefs d'État du Sud : en 1980, sa société réalisait un chiffre d'affaires de 15 milliards de dollars et des bénéfices de 260 millions.

Hélas pour lui, les ennuis juridiques pointaient à l'horizon. Fin 1981, deux négociants texans en pétrole qui accomplissaient une peine de prison pour trafic dénoncèrent Rich auprès du FBI, afin d'obtenir une remise de peine. Ils l'accusaient de détourner les profits des opérations réalisées par sa filiale américaine vers des paradis fiscaux.

Normalement un tel cas se règle aux États-Unis en dehors des tribunaux, par un arrangement. Mais le premier avocat de Rich ne prit sans doute pas la véritable mesure de la menace et refusa tout compromis. Lorsque l'affaire se développa et que Rich prit conscience qu'il risquait de faire de la prison et de voir saisis ses biens sur le territoire américain, il prit la fuite avec sa famille. Quand Rudolph Giuliani fut nommé procureur de l'État pour le district sud de New York au printemps 1983, l'affaire se transforma en cirque médiatique. Rich allait devenir un paria pendant près de vingt ans à cause d'une accusation de fraude fiscale certes

---

1. Témoignage recueilli par Daniel Ammann, *op. cit.*

importante en valeur absolue, mais dont le montant présumé équivalait à une petite partie de ses avoirs personnels. Toutes les activités américaines du groupe Rich se trouvaient en danger. Pour préserver son groupe, Rich accepta un arrangement avec Giuliani et le paiement d'une forte amende. Mais Giuliani ne voulait pas inclure la personne de Marc Rich dans cet arrangement, seulement ses entreprises. Il était persuadé de pouvoir obtenir son extradition et de le faire passer en jugement. Rich en prison serait le sommet de sa carrière. Hélas pour lui, les autorités suisses rejetèrent avec obstination toutes les démarches de la justice américaine dans les années qui suivirent. Plus grave, Rich continuait à voyager en Europe pour ses affaires. Le FBI monta plusieurs opérations pour le capturer. Mais à chaque fois, le sagace Avner Azoulay qui avait officiellement quitté le Mossad pour prendre en charge la sécurité de Rich déjouait tous les plans. Au début des années 1990, la Russie sous Boris Eltsine se lançait dans un vaste programme de privatisations. Il y avait des opportunités à saisir pour Marc Rich. Un intermédiaire israélien travaillant pour le cabinet d'intelligence économique Kroll lui proposa de venir rencontrer des officiels russes pour en discuter. Rich était tenté. Azoulay, beaucoup moins enthousiaste, ne voyait pas comment assurer la sécurité de Rich dans ce nouveau Far West qu'était devenue la Russie et il trouvait bizarre qu'on lui offre d'envoyer un avion le chercher. Rich annula son voyage. Il fut bien inspiré : à l'arrivée, les policiers russes l'attendaient pour l'arrêter à la demande d'Interpol. L'intermédiaire avait été manipulé par le FBI pour attirer l'homme d'affaires dans un piège. Azoulay avait ses entrées dans tous les services de renseignement européens, avec qui il avait travaillé par le passé. Il organisait méthodiquement et systématiquement la protection de Rich, où qu'il se trouve. Il recrutait lui-même ses gardes du corps, de préférence israéliens ou suisses. Rich ne passa jamais en jugement devant les tribunaux américains.

Alors que toute la profession le croyait fini, reclus et sur la défensive, Rich n'en continua pas moins de développer son groupe. Il savait comment maintenir des relations d'affaires en dépit des changements de régimes et contourner les problèmes d'embargo. Il travaillait avec l'Afrique du Sud au temps de l'apartheid, achetant du pétrole à l'URSS, qui boycottait pourtant le régime de Pretoria, pour le revendre clandestinement à l'Afrique du Sud, largement au-dessus du prix du marché! Aucun régime ne lui faisait peur. Au début des années 1990, son groupe opérait dans cent vingt-huit pays et «pesait» 30 milliards de dollars.

Rich continuait à rendre des «services» à Israël. En 1979, l'État hébreu s'était réconcilié avec son vieil ennemi, l'Égypte, *via* les accords de Camp David. En 1985, la relation entre les États connut un refroidissement lorsqu'un groupe de touristes israéliens fut attaqué par un policier égyptien dans le Sinaï: sept personnes furent abattues ce jour-là. Une grave crise diplomatique s'ouvrit. Les familles et l'opinion publique israélienne réclamaient de lourdes réparations financières de l'État égyptien, que ce dernier n'avait nulle intention d'accorder. La seule survivante du groupe était une citoyenne israélo-américaine. Les États-Unis, qui soutenaient financièrement aussi bien l'Égypte qu'Israël, voulaient qu'une solution soit rapidement trouvée. Finalement le Département d'État américain proposa une compensation au gouvernement égyptien pour qu'il règle le problème. Le Département d'État avait mandaté un avocat, ancien de l'équipe Nixon et bon connaisseur de la région, pour étudier les solutions possibles. Cet avocat se trouvait aussi défendre les intérêts de Rich. Pour débloquer la négociation, ce dernier lui proposa de contribuer à hauteur de 500 000 dollars aux indemnisations. Le Département d'État ne vit pas d'inconvénient à ce que le fugitif Rich, recherché par la justice américaine, contribue financièrement à la pacification des relations israélo-égyptiennes.

Le Mossad avait pris l'habitude de faire appel à Rich, un «homme à services» dans bien des cas. Notamment son carnet d'adresses en Iran, en Syrie et dans les États du Golfe pouvait se révéler précieux. Les contacts de Rich permirent d'obtenir la libération de soldats israéliens retenus prisonniers en Syrie et en Iran. Parmi les missions du Mossad figurait aussi l'évacuation des Juifs de pays en état de crise, quand la sécurité de la communauté était en jeu. À plusieurs reprises, Rich apporta son appui logistique et financier à ses opérations, notamment en Éthiopie et au Yémen. En Éthiopie, frappée par la guerre civile, l'opération «Moïse» permit d'évacuer des dizaines de milliers de Juifs vers Israël en 1984-1985. Un an auparavant, quand Rabin avait rencontré en secret le président marxiste Mengistu pour lui demander à quelle condition il accepterait de laisser partir des Juifs, ce dernier avait réclamé une aide médicale. Rich accepta à la demande d'Azoulay de prendre en charge les frais financiers d'un hôpital en Érythrée. Et les premiers groupes de Juifs furent autorisés à émigrer. Dix ans plus tard, Rich accepta de financer une opération similaire au Yémen.

C'est en raison de tous les services rendus par Rich à Israël que le patron du Mossad, Shabtai Shavit, entreprit de plaider la cause de l'homme d'affaires auprès du président américain Bill Clinton. Shimon Peres intervint à son tour à plusieurs reprises, et de la façon la plus pressante qui soit. Avner Azoulay était à la manœuvre et sollicitait toutes les éminences qu'il pouvait trouver parmi les amis d'Israël. Ehud Barak accepta de téléphoner au président Clinton le jour même où il recevait la demande de grâce. Autre atout dans la manche, l'ex-femme de Rich, Denise, vivait désormais aux États-Unis où elle était une généreuse contributrice du Parti démocrate. Elle non plus ne ménagea pas ses efforts pour son ancien mari. Accorder ou non la grâce présidentielle à un homme aussi controversé que Marc Rich devint l'une des questions les plus brûlantes dans l'entourage du président Clinton alors que l'on s'acheminait vers la fin de son mandat en janvier 2001. Le débat entre ses conseillers fut sans doute houleux, et le président hésita jusqu'aux toutes dernières heures de son mandat. Il signa finalement la grâce présidentielle dans la nuit du 19 au 20 janvier, juste avant de se préparer pour la cérémonie de passation de pouvoirs. Cette grâce de dernière minute offerte à un homme présenté autrefois comme un financier voyou allait lui valoir des critiques enflammées dans la presse et jusqu'au sein du Parti démocrate. Quelle qu'en ait été la raison, les hommes du Mossad et les dirigeants d'Israël, toutes tendances confondues, avaient su accomplir l'union sacrée pour rendre service à un homme qui s'était montré si précieux, en de nombreuses occasions, pour la sécurité d'Israël.

L'espion qui produisait des films

Le 18 septembre 2008, le Tout-Hollywood était réuni dans la grande salle de cérémonie du studio Paramount, pour l'une de ces soirées à robes longues et nœuds papillons dont il a le secret : il s'agissait ce soir-là de remettre un prix « pour l'ensemble de son œuvre » au producteur de nombreux films à succès comme *Fight Club*, *La Guerre des Rose*, ou *Mr & Ms Smith*. Parmi les stars qui défilaient sur scène pour célébrer l'homme du jour, on remarquait Robert de Niro, Brad Pitt, Nicole Kidman, Martin Scorsese et d'autres encore. Au milieu des commentaires forcément élogieux, beaucoup s'accordèrent à célébrer sa force de caractère, son aspect visionnaire, sa capacité à concilier les extrêmes. Aucun ne mentionna ce qui pourtant le définirait le mieux : l'homme que Hollywood célébrait ce soir-là était un des plus grands maîtres espions d'Israël, et il avait procuré à son pays, au cours des dernières décennies, une quantité impressionnante de technologies américaines, par des moyens pas toujours légaux.

Arnon Milchan est né en 1944 au sein d'une famille nombreuse dans la ville de Rehovot, alors une des plus dynamiques de la Palestine sous mandat britannique, sur une terre de vignobles et d'orangers autrefois cultivée par son grand-père. Quatre ans plus tard, grâce à un vote des Nations unies, Rehovot se trouvait faire partie d'un petit pays de pionniers et de survivants des camps, bientôt assiégé par ses voisins arabes. Après la guerre, la région entama sa transformation en centre technologique et scientifique. La famille Milchan se lança dans l'industrie des fertilisants et la distribution de carburants. Après ses premiers succès, elle installa ses bureaux à Tel-Aviv. Arnon fut donc élevé au milieu de l'élite ashkénaze (issue de l'émigration européenne) et se distingua rapidement par sa vivacité d'esprit et son hyperactivité. L'adolescent fut envoyé dans une école chic anglaise, afin de lui donner un vernis cosmopolite. Il s'y distingua par ses talents au football et y fit aussi sa première expérience de l'antisémitisme. Après son service militaire, le jeune homme fut envoyé en Suisse pour y suivre des études de chimie et se préparer à travailler dans l'entreprise familiale de fertilisants.

Mais en 1965, il dut interrompre brutalement ses études pour rentrer au chevet de son père, mourant. À 21 ans, il lui fallut reprendre les rênes de l'entreprise familiale. À cette époque, la société était au bord de la faillite et ses partenaires ne donnaient pas cher du nouveau P-DG. En inventoriant les dossiers de son père, Arnon fit une découverte qui allait changer le cours des événements. La société n'était pas seulement, comme il le croyait, engagée dans le domaine agricole. Dans le plus grand secret, elle avait aussi développé une petite mais prometteuse activité d'import-export en armement! Capitalisant sur cette première expérience, Arnon réussit à maintenir la société à flot et à la développer au-delà de tout ce que l'on aurait cru possible. Totalement ignorant en matière d'armes, le jeune homme s'abonna à toutes les revues spécialisées de la planète, apprit par cœur les noms de tous les fabricants et les contacta tous en leur proposant de devenir leur représentant exclusif en Israël. Il obtint plusieurs rendez-vous et quelques contrats. Il fit à cette époque la connaissance de deux personnages capitaux pour son travail mais aussi pour le tour qu'allait prendre sa vie. L'un d'eux était le célèbre Moshe Dayan, vétéran de Tsahal et ministre de la Défense; l'autre, moins célèbre à l'époque, se nommait

Shimon Peres: il était alors sous-ministre de la Défense après avoir été directeur général du ministère, en charge d'achats d'armes (comme on l'a vu lors de ses escapades parisiennes). Ce fut le début d'une relation qui allait faire basculer Arnon dans le monde obscur du renseignement.

Après quelques mois de fréquentation amicale, Peres informa Milchan du «grand secret» d'Israël: son programme nucléaire clandestin, développé avec l'aide des Français. Il lui présenta l'homme à qui il avait confié la sécurité du programme: Benjamin Blumberg, ancien responsable du contre-espionnage et de la sécurité au ministère de la Défense. Ce dernier était en train de monter une agence secrète, chargée de se procurer l'équipement et les matériels indispensables au programme israélien, mais en principe impossibles à acquérir sur le marché légal. Cette agence, installée dans un bâtiment du ministère de la Défense, serait si secrète que même le Mossad ne serait pas informé de son activité. Au début des années 1970, elle serait baptisée «Bureau de liaison scientifique» ou Lakam, et surnommée, par certains initiés, le «Mossad II». Elle devait acquérir les équipements nécessaires au programme nucléaire par tous les moyens, y compris la tromperie, le vol et la force. En effet, à cette époque la relation avec la France était en train de se refroidir et il était urgent de trouver d'autres canaux d'approvisionnement. Système de guidage de missiles, centrifugeuses, carburant pour fusées, équipement de vision nocturne, lasers... la liste des demandes allait bientôt ressembler à un inventaire à la Prévert et excéder largement les besoins du programme nucléaire pour couvrir tous les secteurs de la défense israélienne au fur et à mesure que les succès s'accumuleraient et que la notoriété du Lakam déborderait certains cercles étroits.

Une commission secrète de scientifiques fut formée pour définir les besoins prioritaires. Elle se réunissait chaque semaine pour établir les listes d'objectifs, précisant où on pouvait se les procurer. Qui s'en chargeait ensuite et par quels moyens? Les membres n'avaient pas besoin de le savoir. Pendant les années 1970, le Lakam fut si discret qu'aucune des agences de renseignement occidentales ne soupçonna son existence, alors même qu'il agissait sur la plupart de leurs territoires. Dans son étude sur le système du renseignement israélien saisie par les Iraniens lors de la prise d'otages de l'ambassade des États-Unis à Téhéran en 1979, la CIA identifia correctement la recherche technologique dans les pays amis comme une des priorités israéliennes. Mais elle ne soupçonna pas l'existence d'une agence distincte chargée de cette mission. De ce fait, les soupçons et la surveillance du contre-espionnage restèrent longtemps focalisés sur les équipes du Mossad, laissant le champ libre aux francs-tireurs du Lakam. D'autant plus francs-tireurs que certains, à l'image d'Arnon Milchan, avaient sur le territoire américain une véritable et légitime activité économique.

Après avoir révélé à son ami Arnon les dessous de la politique de défense israélienne, et constaté avec satisfaction que sa motivation à servir Israël dans un environnement dangereux était inchangée, Shimon Peres le mit entre les mains de Benjamin Blumberg, dont le jeune entrepreneur allait devenir un des plus importants agents. En apparence, le quinquagénaire Blumberg tenait plus du bureaucrate que du maître espion, avec son physique quelconque, sa voix douce et son air sinistre. Mais les deux hommes développèrent rapidement une amitié durable, au point que Milchan fut vite considéré au sein du service comme le chouchou du patron.

Aux yeux de Blumberg, l'audacieux et créatif Arnon Milchan correspondait parfaitement au profil d'agents qu'il souhaitait recruter pour compléter son réseau d'attachés militaires : des hommes d'affaires légitimes, avec de véritables activités, et suffisamment patriotes pour prendre des risques au service du Lakam. On le forma donc à toutes les techniques qu'il aurait besoin de maîtriser au cours de ses missions : comment créer des sociétés écrans, jongler avec les comptes bancaires offshore, la technique des faux documents de destination pour le commerce d'armes, etc. Des compétences qui lui seraient également d'une grande utilité pour développer ses affaires. Arnon reçut aussi une formation sur le recrutement et la manipulation de sources. Et il se fit la main avec quelques petites «courses» pour le Lakam. Besoin de 1000 tonnes de perchlorate d'ammonium? De radars de précision? À chaque fois, Arnon trouvait la solution. Pas de doute, il était prêt pour des missions à risque…

Après quelques mois d'immersion dans le monde du renseignement, Milchan put prendre l'initiative et surprendre ses recruteurs. Il fit à ses amis Shimon Peres et Moshe Dayan une proposition qu'ils ne pouvaient pas refuser. D'ores et déjà, sa société était le représentant non exclusif en Israël de plusieurs industriels de l'armement et de l'aviation. Si le ministère de la Défense expliquait de façon officieuse à ces industriels que Milchan était dorénavant le point de passage obligé, ce dernier s'engageait à reverser ses commissions sur les contrats aux fonds secrets du ministère, et donc du Lakam! Les commissions seraient versées par les industriels sur des comptes secrets à l'étranger, ce qui permettrait ensuite de financer des missions qui ne devaient laisser aucune trace. *De facto*, Milchan devenait le banquier occulte des grosses opérations secrètes du renseignement israélien à l'étranger: non seulement celles du Lakam, mais aussi parfois celles du Mossad. Lui seul connaissait l'ensemble des comptes ouverts un peu partout dans le monde et les avoirs disponibles dans chacun d'eux. En fonction des besoins, il faisait mettre à disposition de tel agent dans tel pays une somme en liquide dont la provenance serait impossible à établir. Il pourrait aussi s'en servir pour régler des achats de matériels… ou pour payer une rançon ou un pot-de-vin. Ce qui ne signifie pas que Milchan soit informé de chaque mission en détail: il devait en savoir le moins possible, uniquement ce qui était nécessaire pour mettre à disposition une certaine somme à l'usage d'une certaine personne… Ce seul rôle donnait au jeune homme un pouvoir considérable, mais ses ambitions ne s'arrêtaient pas là.

L'entrepreneur fit à ses amis une deuxième suggestion : il offrit d'établir notamment aux États-Unis des filiales de son groupe, qui serviraient de couverture aux activités du service. Il devenait ainsi un rouage essentiel du dispositif. Ce qui ne pouvait avoir que des effets positifs sur son business avec le ministère de la Défense. Comment en effet refuser à un allié si précieux un petit coup de pouce de temps à autre, surtout s'il ne laisse pas de trace ?

Représentant en Israël de Sud-Aviation (qui deviendrait Aérospatiale en 1970), Milchan était l'importateur des hélicoptères Super Frelon, qui jouèrent un rôle-clé pendant la guerre des Six-Jours. Mais cela ne lui suffisait pas. Apprenant que la firme américaine Raytheon négociait une énorme vente de missiles Hawk avec Israël, Milchan se rendit au Salon de l'Air de Paris en 1967, s'arrangea pour être invité sur le stand Raytheon et laissa entendre aux représentants américains qu'il avait entendu parler par «son ami Moshe Dayan» du deal, «qui risquait de ne pas se faire pour des raisons de prix». Il leur proposa d'appeler directement «Moshe» qui se fit un plaisir de confirmer le «problème» et de conseiller que Raytheon travaille avec son ami «Arnon». Impressionnés, les Américains acceptèrent de désigner Arnon comme leur agent exclusif. La fructueuse relation d'affaires devait durer plus de vingt ans, avec les retombées que l'on imagine. Milchan prouva en cette occasion qu'une formation d'espion peut aussi être utile dans les affaires.

Au fur et à mesure que celles-ci prenaient de l'ampleur, Milchan créait de nombreuses sociétés, certaines sans lien apparent avec Israël, de façon à pouvoir acheter des matériels interdits à Israël sous peine d'un boycott des pays arabes : ainsi la firme italienne Agusta – constructrice des Agusta-Bell 205 et des hélicoptères «Iroquois» – ne pouvait les vendre à Israël sans prendre le risque de fâcher les pays du Golfe qui constituaient une part essentielle de sa clientèle. Arnon trouva la solution en achetant des avions au nom de divers pays en voie de développement. Évidemment, les services de renseignement des pays arabes finirent par identifier la manœuvre. Il fut désormais interdit aux industriels de l'aviation de travailler avec toute société ayant quelque activité que ce soit avec Israël. Milchan répliqua en créant un chapelet de sociétés qui se revendaient le matériel entre elles, jusqu'au client final. En 1977, le Congrès américain vota une loi qui interdisait aux sociétés américaines d'obéir aux boycotts des pays arabes. À partir de là le jeu du chat et de la souris put enfin cesser.

Pendant les années 1970 et 1980, Milchan fut le bénéficiaire numéro un du développement exponentiel de l'aide militaire et économique apportée par les États-Unis à Israël, l'homme-clé des gros contrats de la Défense, et ce quels que soient les changements politiques au niveau gouvernemental. S'il était l'ami de Shimon Peres, il devint aussi celui d'Ariel Sharon, et plus tard de Benyamin Netanyahou. Un homme de sa trempe ne pouvait être soumis aux aléas partisans de la vie politique israélienne… Arnon était désormais un de ceux qui tirent les ficelles de la vie israélienne. Et on le sollicitait désormais pour toutes sortes d'affaires, qui en retour nourrissaient son carnet d'adresses.

Dans le cadre d'une négociation de grande ampleur entre la société publique Israel Aircraft Industries et North American Rockwell (une compagnie américaine qui serait plus tard rachetée par Boeing), Milchan fut un jour chargé d'accueillir et de cornaquer un des vice-présidents de la société américaine, le docteur Richard Kelly Smyth. Cet ingénieur de formation avait débuté sa carrière dans les systèmes de guidage de missiles avant d'être nommé comme expert dans diverses commissions par le Pentagone et la NASA. Pris en charge par Milchan, Smyth tomba comme beaucoup d'autres sous son charme, avant d'être présenté à Moshe Dayan. Les Israéliens voulaient associer Rockwell à un contrat de construction de stations radar à la frontière irano-soviétique, qui pourraient servir les intérêts du renseignement israélien et américain. La manœuvre s'annonçait délicate pour Rockwell qui ne pouvait pas s'aliéner les pays arabes. Sur cette affaire, le Lakam faisait intervenir Milchan non pas comme importateur, mais comme facilitateur à l'exportation, un rôle nouveau pour lui, dans lequel il y avait cette fois des commissions personnelles à la clé. Milchan se chargea de présenter à Smyth toutes les stars de la politique et de l'armée israélienne, manière de l'impressionner par son entregent et son carnet d'adresses. Dans le même temps, les agents de liaison avec la CIA et le Pentagone faisaient valoir tout l'intérêt qu'il y aurait pour les États-Unis d'accéder à des écoutes à la lisière du territoire soviétique.

Smyth, qui connaissait par cœur le labyrinthe administratif de Washington, fut convaincu par Milchan de solliciter et réunir toutes les autorisations d'exportation pour que le projet puisse être lancé. Au cours de son séjour, il donna les indices d'une opinion très pro-israélienne et se montra sensible au style de vie luxueux dans lequel son guide le plongeait. Milchan appliqua à la lettre les techniques qu'on lui avait appris pour s'attacher son amitié et en faire peut-être un jour une recrue.

Ce dossier, rondement mené par Milchan à la demande du Lakam, lui ouvrit les portes de l'Iran où il développa de nombreux contacts et contrats, pour lui et pour ses clients comme Raytheon. Les commissions qu'il encaissait sur ces ventes en Iran allaient dans sa caisse personnelle. Sa percée sur le marché iranien fit un jaloux de poids : Yaacov Nimrodi avait été l'attaché militaire israélien et surtout le chef de poste du Mossad à Téhéran jusqu'à sa démission en 1970. Il estimait, non sans raison, avoir à lui seul développé un fort courant d'affaires entre Israël et l'Iran que l'on peut résumer de la façon suivante : du pétrole et du gaz pour Israël, des armes et de la formation pour l'Iran. Cette formation avait été jusqu'à mettre sur pied la police secrète du Shah, la redoutable Savak. Ayant l'oreille du Shah, qui le consultait pour toutes les affaires d'importance, Nimrodi recevait l'élite iranienne dans ses bureaux et au cours de luxueuses réceptions. Déçu par le peu de récompenses et de promotions que lui avait valu son travail, Nimrodi se mit à son compte à partir de 1970, se positionnant comme le principal intermédiaire commercial entre les deux pays. L'arrivée de Milchan à cette époque troublait son jeu. Pourtant les deux hommes ne s'affrontèrent pas directement. La stratégie de Milchan était devenue beaucoup plus large : son groupe était présent dans une trentaine de pays. Qui plus est, il sentit à partir de 1978 que le régime commençait à vaciller, ce que Nimrodi voulut ignorer jusqu'à la fin.

En 1972, alors que le projet iranien de IAI-Northrop était très avancé, Milchan proposa au docteur Smyth, dont il cultivait l'amitié depuis plusieurs années, de travailler pour lui et de se constituer par la même occasion un complément de revenu. L'idée était d'utiliser sa parfaite connaissance de l'industrie et de l'administration américaine pour mettre sur pied une filière d'exportation de matériels divers, en toute légalité bien entendu. Milchan lui remonterait les commandes de ses clients israéliens et se chargerait de les commercialiser. Il était inutile de préciser à ce stade que les clients israéliens se résumaient au Lakam.

Séduit par la perspective de devenir son propre patron, d'améliorer son train de vie et de travailler avec le charismatique Milchan, Smyth parvint à « vendre » son projet de création d'entreprise de façon à satisfaire les dirigeants de Northrop : ils étaient plus mal à l'aise que jamais dans leur relation d'affaires avec Israël, à laquelle leurs clients saoudiens exigeaient qu'il soit mis fin. La création par un de leurs cadres d'une société indépendante qui assumerait le commerce avec Israël permettait d'arranger les choses vis-à-vis des pays arabes. Smyth pourrait même conserver son poste au conseil d'administration de Rockwell, ce qui lui permettrait de maintenir du même coup son accréditation « secret-défense » et de rester informé des plus récents développements technologiques. Cerise sur le gâteau, travailler pour Milchan lui laisserait aussi le loisir de facturer ses conseils à d'autres clients.

Au début des années 1970, la plupart des objets que le Lakam cherchait à obtenir pour le programme nucléaire israélien étaient des produits de technologie duale, c'est-à-dire qu'ils pouvaient servir à des usages militaires ou civils. Certains composants pouvaient être achetés séparément mais devenaient interdits d'exportation une fois assemblés. Beaucoup de pièces n'étaient ni formellement en vente libre, ni totalement interdites d'exportation, mais relevaient de décisions complexes prises par d'obscures commissions administratives à l'issue de processus tortueux. La connaissance fine de cet univers par Smyth était essentielle à la réussite du plan. Pour d'évidentes raisons, Milchan ne devait pas apparaître dans la société de Smyth, contrôlée à 100 % par ce dernier. Mais il était entendu que ses bénéfices seraient répartis entre Smyth et Milchan à 40/60, puisque Milchan serait son unique client *via* une société écran créée spécialement pour l'occasion (dans laquelle, là non plus, il n'apparaissait pas en personne). En janvier 1973, Smyth fraîchement démissionnaire de Northrop créait donc Milco International (allusion transparente et imprudente à «Milchan Company»). Les premières commandes qu'il reçut concernaient surtout le programme de missiles balistiques Jéricho II. L'année suivante, Smyth accepta une mission chez Martin Marietta corporation, en Floride. Cette société fabriquait les missiles nucléaires à moyenne portée Pershing et développait alors les Pershing II. Curieusement, c'est à ce moment que le programme israélien de missiles Jéricho commença à faire de remarquables progrès technologiques, tandis que Smyth réintégrait après quelques mois son fauteuil de direction dans les locaux de Milco en Californie.

La beauté du dispositif Milco est qu'il fonctionnait sous les yeux mêmes de la CIA, que le docteur Smyth informait de ses activités pour conserver son accréditation secret-défense. On peut trouver étrange qu'elle n'ait pas réagi. Mais d'une part elle n'avait pas pour mission de surveiller la légalité des exportations de tel ou tel intervenant et s'en remettait aux autorités administratives compétentes; d'autre part, l'agence fonctionnait désormais sur plusieurs terrains, comme l'Afrique, par l'intermédiaire du

Mossad et elle n'avait nulle envie de provoquer une tension avec ce précieux partenaire en posant des questions gênantes. Néanmoins elle finit par faire son travail en informant le président Gerald Ford, désigné après la démission de Richard Nixon, par un mémo top-secret signé de son directeur William Colby : « Le risque de prolifération nucléaire ». Ce texte décrivait sans ambiguïté le schéma global d'acquisitions technologiques par Israël, les moyens dont l'État hébreu disposait d'ores et déjà ainsi que les buts qu'il se donnait. Milco n'y était pas cité nommément. À l'arrivée du nouveau président, Colby avait décidé d'ouvrir le parapluie en informant de manière détaillée le nouveau chef d'État, ce qui était une manière détournée de réclamer des instructions sur ces agissements. La CIA eut sa réponse : la Maison-Blanche ne réagit pas.

Après la guerre de Kippour de 1973, qui avait montré pour la première fois l'armée d'Israël en difficulté, la priorité du ministère de la Défense fut à la modernisation de ses troupes. Il devenait crucial qu'elles disposent toujours des technologies les plus en pointe pour ne pas se retrouver acculées lors de la prochaine guerre. De leur côté, les États-Unis accordaient désormais à Israël des aides toujours plus considérables… à dépenser auprès de l'industrie américaine. Ce fut une période faste pour les entreprises d'Arnon Milchan et pour ses clients, en particulier Raytheon.

C'est lors d'une visite privée dans les installations nucléaires de Dimona que Milchan entendit pour la première fois parler du krytron. Les krytrons sont utilisés dans les photocopieuses et nombre d'appareils médicaux. Ils ont aussi un usage comme détonateur de bombe nucléaire, ce qui est moins connu. Une seule société les fabriquait aux États-Unis à l'époque et leur exportation était sérieusement réglementée. En 1975, on demanda à Smyth d'en acheter quatre cents et, comme c'était la règle, il remplit la licence d'exportation de munitions requise pour ce type de matériel, qui fut cette fois refusée. En 1976, un nouvel essai fut à nouveau infructueux. Cette fois, la CIA commença à se poser des questions sur les activités de Milco.

Pendant ce temps, celles de Milchan continuaient à se développer un peu partout dans le monde. L'homme d'affaires fut informé par son mentor Peres du rapprochement en cours entre Israël et l'Afrique du Sud. Ce pays africain allait devenir le premier marché israélien pour l'armement. Cette fois encore, Milchan allait servir d'agent commercial à cette part de l'industrie israélienne, alors en plein essor. On demanda aussi à Milchan de seconder l'effort de réhabilitation médiatique tenté par le gouvernement sud-africain, qui consistait à racheter les journaux et magazines susceptibles de faire évoluer l'opinion publique internationale. Après quelques séjours en Afrique du Sud, Milchan de plus en plus mal à l'aise avec les réalités du régime laissa vite tomber cette activité.

Pendant cette époque, il développa aussi des relations commerciales avec Taïwan, qui souffrait alors du rapprochement diplomatique entre la Chine continentale et les États-Unis. L'oncle Sam ne pouvait plus décemment vendre d'armes au frère ennemi taïwanais de ses nouveaux amis chinois, mais rien n'empêchait qu'Israël se substitue à lui comme partenaire commercial. C'est ainsi que jusqu'à 20 % du chiffre d'affaires de Milco fut réalisé à la fin des années 1970 avec Taïwan. Dans les années 1980, le rapprochement entre la Chine et Israël conduirait l'État hébreu à réduire à son tour ses exportations vers Taïwan, mais entretemps le groupe Milchan aurait bénéficié de plusieurs beaux marchés.

En 1979, les Israéliens avaient plus que jamais besoin de krytrons. On demanda à Smyth, qui avait au cours des années précédentes fourni jusqu'à 80 % des demandes annuelles du Lakam en matériel, de retenter un achat mais en petite quantité. Pour ne pas se voir opposer le même refus à l'exportation de munitions, Smyth considéra qu'un krytron pouvait s'apparenter à la catégorie « diodes, triodes, pentodes » pour laquelle il n'y avait pas besoin d'autorisation… ce qui était un peu risqué après s'être vu refuser par deux fois l'autorisation dans une autre catégorie. Mais cela fonctionna. Milco se mit donc à envoyer avec chaque chargement une petite quantité de krytrons.

En 1981, le Lakam changea de tête pour la première fois, sur décision du nouveau ministre de la Défense, Ariel Sharon, qui trouvait Blumberg trop proche de Peres à son goût pour un poste aussi sensible. Il le remplaça par Rafi Eitan, un ami et ancien du Mossad alors âgé de 55 ans. Eitan était déjà à l'époque une légende du renseignement israélien. Ancien du Shin Bet et du Mossad, il avait commandé l'équipe qui captura Eichmann à Buenos Aires en 1960. À la fin des années 1960, il faisait partie de l'équipe qui travailla sur l'affaire NUMEC, permettant le rapatriement d'une grosse quantité d'uranium enrichi. Ce qui montre au passage que le Lakam n'était pas sans contact avec le Mossad, comme on l'a dit par la suite. Dans les années 1970, Eitan devint directeur adjoint des opérations du Mossad. C'était un petit homme myope et presque sourd d'une oreille, mais il ne fallait pas se fier à son allure. John Le Carré prit Eitan comme modèle pour son personnage de Marty Kurtz dans *La Petite Fille au tambour*, qui traque sans relâche les terroristes palestiniens. En 1976, Eitan quitta le Mossad pour travailler auprès de son ami Ariel Sharon, devenu conseiller de Rabin pour les affaires de sécurité. Puis il partit dans le privé, où il s'ennuya ferme. C'est pourquoi il accepta bien volontiers en 1978 de devenir conseiller antiterrorisme du Premier ministre Begin, à l'instigation de son mentor Sharon. Et il sauta en 1981 sur l'opportunité de diriger le Lakam. Il avait conservé avec lui un fichier de sources et de *sayanim* du Mossad en territoire américain, pensant que certains noms pourraient lui être utiles. Parmi eux, un certain Jonathan Pollard, analyste du renseignement naval, affecté au centre antiterroriste de Suitland dans le Maryland. Pollard était un Juif militant, choqué de voir que le renseignement américain ne partageait pas toutes ses informations sur le Moyen-Orient avec le Mossad. Il avait commencé à fournir des copies de rapports d'une grande valeur. Après plusieurs mois de production, le Mossad avait décidé de laisser cette source «en jachère» pour ne pas l'exposer inutilement. Eitan saisit l'occasion de la réactiver, dans un premier temps pour sa plus grande satisfaction, sans savoir que Pollard allait le mener à perdre son poste quelques années plus tard.

En attendant, l'une des premières mesures du nouveau patron du Lakam fut d'inviter Milchan à déjeuner pour s'assurer que sa coopération avec le service se poursuivrait.

Mais quelques jours plus tard survint une première alerte du côté de Smyth : le quatorzième chargement de krytrons qu'il reçut de l'usine auprès de laquelle il les commandait était revêtu d'un autocollant dissuasif. «AVERTISSEMENT : l'exportation de ce produit nécessite une licence d'export de munitions.» Dans le nouveau manuel d'exportation de munitions, les krytrons figuraient désormais explicitement à la catégorie des pièces pour armes nucléaires. Smyth prit alors une décision qu'il allait regretter toute sa vie : il enleva l'autocollant et expédia la cargaison.

Quelques jours plus tard, au Nouvel An 1983, un ou des cambrioleurs pénétraient dans les entrepôts et les bureaux de Milco et saisissaient les ordinateurs. Smyth ne put que déclarer l'effraction et répondre aux questions du FBI. Très effrayé par ce qui était en train de se passer, il mentionna les krytrons et le fait qu'il avait peut-être commis une erreur involontaire en les expédiant. Il tenta ensuite de joindre Milchan, qui ne répondit pas. Le Lakam était déjà passé en mode «contrôle des dommages» et Milchan avait instruction de ne plus parler à Smyth. Le FBI ne tarda pas à mettre la main sur l'auteur du cambriolage, un adolescent qui avait stocké le produit de son larcin dans le garage de ses parents. Mais cela ne mettait pas un point final à l'affaire. Désormais le FBI s'intéressait de très près aux produits commercialisés par Milco, et resserrait son étreinte sur Smyth et son épouse, également salariée de la société. Pendant ce temps, Milchan avait cessé toute commande, et la société n'enregistrait plus aucune entrée de fonds.

Début 1985, Smyth était dans le collimateur de la justice américaine, qui avait obtenu la preuve des précédentes demandes de licence d'exportation de Milco pour des krytrons. Smyth ne pouvait donc plus prétendre avoir agi par ignorance des règles. Milco était la première victime d'un programme d'action des douanes, ironiquement baptisé opération «Exodus», pour mettre fin à l'exportation de technologies duales. Sur le point d'être inculpé, Smyth s'envola avec sa famille. Ils arrivèrent en Israël comme touristes, alors que la presse américaine annonçait son inculpation. Sa présence sur le sol israélien devenait embarrassante. Il était temps de passer au niveau politique pour mettre fin à l'affaire. Des représentants du gouvernement israélien expliquèrent à l'administration Reagan que les krytrons acquis par Israël avaient servi pour des applications militaires classiques, autrement dit non nucléaires. En toute bonne foi, Israël proposait de restituer ceux qui n'avaient pas été utilisés, ce qui fut fait.

Presque au même moment, Shimon Peres recevait la visite officieuse d'un conseiller de Ronald Reagan, qui sollicitait son aide pour obtenir de l'Iran la libération d'otages américains retenus au Liban. C'était le début du second canal par lequel Israël vendit des armes à l'Iran dans l'espoir d'obtenir des libérations d'otages. Milchan n'y prit aucune part, son adversaire Nimrodi ayant préempté le marché afin de rétablir sa position en Iran. Ce que l'on peut en revanche observer, c'est qu'à partir du moment où l'administration Reagan sollicitait les Israéliens pour une mission clandestine des plus délicates, il ne fut plus question d'Arnon Milchan et des activités occultes du Lakam. De retour en Californie, Smyth dut en revanche affronter la perspective d'un procès des plus sévères : il encourait jusqu'à cent cinq ans de prison ! Entretemps, en novembre 1985, le public américain avait appris l'arrestation par le FBI d'un espion au service d'Israël : Jonathan Pollard, une affaire qui allait grossir jusqu'à devenir l'une des plus grandes crises entre Israël et les États-Unis. On commençait alors dans les médias à parler du Lakam.

Le couple Smyth décida à cette époque de s'enfuir pour de bon, et partit s'installer en Suisse, avant d'emménager en 1986 dans la station balnéaire espagnole de Malaga. C'est là qu'il devait être retrouvé par la justice américaine en juin 2001, pour une raison des plus banales : ayant atteint l'âge de 65 ans, et presque à bout de ressources, Smyth s'était risqué à faire valoir ses droits à la retraite auprès de la sécurité sociale américaine, calculant que l'énorme machine administrative ne ferait pas le lien avec un fugitif. Il avait tort.

Vingt ans après les faits qui lui étaient reprochés, Smyth fut donc arrêté et extradé vers les États-Unis. La justice le condamna à une peine de quarante mois de prison. Il fut libéré et mis en probation en 2005, et totalement libre en 2006.

Il serait raisonnable de penser que pendant toute cette affaire, ou du moins la période la plus chaude, entre 1983 et 1985, Arnon Milchan fit profil bas dans le monde des affaires et évita de visiter les États-Unis. Il n'en est rien. Dans les années 1980, le toujours hyperactif et insatiable Arnon Milchan ajouta une corde à son arc : après quelques investissements ponctuels dans le cinéma, il aspirait à devenir un producteur à part entière. Bien entendu, il ne pouvait pour cela faire valoir aucune expérience sérieuse du métier.

L'histoire d'Hollywood est d'une certaine manière celle d'un gouffre financier qui a vu défiler nombre de gogos richissimes, éblouis par ce monde de stars et d'illusion. Dans les seules années 1980, Sony (acquéreur de Columbia) et le Crédit lyonnais (dans l'affaire MGM) ont payé pour apprendre qu'un investissement dans un studio hollywoodien est rarement rentable et qu'on s'y fait plumer plus souvent qu'à son tour, avec le sourire. C'est dire si l'arrivée d'Arnon Milchan dans la Mecque du cinéma provoqua des ricanements, du moins chez ceux qui prirent la peine de l'écouter. Néanmoins, avec la même détermination qu'il avait mis à apprendre le business des armes, l'entrepreneur décida de se réinventer une nouvelle fois comme producteur. Il n'est pas possible de livrer ici le détail de cette odyssée, que l'on trouvera dans sa biographie officielle. Le démarrage fut chaotique, mais témoigna d'une certaine qualité de jugement cinéphilique : Martin Scorsese (*The King of Comedy*, 1983), Sergio Leone (*Il était une fois en Amérique*, 1984) et Terry Gilliam (*Brazil*, 1985). Trois fortes personnalités, trois tournages catastrophiques (dont le dernier se solda par un conflit ouvert avec le studio chargé de distribuer le film), mais à l'arrivée deux films cultes. À l'issue de cette première séquence qui aurait pu tuer la plupart des producteurs expérimentés, Arnon Milchan reconnut qu'il fallait peut-être devenir un peu plus grand public. Après quelques essais moyennement convaincants, il acheta pour une bouchée de pain un scénario qui avait été rejeté par presque tout Hollywood. Et qui devint *Pretty Woman*, le « carton » de l'année 1990.

Depuis lors, plus personne ne ricane à Hollywood sur le passage d'Arnon Milchan, dont les productions naviguent entre le familial (les séries *Sauvez Willy*, *Alvin et les Chipmunks*, *Fantastic Mr Fox*), le film d'action (*Under Siege*, *Mr & Ms Smith*), le film de vampires et le polar haut de gamme (*Heat*, *LA confidential*). Devenu une figure du Tout-Hollywood, Arnon arrive même à être en affaires simultanément avec des ennemis jurés comme Summer Redstone, le patron de Viacom, et Rupert Murdoch, le propriétaire de la Fox. En 1991, surfant sur la vague de *Pretty Woman*, il a créé son propre mini-studio, New Regency, en association avec Warner et Canal +, et une participation de Silvio Berlusconi. Le premier gros projet du studio a été *JFK* d'Oliver Stone. En 2011, New Regency a signé un nouveau partenariat avec le studio Fox, qui doit courir jusque 2022.

Arnon aurait-il entretemps abandonné ses autres activités? Pas davantage. Tout occupé qu'il était à monter New Regency en 1991, il a aussi trouvé le temps au début de la guerre du Golfe de négocier pour le ministère israélien de la Défense l'achat express de missiles Patriot pour faire pièce aux Scud que Saddam Hussein menaçait de lancer sur l'État hébreu. Et, depuis lors, il reste un intermédiaire privilégié pour l'industrie d'armement du monde entier.

Officiellement, le Lakam a été dissous après le scandale de l'affaire Pollard en 1985. Officieusement, il n'en continue pas moins ses activités sous un autre nom, partout dans le monde. Sauf aux États-Unis, affirme-t-on à Tel-Aviv. De son côté, la famille Smyth essaie d'oublier toute cette affaire et vit avec de maigres ressources dans un camping-car en Californie. Arnon Milchan, qui fréquente aussi bien Brad Pitt et Angelina Jolie que Shimon Peres et Benyamin Netanyahou, est de ceux qui ont permis à Israël de mener à bien son programme de recherche nucléaire. Mais il serait étonnant qu'il s'arrête là, à seulement 68 ans...

L'étrange cargo des frères Ofer

Le 3 juin 2011 décédait à l'âge de 89 ans un homme présenté comme le plus riche d'Israël, avec une fortune estimée entre 7 et 10 milliards d'euros: Sammy Ofer, cofondateur du groupe Ofer avec son frère Yuli, restera comme un des grands armateurs de son époque. Originaire de Roumanie, sa famille a émigré à Haïfa quand il avait 2 ans. Pendant la Seconde Guerre mondiale, Ofer s'engagea dans la Royal Navy. Il fut ensuite l'un des fondateurs de la Marine israélienne. Dans le civil, il créa ce qui devait devenir la plus grosse société holding d'Israël, avec des participations dans de nombreuses sociétés maritimes. Financier des principaux partis israéliens, comptant parmi les plus gros employeurs d'Israël, le groupe Ofer est un véritable État dans l'État. L'une de ses filiales, la Tanker Pacific, contrôle une des toutes premières flottes de transporteurs de pétrole brut avec quarante-cinq cargos.

Le Département d'État américain, dûment chapitré par ses amis israéliens, est désormais intraitable envers les groupes qui commercent avec l'Iran. L'embarras fut donc perceptible lorsqu'il épingla le groupe Ofer Brothers pour avoir vendu un bateau-citerne à la société iranienne IRISL, en violation d'un embargo de l'ONU. Cet embarras se mua en consternation lorsqu'on s'avisa que les pétroliers du groupe avaient régulièrement mouillé dans le port iranien de Bandar Abbas jusqu'en novembre 2010.

La consternation se changea en perplexité lorsque Meir Dagan, récemment retiré de la direction du Mossad, défendit publiquement le groupe Ofer en affirmant qu'il n'avait pas commercé avec l'Iran ni enfreint une quelconque loi. Ce n'était pas exactement l'avis du Premier ministre Benyamin Netanyahou qui estimait de son côté que tout lien avec l'Iran, quel qu'il soit, était prohibé. Comment y retrouver ses petits ?

Israël vend des produits agricoles et du matériel d'irrigation à l'Iran, et lui achète du marbre et des tapis persans. Ce type de commerce ne pose de problème à personne. Plus délicat, quelques sociétés d'armement israéliennes continuent comme aux plus belles heures du conflit Irak-Iran de vendre des armes à la république islamique, *via* des tiers basés en Chine ou dans le monde arabe. Cette pratique est connue, elle est même dénoncée par certains au sein du Mossad qui pointent son incohérence avec la politique de fermeté que préconisent aussi bien Israël que les États-Unis. Comment être crédible quand on n'applique pas soi-même ce que l'on recommande ?

Toutefois le cas du groupe Ofer est différent de celui des marchands d'armes sans scrupules, mais il est délicat de l'expliquer publiquement. Un groupe avec des liens étroits au sommet de l'État a nécessairement des assurances pour se lancer dans des activités illicites. Un membre de la Knesset, qui s'apprêtait au cœur du scandale médiatique à crucifier le groupe Ofer lors d'une émission de télévision, a ainsi annulé sa participation après avoir reçu un mot manuscrit d'un dirigeant israélien. Il a ensuite déclaré : « La réalité de cette affaire est bien plus complexe et délicate que l'imagination commune peut se le figurer. »

En réalité, c'est un secret de Polichinelle au sein des services israéliens que les navires du groupe Ofer ont été utilisés pendant des décennies pour diverses opérations. Un de ses porte-conteneurs a ainsi été spécialement aménagé pour permettre d'embarquer deux hélicoptères dissimulés dans des faux conteneurs dont le toit pouvait s'ouvrir sur commande comme dans un *James Bond*. Ce navire permettait d'effectuer des missions de reconnaissance en approchant des côtes de pays ennemis. Ce qui est moins connu, c'est que le groupe Ofer a aussi contribué aux opérations menées par le Mossad contre le programme nucléaire iranien. Si ses pétroliers ont régulièrement desservi les ports iraniens, ce n'est pas seulement pour faire des affaires au mépris des règles, mais aussi pour permettre à des agents du Mossad de pénétrer discrètement dans le pays ou de rembarquer tout aussi discrètement.

Les quelques exemples détaillés ici suffisent à démontrer le poids et l'utilité des « businessmen du Mossad ». Combien sont-ils à contribuer ainsi aux opérations les plus secrètes d'Israël ? Impossible à dire : ce n'est que lorsque les choses tournent mal que l'on découvre qui ils sont et ce qu'ils font. Une chose est sûre : dans l'histoire du Mossad, ils sont tout aussi importants, sinon plus, que ceux qui posent des micros, piègent des voitures ou éliminent des chefs terroristes. Depuis les années 1980, la dimension économique du renseignement n'a cessé de se renforcer. Les guerres secrètes se jouent aussi sur le front financier : c'est une des leçons enseignées par les nouveaux ennemis d'Israël qui émergent dans les années 1980, aux premiers rangs desquels le Hezbollah et le Hamas.

Chapitre 9

Coups tordus économiques

Des espions au tribunal

Une victoire de taille fut obtenue par les services israéliens lorsqu'en décembre 2001 le président George W. Bush, en pleine «guerre contre la terreur», accéda à la requête d'Ariel Sharon de fermer une des «vaches à lait» du Hamas, la Holy Land Foundation. Sur la seule année 2000, elle avait levé plus de 13 millions de dollars. Des raids furent organisés par le FBI dans les bureaux de la fondation, installée dans plusieurs villes américaines comptant d'importantes communautés arabes. Les dossiers et registres furent saisis par les agents fédéraux, les avoirs gelés. Pour faire bonne mesure, l'administration Bush fit fermer une banque réputée être un des bras financiers du Hamas. Les archives saisies dans les bureaux de la fondation fournirent des informations inestimables sur les structures du Hamas, de son conseil militaire et de son parlement clandestin. L'organisation dut prendre des mesures d'urgence pour que ses membres-clés ne soient pas arrêtés par les Israéliens à cause de cette fuite géante.

Pendant l'opération «Bouclier défensif», le Shin Bet et l'Aman parvinrent à saisir des dossiers qui décrivaient les circuits de levées de fonds du Hamas et du Jihad islamique en Europe. Ce qui permit à chaque agence de mettre à jour ses dossiers sur les institutions «caritatives» qui alimentaient les groupes terroristes.

Par exemple, une fondation située en Grande-Bretagne transférait régulièrement des fonds aux familles des martyrs du Hamas décédés lors d'attentats-suicides, ainsi qu'à des comptes d'associations palestiniennes en Suisse, Belgique et Afrique du Sud. En France, un fonds de solidarité palestinien envoyait chaque année plusieurs millions de dollars sur les comptes du Hamas. Une fois complétés, les dossiers étaient transmis aux autorités de chaque pays, avec des résultats variables. En août 2002, le ministère de l'Intérieur allemand accepta de fermer la branche allemande de la fondation d'Al-Aqsa, un des leveurs de fonds du Hamas en Europe. Les Pays-Bas firent de même, bientôt suivis par le Danemark et la Belgique. En septembre 2003, l'Union européenne inscrivit le Hamas sur la liste des organisations terroristes, ce qui devait faciliter le travail des services israéliens.

La voie judiciaire réserva aussi quelques surprises et bien des sueurs froides aux responsables du Hamas aux États-Unis. Ils ne pouvaient sans doute pas imaginer qu'un «petit» avocat du nom de Nathan Lewin parviendrait, à force d'astuce et de persévérance, à menacer sérieusement les moyens d'existence mêmes de leur organisation. Tout commença par un retournement de jurisprudence suite à un fait-divers commis en 1980 : la femme d'un médecin mortellement blessé par un cambrioleur, Linda Hamilton, poursuivit en justice l'épouse du cambrioleur (lui-même décédé pendant sa fuite) au motif que cette dernière vivait depuis des années du fruit des larcins de son mari, et donc qu'elle était une associée «passive mais complice de son mari». Contre toute attente, elle obtint que la veuve du meurtrier de son mari lui verse une amende record de 5,7 millions de dollars! Ce changement de jurisprudence en apparence anodin venait de créer une faille qu'allait utiliser quinze ans plus tard maître Nathan Lewin.

Au milieu des années 1990, plusieurs familles américaines de victimes d'attentats du Hamas commis en Israël ou ailleurs décidèrent de poursuivre l'organisation devant la justice des États-

Unis. Dans d'autres actions civiles, des cours américaines avaient déjà condamné des États sponsors du terrorisme : l'Iran avait ainsi été condamné à payer 247,5 millions de dollars à une famille du New Jersey après la mort de leur fille dans l'explosion d'un bus à Gaza en 1995. Mais comment faire payer un État ? Le Hamas au contraire était présent sur le territoire américain, où il détenait des actifs. Les services israéliens transmettaient régulièrement au FBI des dossiers, afin de susciter des actions en justice, mais pendant longtemps ces actions restèrent sans résultat. C'est alors qu'un avocat de 71 ans, qui avec sa fille occupait un petit bureau au 9ᵉ étage près de Dupont Circle à Washington, entra dans la danse. Tout commença par la rencontre en Israël d'un couple qui avait perdu son fils de 17 ans dans un attentat à Jérusalem en 1996. Nathan Lewin décida de les représenter devant la justice américaine. L'avocat était arrivé de Pologne aux États-Unis à l'âge de 5 ans avec son père rabbin. Comme beaucoup d'autres, ils fuyaient la guerre qui faisait rage en Europe. Il avait travaillé comme juriste pour les administrations Kennedy et Johnson puis enseigné le droit à Columbia avant d'ouvrir son cabinet.

Pour mener son combat, Lewin entendait utiliser une loi votée en 1992, dans l'émotion causée par la mort de Leon Klinghoffer, ce touriste abattu par un commando palestinien à bord de l'*Achille Lauro* avant d'être passé par-dessus bord avec son fauteuil roulant. La loi de 1992 durcissait les peines encourues pour les dommages causés à des citoyens américains à l'étranger et autorisait les juges à multiplier par trois les dommages et intérêts décidés par le jury. Jusqu'ici cette disposition n'avait pu être appliquée. Mais il semblait à Lewin qu'elle pourrait être mise en œuvre contre tout individu ou organisation coupable du meurtre d'un Américain à l'étranger. Toute la question résidait ensuite dans l'administration de la preuve d'une culpabilité par association. Lewin trouva le déclic dans le cas de Linda Hamilton, qui constituait un précédent exploitable. Il prit aussi exemple sur son collègue Morris Dees, un avocat des droits civiques qui avait pendant des années attaqué «au portefeuille» les organisations racistes du Sud, obtenant par exemple une condamnation du Ku Klux Klan à une amende de 37 millions de dollars après l'incendie d'une église en Caroline du Sud en 1995. Pourquoi ne pas appliquer cette stratégie au Hamas? Lewin décida d'attaquer non seulement le Hamas mais aussi plusieurs organisations caritatives islamiques (dont la Holy Land Foundation), au motif que selon lui ces dernières blanchissaient de l'argent pour le Hamas.

Les responsables du Hamas suivirent l'avis de leurs conseillers juridiques: cette procédure n'avait aucune chance d'aboutir, il valait donc mieux se présenter devant la justice. Et soudain l'atmosphère changea: le 11 septembre 2001 venait de frapper de stupeur, de chagrin et de colère l'opinion américaine. Tout d'un coup, le cas défendu par Nathan Lewin prenait valeur de symbole. Le Département de la Justice décida de s'associer à son action, et d'utiliser devant la cour une partie des dossiers du Mossad sur les activités du Hamas. Le président George W. Bush choisit d'écouter les conseils d'Ariel Sharon et de geler les avoirs de la Holy Land Foundation. En décembre 2004, le jury rendait son verdict dans l'affaire défendue par Lewin: 52 millions de dollars de dommages et intérêts. Multipliés par trois suivant la «loi Klinghoffer», soit 156 millions de dollars. Le juriste obstiné venait de frapper durement le Hamas au portefeuille. Pour compenser cette perte, le Hamas allait devoir accepter de plus importants dons en provenance de l'Iran. Dans la foulée de cette surprenante décision, le ministère de la Justice poursuivait son combat entamé en 2001 contre la Holy Land Foundation, accusée d'être un faux nez du Hamas. Après sept ans de bagarres et retournements, en novembre 2008, le tribunal de Dallas devait lui donner raison en la déclarant coupable de plus de cent délits, dont blanchiment d'argent, fraude fiscale et soutien au terrorisme.

Les faux-monnayeurs de Téhéran

Le 2 octobre 2004 en milieu de journée, le port de Newark (États-Unis) connaissait son agitation habituelle. On était en train de décharger un porte-conteneurs panaméen en provenance de Yantai en Chine. Chaque conteneur était placé par la grue en fonction de sa cargaison avec tel ou tel groupe destiné à partir quelques heures plus tard à bord d'un camion. Mais sur un simple signe des hommes du FBI qui surveillaient l'opération, l'un d'eux fut directement déposé sur la plate-forme d'un camion qui attendait sur le quai. Le manifeste indiquait qu'il hébergeait une cargaison de jouets en plastique. L'heure était venue pour le FBI de vérifier la solidité du tuyau fourni par les collègues du Mossad.

Les agents fédéraux n'eurent pas longtemps à chercher : sous les jouets annoncés se trouvait un vaste coffre en bois que l'on força au pied-de-biche. À l'intérieur se trouvaient d'innombrables liasses de billets. Des billets de 100 dollars américains, plus vrais que nature. Les experts en fausse monnaie n'en avaient jamais vu de semblables. Ils étaient imprimés avec la même encre haute technologie que les vrais, sur un papier similaire à celui utilisé par le Trésor américain. Il fallut plusieurs jours d'analyses pour confirmer qu'il s'agissait bien d'imitations. On avait déjà signalé l'apparition de tels « super-faux » dans plusieurs endroits du monde, mais c'était la première fois que l'on en saisissait une pleine cargaison. Il ne s'agissait pas d'un cas isolé : deux mois plus tard une autre cargaison allait être saisie dans le même port. Et encore une autre en Californie. Plus inquiétant, d'autres cargaisons passèrent sans encombre puisque des « super-faux » commencèrent à circuler sur la côte Ouest. L'enquête du Département de la Justice montra que les billets étaient achetés au prix de gros et introduits en territoire américain par des groupes mafieux basés en Asie du Sud-Est. Mais ce n'était à l'évidence pas eux qui avaient pu produire des faux aussi sophistiqués. Quels qu'ils soient, les faussaires disposaient de moyens techniques équivalant à ceux d'un État. Les soupçons des enquêteurs se portèrent naturellement sur un « État-voyou » qui entretenait des liens notoires avec les triades : la Corée du Nord. Le Département du Trésor identifia rapidement et dénonça la Banco Delta Asia de Macao comme une complice de la mise en circulation de fausse monnaie. En quelques mois, il obtint même sa fermeture suite à sa mise au ban de la communauté bancaire.

Les relations des États-Unis avec la Corée du Nord étaient alors très dégradées en raison notamment de sa politique de prolifération nucléaire. La mise en circulation de grandes quantités de faux dollars n'était ni plus ni moins qu'un acte de guerre économique, susceptible de saper l'économie américaine. Au milieu des années 1970, raconte un défecteur nord-coréen passé aux États-Unis, Kim Jong-il adressa aux membres du Comité central du Parti communiste coréen une directive indiquant que désormais toutes les opérations clandestines contre la Corée du Sud seraient financées par la production et contrebande de fausse monnaie. Dans un premier temps, les services nord-coréens firent acheter à l'étranger des quantités de billets de 1 dollar, qui furent passés à la lessiveuse pour les débarrasser de leur encre, puis réimprimés en faux billets de 100 dollars ! Ils avaient ainsi résolu le premier problème consistant à se procurer le papier très spécial qui sert à la fabrication des billets de banque américains. Mais la qualité de la gravure laissait à désirer et ces faux grossiers n'eurent qu'une vie limitée.

En 1984, alors que le pays connaissait une sérieuse crise économique, Kim Jong-il relança l'idée de produire des faux dollars. Selon certains spécialistes en économie, cette production souterraine serait l'une des raisons pour lesquelles le régime ne s'est pas effondré dans les années 1980 malgré la baisse du PIB nord-coréen – les autres étant notamment la prolifération des trafics les plus divers, depuis l'ivoire jusqu'aux amphétamines ou au Viagra, en passant par les missiles. Il semble que dans les années

1980 et 1990, les services nord-coréens se soient transformés en acteurs à part entière de la voyoucratie internationale, s'associant avec les réseaux criminels du monde entier. Dans les années 1990, plusieurs diplomates nord-coréens furent arrêtés en Asie alors qu'ils tentaient d'écouler de pleines valises de faux dollars.

En 1996, excédées par le nombre de faux en circulation, les autorités américaines se décidèrent à faire ce qu'elles n'avaient jamais fait depuis 1928 : remplacer les billets en circulation. Elles utilisèrent pour le nouveau modèle de nombreuses astuces propres à dissuader les faussaires : des éléments incrustés dans le papier, des tatouages minuscules et surtout une encre à optique variable, qui change de couleur selon l'angle considéré. Aujourd'hui les billets de 10 à 100 dollars comportent dans le coin inférieur droit un motif qui apparaît tantôt en vert bronze, tantôt en noir, selon la façon de présenter le billet. Ces encres très particulières sont fabriquées par une société suisse, la SICPA, qui réserve à chaque client une variété de son encre. L'initiative américaine eut le don de dynamiser son activité à mesure que d'autres pays décidèrent de l'imiter. Comme par hasard, l'un des premiers fut la Corée du Nord, qui porta son dévolu sur une encre évoluant du vert bronze au magenta. Soit le meilleur choix possible si l'on a l'intention de trafiquer l'encre pour qu'elle se rapproche de celle acquise par les États-Unis. Et en 1998, on vit arriver sur le marché les premiers « super-faux ». Depuis 2004, l'équivalent de 50 millions de dollars a été saisi. Sans doute une goutte d'eau en comparaison des « milliards » estimés en circulation par les services américains.

Toutefois, il subsistait de nombreuses zones d'ombre dans ce dossier que le FBI et le Secret Service[1] n'auraient pu éclaircir sans l'aide inattendue du Mossad. En premier lieu, si la Corée du Nord a naturellement accès aux encres spéciales réservées aux États pour la fabrication de billets, comment a-t-elle trouvé une

---

1. Le Secret Service est surtout connu pour assurer la protection du président des États-Unis, mais il a aussi en charge la lutte contre les faux-monnayeurs.

presse permettant de fabriquer ses faux dollars? La réponse est qu'elle en a rachetée une à l'un de ses alliés...

Lorsque la guerre Iran-Irak prit fin en 1988, l'économie iranienne était dans un piteux état: tout était à reconstruire et les moyens manquaient malgré les recettes pétrolières. C'est alors que fut activée, peut-être à partir de l'exemple nord-coréen, l'opération de guerre économique la plus audacieuse jamais envisagée par les services iraniens: la fabrication à grande échelle de faux dollars, avec pour double objectif de résoudre les problèmes économiques et de saper l'économie américaine. Pour se lancer dans cette activité, les Iraniens s'avisèrent qu'ils disposaient d'un atout supplémentaire par rapport aux Nord-Coréens: peu avant la chute du Shah à la fin des années 1970, l'Iran qui envisageait de renouveler l'ensemble de ses billets de banque avait acquis trois presses Intaglio du modèle exact réservé à la fabrication des dollars. Pourquoi et comment une telle transaction en principe impossible a été autorisée reste aujourd'hui un mystère. Toujours est-il qu'en 1988 on dépoussiéra ces machines restées intactes, on retrouva les chimistes iraniens qui avaient suivi des stages dans les laboratoires américains en vue de fabriquer des billets à la pointe de la technique moderne. Il restait à se procurer du papier et des encres *ad hoc*: c'est à ce moment que les discussions commencèrent avec les Nord-Coréens qui se montrèrent très intéressés par les presses Intaglio de leurs camarades. Quelques années plus tard, ils devenaient les heureux propriétaires d'un des trois exemplaires détenus par l'Iran.

De leur côté, les Iraniens développèrent progressivement leur activité avec l'aide de la Syrie pour écouler les billets. Selon un rapport du Mossad, celle-ci recevait un chargement hebdomadaire par avion spécial. Il était pris en charge par Ghazi Kanaan, chef du renseignement syrien au Liban, qui deviendrait par la suite ministre de l'Intérieur, avant d'être «suicidé» en 2005 lors de l'enquête sur l'assassinat de Rafic Hariri. Les billets étaient alors reconditionnés en petites liasses puis diffusés *via* les réseaux de trafiquants de drogue qui exerçaient au Liban et qui achetaient les billets pour 40 cents le dollar. L'argent rejoignait ensuite le trésor de guerre de ces gangs, entreposé dans les banques peu scrupuleuses qui acceptaient leur dépôt et blanchissaient l'argent, avant qu'il ne soit réinvesti dans l'immobilier ou toute autre activité légale. Ce n'est que quelques années plus tard, lorsqu'ils furent persuadés que la qualité de leur production passerait les contrôles les plus sévères, que les Iraniens commencèrent à inonder les États-Unis eux-mêmes. Il fallut un rapport du représentant républicain McCollum de Floride en 1992 (largement alimenté par le Secret Service et le FBI) pour que l'on accuse nommément l'Iran dans les cercles du pouvoir américain et que de nouvelles mesures drastiques soient prises pour juguler un trafic qui menaçait tout simplement la prééminence du dollar comme monnaie d'échange internationale. Ce rapport pesa lourd dans la décision prise par Bill Clinton en 1996 de remplacer les billets de 100 dollars. Mais ce fut loin de suffire pour interrompre le trafic. Après la guerre du Liban en 2006 et le retrait israélien, le Hezbollah distribua 12 000 dollars à chaque famille dont la maison avait été détruite, au total plus de 200 millions de dollars hors budget. Pour les spécialistes, cela ne fait aucun doute : le Hezbollah se montrait très généreux avec de faux billets !

Ces trafics ne furent pas l'unique source permettant de relancer l'économie iranienne. De nombreux prêts furent obtenus de banques européennes pour reconstruire le pays suite à la guerre Iran-Irak. Mais en 1993, beaucoup de ces prêts conclus en 1988 arrivaient à leur terme, et il n'y avait pas de quoi tous les rembourser. À cette époque, les cours du pétrole qui assurait l'essentiel des ressources iraniennes étaient en baisse. Les recettes en devises étrangères s'en trouvaient quasiment divisées par deux, ce qui signifiait pour le régime une situation explosive à très court terme si une solution de refinancement n'était pas dégagée.

L'appareil sécuritaire risquait de devoir faire face à des émeutes de la faim. Une délégation de la Banque centrale iranienne fut donc envoyée en Europe pour négocier le rééchelonnement de la dette iranienne. À chaque étape, elle affirmait à ses interlocuteurs que les autres banques lui consentaient de bien meilleures conditions, parvenant ainsi à des résultats très satisfaisants. Mais c'était sans compter avec les experts financiers du Mossad et du renseignement militaire qui activèrent alors l'ensemble de leurs correspondants au sein des banques centrales et privées pour obtenir une photographie complète des négociations en cours. Le régime de Téhéran fut informé que s'il ne faisait pas libérer le soldat Ron Arad, un aviateur capturé au Liban par le Jihad islamique, ses interlocuteurs européens seraient informés des manipulations auxquelles se livrait sa délégation. Les Iraniens ignorèrent la menace. Le ministre des Affaires étrangères Shimon Peres entama alors une tournée européenne au cours de laquelle il dévoila à ses interlocuteurs le jeu des Iraniens. Les banques européennes décidèrent de reprendre la négociation avec les Iraniens sur une ligne beaucoup plus dure. Dans le même temps, le Congrès américain votait des sanctions économiques contre l'Iran, sanctions pour lesquelles militait depuis longtemps le lobby pro-israélien. Cette conjonction de revers fut perçue par le régime de Téhéran comme une vraie déclaration de guerre[1]. L'économie était devenue un champ de bataille à part entière dans les guerres de l'ombre au Moyen-Orient.

Hold-up à l'israélienne

Lorsque Ariel Sharon devint Premier ministre en 2001, il demanda à son vieil ami et ex-collaborateur Meir Dagan, alors major-général de Tsahal, de mettre sur pied à ses côtés une cellule spécialisée dans la surveillance des mouvements financiers qui

---

1. Voir Ronen Bergman, *op. cit.*

irriguent les réseaux terroristes. L'objectif était – entre autres – de casser les filières montées par Arafat, mais aussi de surveiller les circuits économiques du Hamas et du Hezbollah. Aussi créatif qu'incontrôlable, Dagan allait s'en donner à cœur joie. Il rassembla une équipe d'anciens de diverses agences, spécialistes en finance et informatique. De leurs brainstormings naquirent des projets audacieux qui effrayaient même les plus aguerris des vétérans du renseignement militaire : un des plans les plus aboutis consistait à pénétrer dans les réseaux informatiques d'une banque suisse où le Mossad disposait d'une taupe, ce qui lui permit de savoir que, moyennant de confortables facturations, cette banque hébergeait plusieurs comptes iraniens. Avec un sens commercial qui faisait honneur à la tradition helvétique, les responsables avaient imaginé pour leurs clients un montage complexe qui permettait de blanchir cet argent *via* quelques détours par des places exotiques.

En 2002, Dagan fut nommé à la tête du Mossad, mais cela n'empêcha pas cette cellule de poursuivre ses activités. D'autant que, inspirée par cet exemple, la CIA décida à son tour de constituer une unité spécialisée qui allait travailler main dans la main avec les Israéliens… sans pour autant être informée de tous leurs projets.

En février 2004, une opération de grande ampleur fut déclenchée, visant pour la première fois quatre banques arabes de Ramallah, filiales de l'Arab Bank et de la Cairo Amman Bank. Selon les services israéliens, ces banques hébergeaient des comptes du Hezbollah, du Hamas ou du Jihad islamique servant à financer des attaques contre Israël. Un jeune Palestinien sans emploi qui acceptait une mission à risque touchait un minimum de 3000 à 5000 shekels (soit l'équivalent de 650 à 1100 dollars). Dans ces conditions, les attentats étaient de moins en moins motivés par des considérations politiques. Ils devenaient un gagne-pain presque comme un autre. Ce qui permettait aux groupes terroristes d'économiser leurs hommes en recourant à une main-d'œuvre bon marché et inépuisable. Il semble que les virements du Hezbollah destinés à financer des actions violentes aient fortement augmenté entre 2002 et 2004.

Le même jour, à la même heure, des convois de l'armée encerclèrent les établissements ciblés. Un couvre-feu fut aussitôt établi sur le quartier. À la manœuvre, des militaires, des hommes du Shin Bet, des experts en informatique et les meilleurs perceurs de coffres d'Israël. Les accès furent aussitôt bloqués et une double barrière de barbelés fut déployée. Les lignes téléphoniques furent aussitôt coupées. Des soldats des forces spéciales firent irruption dans les établissements et tinrent en joue le personnel. Aussitôt, les caméras de sécurité furent aveuglées par des caches, les employés durent remettre aux soldats leurs téléphones portables et se rassembler dans des bureaux. À l'extérieur, quelques Palestiniens s'en prirent aux soldats en faction à coups de cocktails Molotov et de pierres. Les troupes répliquèrent à coups de balles en caoutchouc et de gaz lacrymogènes. Selon les médecins palestiniens, une quarantaine de blessés furent recensés, dont cinq sérieusement atteints.

À l'intérieur, chaque équipe du Shin Bet produisit une liste précise de comptes et de coffres qui appartenaient nominalement à des institutions caritatives islamiques ou à des particuliers. Les coffres furent ouverts sous la menace et vidés *manu militari*. Pour les comptes, une fois entrés dans le système informatique de la banque, les spécialistes de chaque équipe entreprirent de virer leur contenu, soit environ 9 millions de dollars. Cette saisie sauvage était la plus grosse jamais réalisée. Le Département d'État américain émit les plus expresses réserves sur ce procédé qui risquait de déstabiliser le système bancaire palestinien, tandis que les autorités israéliennes expliquèrent avoir saisi uniquement des comptes dont l'usage terroriste était avéré. Le ministre de la Défense Shaul Mofaz dirait plus tard que les fonds saisis avaient été affectés à des œuvres sociales bénéficiant à la population palestinienne. De leur côté, les Palestiniens dénoncèrent un acte «mafieux». Interrogés sur la base légale de leur action, les officiels israéliens répondirent que l'Autorité palestinienne ne collaborait pas sur ces aspects financiers de la lutte antiterroriste : l'autorité avait bien accepté l'année précédente de geler certains comptes, mais les avait débloqués quelques jours plus tard. En réalité les avoirs saisis ne représentaient qu'une petite partie de ceux conservés par les banques en question. Au sein même des agences israéliennes, cette opération était loin de faire l'unanimité : vis-à-vis de l'opinion, elle ressemblait trop à un vulgaire braquage de banque. Qui plus est les sommes saisies durent être remboursées par les banques à leurs clients, il n'y avait donc pas eu de réel effet punitif. C'est pourquoi la méthode n'a pas été reconduite.

À votre écoute

Bruxelles, le 28 février 2003, locaux du Conseil de l'Union européenne. Un dérangement fut constaté dans l'appareillage téléphonique d'une cabine de traduction du bâtiment «Juste Lipse». Un technicien arriva pour trouver la cause du problème et découvrit des fils superflus connectés à une boîte noire inconnue. Après l'avoir désossée, il comprit qu'il s'agissait d'un matériel d'écoutes et alerta les services de sécurité. Une fouille complète des bâtiments fut alors ordonnée. En tout, cinq boîtiers suspects furent découverts, tous reliés au système de traduction simultanée et au réseau téléphonique. Étaient concernées les cabines des délégations autrichienne, allemande, britannique, espagnole et française. Le Français Pierre de Boissieu, alors numéro deux du Conseil, déclara aux ambassadeurs que l'équipement avait été placé juste avant ou juste après l'inauguration du bâtiment en 1995, voire pendant sa construction puisqu'un boîtier au moins était encastré dans le béton. Autrement dit les délégations européennes étaient sur écoutes depuis huit ans! On avait l'impression de se retrouver aux plus belles heures de la guerre froide, lorsque les ambassades occidentales à Moscou étaient truffées de micros dès leur construction… Qui serait aujourd'hui capable d'une telle intrusion? L'enquête s'orienta très vite vers la firme qui avait installé en 1994 les systèmes de traduction. Comverse Infosys Ltd était une firme d'origine israélienne, bien connue dans le secteur des télécoms.

Le marché des matériels et logiciels d'écoutes téléphoniques a pris son envol aux États-Unis au milieu des années 1990. Une loi votée en 1994 faisait obligation aux compagnies téléphoniques de modifier leurs réseaux de façon à pouvoir offrir aux services américains un accès immédiat à toute conversation sur simple présentation d'un mandat judiciaire. Dans les semaines qui suivirent le 11 septembre 2001, le président Bush émit un ordre exécutif secret qui donna le signal à une explosion des écoutes en territoire américain. Cette fois, les mandats n'étaient plus nécessaires. Il existait désormais un marché pour des logiciels de «surveillance de masse» combinant capacités d'interceptions illimitées et techniques avancées de *data mining*. Ces outils n'étant pas des armes de guerre, leur exportation était autorisée à tout gouvernement étranger, si dictatorial et répressif soit-il.

À cette époque, les deux principaux opérateurs de télécoms américains, AT&T et Verizon, décidèrent de sous-traiter les écoutes sur leurs réseaux à deux sociétés privées. Toutes deux entretenaient des liens peu limpides avec les services secrets israéliens. Chaque jour les compagnies de télécoms recevaient de la NSA (National Security Agency, en charge de la surveillance des communications partout dans le monde), une liste d'individus à mettre sous surveillance. Toutes leurs communications téléphoniques et Internet étaient alors transmises aux ordinateurs d'une pièce secrète, inaccessible à leurs employés. Les installations de cette pièce étaient entièrement sous la responsabilité du sous-traitant en charge des écoutes : la société Verint pour Verizon et Narus pour AT&T. Après analyse et classement, les communications étaient ensuite transmises à un service du FBI installé dans les locaux de l'académie du FBI à Quantico en Virginie. Les logiciels de Verint et de Narus ont ainsi accès quotidiennement à des milliers de conversations et e-mails, à la fois sur le plan national et international, vingt-quatre heures sur vingt-quatre. Alors que les services du FBI sont eux-mêmes soumis à une inspection interne, il peut paraître surprenant qu'aucune surveillance ne soit exercée sur ces sociétés privées.

Narus a été créée en 1997 avec le soutien d'une société de capital-risque israélienne par cinq jeunes prodiges de l'Internet, qui ne mentionnent pas dans leurs biographies officielles leur passé au sein du Aman, dont ils auraient pourtant tout lieu d'être fiers... Verint a aussi été fondée par un ancien officier du Aman. Jacob Alexander, fils de Zvi Alexander qui fut un puissant homme d'affaires (il collaborait notamment avec Marc Rich) et dirigea la société nationale israélienne du pétrole. Après avoir quitté le renseignement militaire, Jacob Alexander devint banquier d'affaires à New York. Il créa ensuite une société de messagerie vocale en Israël, avec des fonds publics. Quatre ans plus tard, de retour à New York, il lançait une nouvelle société dans le domaine des services de téléphonie, Comverse. Sa « recherche et développement » se faisait en Israël. Et elle produisait des résultats : Comverse lança ainsi un service de surveillance numérique qui envoya au musée des antiquités le magnétophone à cassette. La machine pouvait enregistrer des centaines de conversations au format numérique, stockées dans un disque dur. Très vite, la société rencontra le succès et Jacob fut célébré dans son pays comme un héros des affaires. Après le 11 septembre, le marché de la sécurité explosa grâce à la « guerre contre la terreur ». Comverse rebaptisa sa principale filiale Verint et sa valorisation s'envola vers les sommets. La société avait désormais des milliers de clients dans une centaine de pays, mais il lui en manquait un d'importance. Alexander recruta un ancien directeur de la NSA au conseil d'administration. Bientôt, la NSA devenait un de ses clients, attirant à son tour d'autres services étrangers. Convaincue par ces références impeccables, la deuxième compagnie de télécoms du pays, Verizon, choisit Verint comme sous-traitant pour ses écoutes. *Via* ses clients du monde entier et grâce à Verizon, Verint avait désormais accès à une part importante des données vocales et numériques circulant sur les réseaux internationaux. Elle disposait de capacités de stockage quasi illimitées pour archiver ces données. Et ses dirigeants pouvaient accéder aux archives à distance, de partout dans le monde. Cette situation troublante fut mise en lumière par une commission d'enquête australienne. Le gouvernement australien était l'un des nombreux clients de Verint et trouvait anormal de ne pas avoir un accès permanent et direct aux données archivées pour son compte alors que les dirigeants de Verint n'avaient pas ce problème. Verint promit de corriger cela.

En pleine expansion, Verint avait contribué à la création d'une société par certains de ses cadres : PerSay proposait un logiciel sophistiqué permettant de retrouver dans un corpus de milliers de conversations téléphoniques une voix en particulier dès qu'elle apparaissait. Au conseil d'administration de PerSay, on notait le nom d'Arik Nir, un ancien responsable du Shin Bet, tandis que le soutien financier de PerSay, Athlone Global Security, comptait dans son conseil l'ancien patron du Mossad Ephraïm Halevy[1].

La réputation du renseignement israélien repose en grande partie sur sa capacité à activer des sources bien placées, partout dans le monde. Mais il ne faut pas négliger leurs systèmes d'écoutes très sophistiqués, logés dans la fameuse unité 8200 du Aman, qui essaime dans toute l'industrie de l'Internet et des télécoms. Les anciens de l'unité 8200 travaillent aujourd'hui presque tous dans la haute technologie, où leurs savoir-faire sont appréciés. Plusieurs dizaines d'entre eux ont créé des sociétés,

---

1. Nous nous appuyons ici sur des éléments de l'enquête de James Bamford dans *The Shadow Factory*, Doubleday, 2008.

dont certaines sont cotées à Wall Street. Elles utilisent souvent des technologies développées par l'armée puis adaptées par leurs spécialistes pour des usages civils. Un ancien dirigeant de l'unité 8200 affirme que le principal produit de Comverse est basé sur une technologie développée par l'unité 8200[1]. Quel avantage y a-t-il à laisser filer dans le secteur privé des développements qui ont coûté beaucoup d'argent au contribuable israélien, pour le profit d'un seul entrepreneur?

En 2004, Verint a acquis un autre business fondé par un ancien de l'unité 8200 : Ectel commercialise des solutions de surveillance en temps réel des réseaux de communication, à destination des agences gouvernementales. Selon Verint, cette acquisition lui donnait accès à de nouveaux marchés en Asie et en Amérique latine. Le P-DG d'Ectel, Yiar Cohen, dirigeait l'unité 8200 au moment des attentats du 11 Septembre. Jamais en retard d'un bon recrutement, Verint a également embauché un haut responsable du FBI, ancien chef du bureau de liaison avec l'industrie des télécoms.

Mais en 2006, la belle histoire de Verint et de son fondateur Jacob Alexander s'est quelque peu ternie. Le Département de la Justice américain était en effet sur le point d'inculper le jeune patron pour avoir, avec la complicité de deux dirigeants, antidaté des millions de stock-options de Comverse, et réalisé ainsi un profit supposé de 138 millions de dollars sur le dos des actionnaires. Alexander n'était pas précisément à la rue : il gagnait déjà plus de 100 millions de dollars par an, ce qui en faisait un des patrons les plus surpayés de l'industrie des télécoms selon le très libéral magazine *Bloomberg*. Paniqué à l'idée d'aller en prison, Alexander fit virer le contenu de son compte en banque, soit 57 millions de dollars vers une banque israélienne et s'enfuit avec sa famille en Israël. Mais cela ne le garantissait pas contre une extradition car contrairement à une idée répandue, il existe

---

1. Brigadier général Hanan Gefen, cité par *Forbes Israel*, 8 février 2007.

bien un traité d'extradition entre les États-Unis et Israël. Il décida donc de s'exiler en Namibie, où il essaya de devenir un investisseur et un philanthrope. Pendant ce temps, il faisait son apparition sur la liste des hommes les plus recherchés du FBI et sa fiche était diffusée par Interpol. Ses deux complices arrêtés, Comverse et Verint étaient exclues des valeurs cotées au Nasdaq.

La liste des pays qui utilisent les systèmes de Narus et de Verint est impressionnante : outre les États-Unis et l'Europe, on y trouve la Chine, le Mexique, l'Australie, le Vietnam, le Pakistan, l'Égypte, l'Arabie saoudite. Dans les dictatures, où chaque utilisateur d'Internet est identifié par son adresse IP, y compris dans les cyber-cafés, ces systèmes permettent de repérer et d'arrêter les opposants. Ce développement est-il un simple signe de cynisme commercial ou a-t-il une autre signification ?

D'autres compagnies plus jeunes sont en train de se faire à leur tour une place au soleil du marché mondial des écoutes. Prenons par exemple NSC, Natural Speech Communication : la société a été fondée par Ami Moyal, avec le parrainage de Shabtai Shavit, l'ancien patron du Mossad, et a pour clients la plupart des services secrets occidentaux. NSC répond à leur principal problème : lorsqu'on est capable d'écouter des milliers de conversations simultanées, comment faire pour y trouver *le* morceau de conversation pertinent ? Avec des outils aussi puissants, il n'est plus question d'écouter les enregistrements l'un après l'autre : chaque jour les « grandes oreilles » des stations d'écoutes enregistrent des milliers d'heures de conversations sans intérêt. La seule façon de traiter une telle masse de données est la recherche par mots-clés. C'est justement l'objet du logiciel Keyword Solutions (KWS) que d'optimiser le processus d'analyse des conversations, en affectant à chacune un degré de priorité : en fonction des mots utilisés, le logiciel effectue une sélection des enregistrements à écouter en priorité. Comme de surcroît ce logiciel comprend très bien la plupart des dialectes arabes, on voit tout l'intérêt pour les agences occidentales.

L'emprise de Narus, Verint et autres NSC sur le marché mondial des écoutes évoque irrésistiblement un autre succès israélien en matière de logiciels de sécurité : Promis. Ce logiciel de lutte contre le crime et le terrorisme, dont Gordon Thomas a raconté la saga dans *Histoire secrète du Mossad*, était commercialisé par une filiale du groupe de Robert Maxwell, lui-même au service du Mossad. Il fut adopté par les services sécuritaires de nombreux pays, y compris au sein du bloc communiste. Ce que personne ne savait à l'époque, c'est qu'il comportait une « porte dérobée » permettant aux services israéliens de récupérer les données qu'il traitait.

La découverte d'une possible implication israélienne dans les écoutes au sein de l'Union européenne en 2003 aurait pu provoquer un scandale médiatique et une grave crise diplomatique. Pourtant, il n'en a rien été. Selon un rapport du comité de contrôle des services secrets belges, l'affaire a été tranquillement étouffée[1]. Lorsque les boîtiers d'écoutes ont été découverts, le service de sécurité du Conseil a bien tenté de piéger les responsables. Deux jours après leur découverte, les boîtiers ont été remis en place et des caméras de surveillance ont été discrètement installées dans les cabines en question. Mais cette surveillance n'a rien donné et a dû être interrompue lorsque l'existence d'écoutes a fuité dans la presse. De leur côté, les services secrets français, britanniques et allemands ont envoyé des équipes à Bruxelles. Celles-ci sont reparties chacune avec « son » boîtier d'écoutes. Si des explications ont eu lieu avec les services israéliens, elles sont restées confidentielles. Quant à lui, le Bureau de sécurité (BDS) de l'Union européenne a identifié quatre techniciens suspects, dont deux avaient suivi

---

1. « Rapport de l'enquête sur la manière dont les services de renseignement belges (Sûreté de l'État et SGRS) sont intervenus à propos d'une affaire d'écoutes de bureaux de délégations du Conseil de l'Union européenne à Bruxelles », enquête de contrôle 2006.173. Document en possession de l'auteur.

une formation chez Comverse en Israël, mais aucune preuve formelle n'a été recueillie à leur sujet. Officieusement les agents du BDS se plaignent que « cette enquête ne revêt aucun caractère prioritaire aux yeux de la hiérarchie du Conseil », et se posent des questions : « Pourquoi le Conseil n'a-t-il pas prévenu tout de suite les autorités judiciaires belges ? Pourquoi s'en être référé aux services des délégations visées ? Pourquoi les différents boîtiers sont-ils emportés à l'étranger par lesdits services ? Qui donne l'autorisation pour emporter les boîtiers[1] ? » Selon leur enquête, la société Comverse, qui s'est rebaptisée Verint peu après l'incident bruxellois, est connue du service et serait détenue indirectement à 40 % par le ministère de la Défense israélien. En juin 2001, son nom est cité dans une affaire d'espionnage aux États-Unis[2]. Elle est accusée d'avoir introduit dans les logiciels d'écoutes vendus aux services américains des « portes dérobées » permettant d'intercepter, d'enregistrer et d'emmagasiner les écoutes. Des accusations similaires ont été portées la même année aux Pays-Bas contre Comverse[3]. En 2004, Interpol Washington indique aux services belges que Comverse fait bien l'objet de poursuites aux États-Unis pour faits d'espionnage. Toutefois l'affaire n'aboutira pas à une condamnation, les poursuites étant abandonnées. Faute d'éléments concrets, le parquet fédéral belge a de son côté décidé de classer le dossier en non-lieu[4]. Les différents services concernés, ainsi que la hiérarchie de l'Union européenne, ont préféré ne pas monter en épingle cette affaire, pour ne pas compromettre leur relation de travail avec les services israéliens, alors que la menace terroriste islamiste reste plus forte que jamais.

---

1. *Op. cit.*
2. « Un réseau d'espions israéliens découvert aux États-Unis », *Intelligence Online*, 23 février 2002.
3. « *Brief van de minister van Binnenlandse Zaken en Koninkrijksrelaties Aan de Voorzitter van de Tweede Kamer der Staten-Generaal – vergaderjaar 2002-2003, 26 november 2002* », TK 25 en 28600 VII, nr. 41.
4. *La Libre Belgique*, 12 janvier 2011.

Chapitre 10

Morts suspectes à Damas

En 1999, des analystes du département contre-prolifération du Mossad s'intéressèrent de près au lieutenant-général Anatoly Kuntsevitch – un ancien officier soviétique qui avait commandé le service «recherche et développement» du ministère de la Défense. Au milieu des années 1990, alors qu'il était conseiller de Boris Eltsine, il avait organisé la vente à la Syrie de 800 kilos de matières chimiques permettant de produire du gaz VX. À présent, il s'apprêtait à fournir aux Syriens le moyen de placer des têtes chimiques sur les Scud-C acquis auprès de la Corée du Nord. L'agent du Mossad Michael Ross fut envoyé en Europe sous la couverture d'un journaliste free-lance enquêtant sur la prolifération d'armes chimiques. Il allait par ce biais diffuser l'information recueillie par le Mossad et braquer le projecteur des médias sur Kuntsevitch. Après des questions d'ordre très général sur le trafic d'armes chimiques dans le monde, il demandait à ses interlocuteurs s'ils étaient au courant des activités du Russe. Bien sûr, il devait protéger ses sources, et ne pouvait donc indiquer l'origine de ses informations aussi précises que troublantes: «Un responsable en lien avec le bureau du président Poutine montra une grande agitation, en particulier après que je lui ai dit avoir déjà parlé de cela avec l'Organisation pour la sécurité et la coopération en Europe, ainsi qu'aux responsables antiprolifération de l'Union européenne. Lorsque je le poussai dans ses retranchements, il me dit que le gouvernement Poutine ferait tout ce qu'il fallait pour mettre Kuntsevich hors d'état de nuire[1]. »

Cette opération n'empêcha pas la Syrie d'équiper ses Scud de têtes chimiques qui figurent toujours en bonne place dans ses arsenaux, et y resteront quelles que soient les évolutions de régime. Quelques mois après cette opération, le Premier ministre israélien Ehud Barak informa officiellement le président Poutine de la situation, mais à nouveau rien ne changea jusqu'au 3 avril 2002. Le général Kuntsevitch mourut alors dans des circonstances étranges : il venait juste de quitter Damas après une livraison d'un gaz encore plus foudroyant que les précédents. On ignore s'il a été liquidé par les services russes ou par le Mossad.

Cette mort n'a en tout cas pas freiné les ardeurs syriennes. D'autres sites produisent des armes chimiques, si l'on en croit les relevés satellitaires de la NSA et du Aman. Le plus important est situé sur le site d'Al-Safir, dans le Nord. Il est géré conjointement par les Syriens et les Iraniens. Le 25 juillet 2007, des tests décisifs étaient en cours en vue de produire un missile Scud chargé de gaz VX. Sa portée lui permettrait, une fois au point, de frapper Israël. Tout semblait se passer comme prévu. Mais au moment de poser l'ogive sur le missile, un tuyau explosa et le carburant prit feu. Toute l'usine devint un enfer de flammes et de gaz mortel. Une énorme explosion détruisit le site, faisant vingt-cinq morts immédiats, et près de deux cents de plus des suites de l'intoxication.

Opération « Orchard »

La mort d'Hafez al-Assad en 2000, après trente ans de règne sur la Syrie, puis sa succession assurée par son fils Bachar, un ophtalmologue sans réelle expérience politique, fut une

---

1. Michael Ross, *The Volunteer, op. cit.*

mauvaise nouvelle pour le Mossad. Depuis plusieurs mois, Israël négociait avec le vieux chef d'État un accord global qui inclurait la restitution de tout ou partie du Golan, en échange de quoi la Syrie accepterait notamment de prendre ses distances avec l'Iran et de couper les vivres du Hezbollah. La Syrie souhaitait revenir dans le jeu diplomatique international et Jérusalem voyait tout l'intérêt de l'y aider. Mais ce projet ne devait pas voir le jour. Selon les éléments dont disposaient les analystes du bureau syrien du Mossad, le jeune Assad (34 ans) serait un chef d'État faible et imprévisible. Sans attendre, Bachar décida de consolider son pouvoir en adoptant des positions beaucoup plus radicales que son père. Il renforça les livraisons d'armes au Hezbollah, et reçut dès l'enterrement de son père une délégation nord-coréenne afin de débattre d'un accroissement des capacités militaires syriennes. Pyongyang était déjà le fournisseur attitré en armes chimiques et en missiles moyenne portée de la Syrie.

Plusieurs rencontres secrètes se tinrent en juin 2000, à l'occasion des funérailles d'Hafez al-Assad, entre Bachar et une délégation nord-coréenne emmenée par Kim Jong-nam, fils aîné et futur successeur de Kim Il-sung. À cette occasion, Bachar fut convaincu d'abandonner pour son programme nucléaire la filière russe, en principe réservée à des applications civiles, en faveur d'une installation d'origine nord-coréenne, qui permettrait de produire une bombe atomique. Les détails de l'accord furent élaborés lors d'un sommet à Damas en juillet 2002. Dès le mois suivant, des navires coréens amenèrent en Syrie les matériels et composants nécessaires pour la future centrale syrienne en développement près d'Al-Zur. Alors que le Mossad disposait de plusieurs agents en Syrie et surveillait de près les évolutions de son arsenal, il ignorait tout du programme nucléaire syrien au début des années 2000. Il faut dire que le secret en était bien gardé. Conscient de la perméabilité de son armée, et des très importants moyens de surveillance électronique de la NSA et de l'unité 8200 du renseignement militaire israélien, Assad n'avait mis dans la boucle qu'un très petit nombre de hauts dignitaires, parmi les plus sûrs : même son chef d'état-major des armées n'était pas au courant. Et tous s'astreignaient à communiquer uniquement par courriers manuscrits livrés par porteur : pas de conversation téléphonique, ni d'e-mail, ni de fax, en aucune circonstance. C'est à ce prix que le secret a pu être maintenu aussi longtemps. Outre les scientifiques et les bataillons chargés de leur protection, moins d'une dizaine de hauts dignitaires du régime étaient informés, avec interdiction d'en parler à leur équipe. Pendant les premières années du règne de Bachar, ignorant tout du programme qui se poursuivait, Israël se contenta donc de démonstrations de force censées impressionner Assad junior : en 2003, l'aviation israélienne accomplit plusieurs raids contre l'armée syrienne et une escadrille survola à basse altitude la villa du dirigeant à Damas. Au sein même du Mossad, certains désapprouvaient ce déploiement de force humiliant, qui ne pouvait qu'indisposer Bachar al-Assad.

C'est la NSA, l'agence américaine d'écoutes, qui la première détecta en 2004 une étrange suractivité téléphonique entre la Syrie et la Corée du Nord. En particulier, depuis un coin reculé du désert syrien nommé Al-Kibar. L'information fut transmise par les Américains à leurs homologues de l'unité 8200, au sein du Aman. Ne parvenant pas à percer le mystère de cette base, les responsables du Aman décidèrent de consulter les services britanniques, qui disposaient de sources bien placées dans le pays. Une délégation se rendit donc à Londres. Or, presque au même moment, on signala l'arrivée imminente dans la capitale britannique d'un haut dignitaire syrien, qui descendrait dans un hôtel de Kensington.

Le Mossad envoya alors trois équipes sous couverture : l'une basée à l'aéroport devait confirmer son arrivée et le prendre en filature, une deuxième descendrait dans le même hôtel que lui, une troisième surveillerait l'hôtel de l'extérieur pour identifier les visiteurs. L'équipe comprenait des membres de la division

Nevioth, spécialistes en ouverture de portes verrouillées et pose de micros. L'autre des membres du *kidon*, en charge de l'exécution. Cette dernière partie du programme était plus que risquée car elle pouvait entraîner un nouvel incident diplomatique avec les services britanniques, qui serait sans doute du plus mauvais effet pendant la visite des délégués du Aman.

C'est l'extraordinaire imprudence du dignitaire syrien qui lui sauva la vie. Pendant que les membres du *kidon* le filaient de grand magasin en tailleur chic à travers Londres, les hommes de *Nevioth* s'introduisirent dans sa chambre pour y placer des micros. Ils n'en crurent pas leurs yeux : leur cible avait laissé bien en évidence son ordinateur portable ! En quelques minutes, un expert en informatique réussit à copier le disque dur et à installer sur la machine un cheval de Troie qui permettrait de suivre à distance toutes ses activités. Au siège du Mossad, les analystes qui examinèrent le contenu du disque dur furent encore plus surpris : dans un dossier figuraient des centaines de plans, mémos et photos d'un réacteur à plutonium situé à Al-Kibar. Il fut alors décidé de ne pas tuer le Syrien et d'analyser à fond cette trouvaille. Sur l'une des photos posaient fièrement Chon Chibu, un des responsables du programme nucléaire nord-coréen, et Ibrahim Othman, directeur de la commission syrienne de l'énergie atomique. Cette fois, tous les services israéliens étaient en état d'alerte.

Le 21 avril 2005, un cargo nord-coréen faisant route vers le port syrien de Tartous subit une avarie et commença à couler. Il transportait 1 400 tonnes de matériel destiné à la centrale d'Al-Kibar. Un navire de l'armée israélienne qui passait par là recueillit l'équipage, composé de Syriens et d'Égyptiens, dont le témoignage s'avéra fort instructif. Le lendemain, 22 avril 2005, une explosion gigantesque retentit dans une gare près de Pyongyang, où l'on était en train de charger du matériel destiné à la centrale syrienne. Elle fit plusieurs centaines de morts, dont dix techniciens syriens qui travaillaient à la centrale iranienne de

Natanz et qui étaient venus convoyer le matériel nucléaire stocké dans un wagon. Le site de l'explosion fut aussitôt condamné et des soldats vêtus de combinaisons anticontamination mirent des jours à le nettoyer. On soupçonna qu'ils récupéraient une partie du matériel nucléaire dispersé par l'explosion. Ces deux accidents presque simultanés confirmèrent les soupçons du Mossad sur la collusion Corée du Nord-Syrie.

En février 2007, une nouvelle série de preuves décisives sur le programme syrien parvint aux services américains de la CIA par l'entremise d'un défecteur iranien. Le général Ali Reza Asgari avait dirigé les gardes révolutionnaires iraniens au Liban dans les années 1980 avant de devenir ministre adjoint de la Défense dans les années 1990. Proche du président Khatami, il était tombé en disgrâce après l'élection de Mahmoud Ahmadinejad en 2005, surtout après avoir eu l'imprudence de dénoncer la corruption de certains de ses proches. Asgari, craignant désormais pour sa vie, parvint à quitter le pays peu après sa famille, et tomba dans les bras de la CIA. Pour les Américains et les Israéliens, cet homme à la mémoire excellente se révéla une mine d'informations, comme on en trouve à peine une par décennie. Il révéla ainsi l'existence d'une seconde usine iranienne d'enrichissement d'uranium, en plus de celle de Natanz. Et il confirma que l'Iran soutenait le programme nucléaire syrien, à la fois financièrement et techniquement. Mahmoud Ahmadinejad s'était rendu en Syrie en 2006 : à cette occasion, il aurait promis un financement d'un milliard de dollars environ. En contrepartie, Assad aurait accepté qu'Al-Kibar fonctionne comme réacteur de secours pour le cas où les Iraniens ne parviendraient pas à produire suffisamment d'uranium enrichi pour produire leur bombe.

De son côté, le Mossad parvint à racheter sa relative myopie sur le dossier nucléaire syrien en recrutant l'un des employés de la centrale, qui put, à l'aide d'un appareil miniaturisé, prendre de nombreuses photos et même une séquence vidéo à l'intérieur de l'installation. Ces éléments furent transmis aux services américains, ainsi que les images satellites et les résultats des écoutes pratiquées par l'unité 8200.

En mars 2007, le premier ministre Ehud Olmert constitua une petite équipe de crise chargée de le conseiller sur les mesures à prendre contre l'installation d'Al-Kibar. Elle comprenait les responsables de l'Aman et du Mossad. Ses membres divergeaient sur la date à partir de laquelle le programme syrien deviendrait incontrôlable. Olmert exigeait des réponses précises.

En août 2007, deux hélicoptères pénétrèrent dans la nuit syrienne, volant à très basse altitude au risque de s'écraser sur un obstacle imprévu, et s'approchèrent du site nucléaire. Les deux appareils se posèrent dans le désert à quelques centaines de mètres. Les membres des commandos qui se trouvaient à bord s'égaillèrent dans plusieurs directions, marchèrent quelques dizaines de mètres et prélevèrent à l'aide de boîtes et de capteurs des échantillons de sol et d'air. Soudain, ils furent pris dans la lumière de phares syriens : une patrouille venait de les découvrir. Pris sous le feu ennemi, les commandos durent interrompre leur tâche et regagner leurs appareils qui redécollèrent en urgence. Ils n'avaient miraculeusement subi aucune perte.

Les quelques échantillons recueillis n'étaient pas complets mais permirent tout de même de corroborer l'existence d'un programme nucléaire à proximité. L'incursion israélienne sembla inquiéter les Syriens, qui donnèrent tous les signes d'une activité accrue dans leur centrale. Quelques semaines plus tard, en septembre 2007, un agent du Mossad signala l'arrivée dans le port de Tartous du navire *Al-Ahmad*, en provenance de Corée, avec à son bord une cargaison d'uranium.

Pour les experts israéliens, le programme syrien ne représentait pas – pas encore – une menace existentielle pour Israël. Cependant, Olmert décida d'agir sans tarder. Il avait besoin pour cela du soutien au moins tacite des Américains. Lors d'une visite à Washington en juin de la même année, Olmert avait déjà discuté du problème avec le président Bush. À ce stade, la secrétaire d'État Condoleezza Rice et le secrétaire à la Défense Robert Gates, un ancien de la CIA, étaient contre une frappe militaire. Cette fois, les photos et les écoutes fournies aux Américains furent décisives. En particulier des conversations enregistrées entre experts syriens et nord-coréens levaient tout doute possible quant à la finalité du programme. Enfin, les échantillons prélevés dans le désert constituaient une preuve irréfutable. Olmert informa donc Stephen Hadley, le conseiller national à la Sécurité du président Bush, qui fut impressionné et rassembla les conseillers du président pour pouvoir l'informer le lendemain. Le feu venait de passer à l'orange. L'absence de réaction négative de l'administration Bush valait approbation. À la fin de son mandat, le président américain fut empêtré dans des polémiques sur l'absence d'armes de destruction massive en Irak, qui avaient servi de prétexte au déclenchement d'une invasion. Il ne voyait donc pas de mal à ce que l'on détourne l'attention sur une autre menace, cette fois bien réelle.

Le 6 septembre à 3 heures du matin, de la base aérienne de Ramat-David, située au sud de Haïfa, un groupe de dix F-15 décollait pour ce qui semblait un exercice de routine et prenait la direction de la Méditerranée, à l'ouest. Quelques minutes plus tard, sur un signal, le groupe se scindait et sept d'entre eux bifurquaient en basse altitude vers l'est-nord-est et la frontière syrienne. Arrivés à proximité, ils ouvrirent le feu sur un poste radar, privant le QG de l'armée syrienne d'indications sur leurs mouvements. Dix-huit minutes plus tard, les appareils atteignaient le site nucléaire, qu'ils noyèrent sous un feu nourri de vingt-deux missiles. Le retour fut sans encombre.

Aux premières heures de la matinée, Ehud Olmert s'entretenait au téléphone avec Recep Erdogan, le président turc. Il lui annonça ce qui venait de se passer et lui demanda de transmettre sa position au président Assad : Israël ne pouvait pas admettre le programme nucléaire syrien. Mais il n'y aurait pas d'autre hostilité et si la Syrie souhaitait étouffer l'opération, Israël ferait de même. C'est exactement ce qui se passa… dans un premier temps. Les Syriens annoncèrent simplement une incursion provocatrice de l'aviation israélienne, qui avait largué ses bombes dans le désert avant d'être forcée à quitter l'espace syrien.

De leur côté, les Américains ne voyaient pas pourquoi on ne diffuserait pas la bonne nouvelle au monde entier. Le 25 avril 2008, la CIA diffusa, lors d'une audition devant la commission du renseignement du Congrès, des photos du site bombardé, ce qui agaça les Israéliens qui les leur avaient confiées sous le sceau du secret. Cette maladresse n'en était probablement pas une : la CIA avait un besoin vital de montrer qu'elle ne criait pas toujours au loup sans raison.

En juin 2008, une équipe de l'AIEA (l'Agence internationale de l'énergie atomique) visita le site d'Al-Kibar détruit par l'aviation israélienne. Ils furent accueillis et cornaqués par le brigadier-général Mohammed Souleiman, un des chefs des services syriens, en charge de la plupart des affaires délicates du régime. Les Syriens avaient nettoyé tous les débris et coulé sur l'emplacement une grande dalle de béton ! Ils expliquèrent candidement aux inspecteurs que l'usine détruite fabriquait des armes conventionnelles et n'avait jamais accueilli de technicien étranger. Les experts de l'AIEA firent néanmoins leur travail et recueillirent des échantillons de sol ainsi que des traces minuscules de matériaux métalliques. Les analyses établirent ensuite que ces matériaux avaient bien été en contact avec de l'uranium. Les Syriens outragés répondirent que ces traces ne pouvaient provenir que des bombardements israéliens, ce qui laissa les experts dubitatifs.

Mohammed Souleiman, le chef espion syrien, responsable en chef du programme nucléaire, n'avait cure de ces arguties. Certes, le régime syrien faisait bravement face à l'adversité et à la réprobation internationale, mais à l'intérieur il était profondément divisé. L'opération israélienne avait révélé l'étendue de la collaboration avec la Corée du Nord, ignorée par certains. Les caciques du régime étaient partagés entre les partisans d'un accommodement avec l'Occident et ceux d'une ligne dure. Certains voyaient en Souleiman, surnommé tantôt « l'ombre d'Assad », tantôt le « général importé » (en raison de ses manières européennes), un homme à la fois trop puissant et trop exposé dans la débâcle nucléaire. Il est vrai que son bureau jouxtait celui de Bachar au sein du palais présidentiel. Pendant ses études d'ingénieur à l'université de Damas, Souleiman était devenu ami avec Basil, le premier fils d'Hafez al-Assad et grand frère de Bachar. Après la mort de Basil dans un accident de la route, Hafez avait tenu à faire venir Souleiman auprès de lui et de Bachar. À la mort d'Hafez, Bachar avait fait de Souleiman son plus proche conseiller. Entre autres choses, Souleiman avait en charge toute la recherche militaire syrienne, y compris les armes chimiques, et assurait le lien avec la Corée du Nord. Le bombardement d'Al-Kibar était sans conteste un sérieux revers personnel.

Ses adversaires en profitèrent pour manœuvrer plus ou moins discrètement contre lui. Mais Souleiman était de taille à se défendre et disposait de son côté de dossiers nourris sur les uns et les autres. Il commença immédiatement à préparer la construction d'un nouveau réacteur. La tâche n'était pas simple, car désormais la Syrie était sous étroite surveillance. Ce fut pourtant dans une toute autre direction que se portèrent les nouveaux soucis de Mohammed Souleiman, lors de la visite d'une vieille connaissance : celle-ci se nommait Imad Moughnieh.

Imad doit mourir

La Syrie faisait partie des pays qui protégeaient Moughnieh lors de ses fréquents séjours. On l'a vu, Moughnieh n'était peut-être plus aussi en vogue qu'autrefois auprès de ses maîtres iraniens, mais il restait une ressource précieuse. Peu de gens en dehors de l'appareil sécuritaire savaient à quoi il ressemblait vraiment, car l'homme le plus recherché par les services américains et israéliens, avec Ben Laden, avait subi plusieurs opérations de chirurgie esthétique destinées à faciliter ses déplacements. Or en 2007, lors d'un raid contre un groupe du Hezbollah à Bassora en Irak, une unité des forces spéciales américaines avait capturé un officier supérieur des Gardiens de la Révolution, Ali Moussa Daqduq. Interrogé sans excès de courtoisie, ce dernier avait fini par se « mettre à table » et fournir de nombreux détails sur Moughnieh : sa résidence secrète à Damas sous protection de la police syrienne, sa nouvelle apparence physique, etc. Ces informations furent transmises au Mossad : pour les Américains, c'était le seul service assez audacieux (ou inconscient) pour oser monter une opération à Damas. En tout cas, les uns et les autres étaient d'accord pour affirmer que le monde se porterait mieux sans Moughnieh.

Le Mossad disposait au Liban d'un réseau qui lui avait été tout particulièrement précieux depuis plus de vingt-cinq ans, et qu'il mit une nouvelle fois à contribution. Originaire de la vallée de la Bekaa, Ali al-Jarrah faisait partie d'une famille très bourgeoise qui donna plusieurs de ses fils à la cause palestinienne après 1982. À la différence de ses frères, Ali qui détestait Arafat pour avoir mis le Liban en coupe réglée s'enrôla dans l'armée du Sud-Liban formée par Israël, où il fut repéré comme une recrue potentielle par le Mossad. Ali était bigame, chacune de ses deux épouses croyant être la seule. Ce qui offrait un moyen de pression idéal au cas où il s'aviserait de ne plus collaborer. On le forma aux techniques du renseignement, aux codes secrets, puis on lui offrit un véhicule et des papiers pour circuler à son aise. Son travail dépassa toutes les espérances. Bientôt il reçut un 4X4 Mitsubishi légèrement modifiée par le département technique : les portières et les pare-chocs dissimulaient désormais des caméras indétectables. Ali circulait à Beyrouth, mais aussi à Damas et ses voyages fournissaient aux services israéliens des données irremplaçables sur de futurs théâtres d'opérations. Il fit même plusieurs incursions en Iran. Désormais aidé de son frère Yusuf, Ali, devenu célèbre dans tout le Liban pour sa petite association humanitaire (dont personne ne songea à le questionner sur l'origine des fonds), était sans cesse en mouvement, renseignait Israël sur toutes les cibles qu'on lui désignait. Il était tout simplement le meilleur agent du Mossad dans la région, comparable par son envergure à Eli Cohen – cet agent qui avait infiltré l'establishment syrien dans les années 1960, livrant des informations qui jouèrent un rôle capital pour la victoire d'Israël dans la guerre des Six-Jours, avant d'être découvert et pendu. Pendant la guerre du Liban en 2006, l'aviation israélienne détruisit tous les ponts menant à Beyrouth, sauf un : ce n'était pas pour laisser la place à un « couloir humanitaire » mais parce que ce pont reliait la maison d'Ali au centre de Beyrouth. Malgré les informations qu'il livra, avec d'autres sources du Mossad dans la région, la guerre tourna mal pour les forces israéliennes. Il fallut mettre Ali à l'abri pendant plusieurs mois en Jordanie pour éviter qu'il ne soit découvert.

En 2007, Ali reprit du service. L'une des priorités qui lui furent assignées fut de se rendre aussi souvent que nécessaire à Damas pour retrouver la trace d'Imad Moughnieh, dont on connaissait désormais le nouveau signalement. Ce qui fut fait en novembre 2007. À vrai dire, Moughnieh circulait sans inquiétude particulière dans Damas, tant la ville paraissait alors sûre aux amis du régime. Moughnieh circulait à bord d'un 4X4 Mitsubishi Pajero, un modèle des plus courants dans la région. Pendant que son frère faisait le guet, Ali Jarrah parvint à la photographier sous toutes les coutures, aussi bien l'extérieur que l'intérieur. Parvenues à Tel-Aviv, ces photos donnèrent une idée particulièrement audacieuse au Mossad : plutôt que de chercher à piéger la jeep de nuit, ce qui représentait un danger élevé, pourquoi ne pas remplacer la jeep par une autre déjà piégée ?

Il fallait pour cela reproduire le modèle à l'identique : faire les mêmes rayures sur la carrosserie, les jantes, le pare-brise et les pare-chocs. Par chance, Moughnieh n'était pas du genre à encombrer son véhicule de colifichets. Après des semaines de travail minutieux, le département technique finit par se déclarer satisfait du résultat. La voiture fut transportée par bateau avant d'être cachée dans une planque des environs de Damas.

Grâce à des écoutes téléphoniques, le service apprit que Moughnieh se rendrait à une réception donnée par l'ambassade iranienne à Damas le 12 février 2008 pour célébrer le 29e anniversaire de la révolution iranienne. L'occasion était parfaite pour obtenir un impact psychologique maximal : tous les pays arabes envoyaient une délégation à cette soirée. Le changement de véhicule fut réalisé une semaine avant. Moughnieh se rendait souvent le soir dans un quartier résidentiel de Damas, où habitait sa maîtresse. Voulant dissimuler cette liaison qui n'était pas sanctifiée par le mariage, ce qui aurait sans doute choqué ses amis du Hezbollah, il s'y rendait sans garde du corps. En récupérant son véhicule au petit matin Moughnieh ne s'aperçut de rien : le département technique avait bien travaillé.

Comme prévu, Moughnieh se présenta à l'ambassade d'Iran dans la soirée du 12 mars. Il quitta la réception vers 22 h 35 et regagna « sa » voiture. Au moment de tourner la clé de contact, l'équipe qui le surveillait à quelques mètres de là confirma qu'il se trouvait seul et activa la bombe, dissimulée dans le haut du siège. L'explosion fut entendue dans tout le quartier. Elle décapita Moughnieh. Le Mossad avait mis près de vingt-cinq ans à venir à bout du « chacal du Hezbollah ». Et il offrait à Israël une première revanche contre le Hezbollah après la semi-défaite de 2006.

Un tel attentat en plein cœur de Damas, à deux pas de l'ambassade iranienne, frappa de stupeur les élites syriennes et causa un profond malaise au sein de la représentation iranienne. La police syrienne se déchaîna pour rattraper sa bévue. Le

Hezbollah entreprit de son côté une enquête minutieuse en Syrie et au Liban. Et il finit par identifier les frères Al-Jarrah, Ali et Yusuf. L'enquête ne s'arrêta pas là : on découvrit que le Mossad disposait d'agents dans chaque communauté confessionnelle du Liban. Ainsi le général Adib Semaan al-Alam, un ancien responsable de la sûreté nationale libanaise, avait pris sa retraite et monté, à l'instigation du Mossad, une agence de placement de domestiques asiatiques. Ce réseau lui permettait de rassembler de nombreux renseignements sur la vie et les déplacements de responsables du Hezbollah. Son arrestation permit de démanteler un réseau de plus de vingt personnes. Plus grave encore pour le Hezbollah, on découvrit un traître au sein même de l'organisation : Marwan Faqih, un chiite concessionnaire automobile et dignitaire du Hezbollah, avait obtenu de fournir voitures et pièces détachées au mouvement. Mais celles-ci étaient souvent truffées de micros et de caméras qui permettaient de suivre à la trace leurs propriétaires. Quand, quelques mois après l'attentat contre Moughnieh, les services iraniens décidèrent de procéder à une vérification générale des domiciles et véhicules des dignitaires du Hezbollah, ils s'aperçurent que presque toutes les voitures étaient truffées de « mouchards ». Il ne leur fut pas difficile à partir de là de trouver le responsable. Subitement, le mouvement qui se croyait invincible depuis la guerre de 2006 comprit qu'il ne l'était pas tant que cela et décida de renforcer encore ses mesures de sécurité. Il allait devenir un ennemi de plus en plus difficile à frapper... La paranoïa du Hezbollah s'exerçait désormais tous azimuts. En tout, près de deux cents Libanais travaillant dans des secteurs les plus divers furent arrêtés et accusés d'espionnage au profit d'Israël en 2009-2010.

Il restait dans l'esprit des Iraniens et des chefs du Hezbollah une question troublante : le régime syrien n'avait-il vraiment pris aucune part à l'assassinat d'Imad Moughnieh ? Selon un ancien du renseignement français, bon connaisseur de la région, on a raison de se poser cette question : « Le Mossad est audacieux mais pas au point de lancer ses équipes dans Damas sans filet de sécurité et sans aide logistique. Le premier point d'importance que l'on ignore est que l'opération a été conduite en partenariat entre le Mossad et les services secrets jordaniens, qui ont bien plus de facilités pour faire pénétrer des explosifs en Syrie. Pourquoi les Jordaniens? Parce qu'ils détestent l'Iran et tout ce qui peut affaiblir le Hezbollah est bon à prendre pour eux.» Cette contribution jordanienne, dont il n'a jamais été fait mention à ce jour, nous a depuis été confirmée par plusieurs sources. Mais les complicités ne s'arrêtent pas là: «De son côté, le régime syrien cherchait à l'époque à revenir dans le jeu international, après une période marquée par l'assassinat d'Hariri. Le lâchage de Moughnieh pourrait donc bien constituer un "cadeau", un signe d'amitié en direction des Américains.» Plus précis, un officier de renseignement américain affirme que le patron du renseignement militaire syrien, Assef Shawkat, aurait donné un accord tacite à l'opération. Shawkat est toujours resté en lien avec la CIA. Au lendemain du 11 septembre 2001, il avait accueilli, en même temps que les Jordaniens et les Égyptiens, des groupes de prisonniers d'Al-Qaida que les Américains souhaitaient voir interrogés sans formalisme juridique excessif. Toujours selon cette source, Shawkat aurait autorisé et facilité plusieurs éliminations de Syriens et de Libanais dont les agissements incontrôlables déplaisaient au pouvoir syrien. La lettre confidentielle *Intelligence Online* rappelle que Assef Shawkat, marié à la sœur de Bachar al-Assad, était déjà en semi-disgrâce avant l'assassinat de Moughnieh. Il a été démis de ses fonctions par Maher al-Assad (le frère de Bachar), suite à un rapport accablant rédigé par Mohammed Souleiman, qui l'accusait d'avoir «failli à sa mission de protection du responsable du Hezbollah» et de s'être montré «passif ou en intelligence occulte avec les tueurs[1]». Enfin, selon Georges Malbrunot du *Figaro*, «Moughnieh a été liquidé parce

---

1. *Intelligence Online*, n° 571 et 576.

qu'il avait infiltré la 4ᵉ division syrienne de Maher al-Assad, selon plusieurs sources concordantes à Beyrouth. Il avait monté son propre groupe à l'intérieur du Hezbollah. Ce sont les Syriens qui l'ont révélé, après sa mort, à Nasrallah, ajoute l'une de ces sources, proche de la milice[1] ». Ces analyses ne sont pas incompatibles entre elles mais dévoilent un jeu particulièrement trouble du côté syrien. Et si ces informations sont confirmées, elles ne rendent que plus troublant l'épisode qui suivit.

Retour de feu

Cinq mois après le meurtre de Moughnieh, Mohammed Souleiman se trouvait dans sa maison de vacances à 13 kilomètres de la cité médiévale de Tartous, ancien bastion des Templiers. L'été, il s'y rendait presque chaque fin de semaine à partir du vendredi pour étudier ses dossiers face à la mer. Ce fut le cas le premier week-end d'août 2008. Souleiman voyageait en compagnie de ses gardes du corps dans un véhicule blindé. Depuis le meurtre de Moughnieh, le niveau de sécurité avait encore été renforcé. Des gardes résidaient en permanence dans sa villa pour en interdire l'accès en son absence. Depuis sa plage privée et son ponton, il pouvait accueillir les visiteurs de marque. Dans la journée, il nageait à plusieurs reprises pour conserver la forme. Des gardes du corps l'accompagnaient dans l'eau, tandis que d'autres surveillaient la mer depuis le ponton. Ils avaient instruction de ne jamais le perdre de vue lorsqu'il se trouvait à l'extérieur.

Ce jour d'août, la mer était calme. Quelques yachts évoluaient à distance. Ils sortaient du port de Tartous – destination de vacances favorite des Syriens aisés – pour faire des ronds dans l'eau puis décharger leurs passagers dans l'île toute proche d'Arwad, réputée pour ses restaurants de poisson. Personne

---

1. *Le Figaro*, 15 décembre 2011.

ne sembla faire attention à l'élégant yacht qui passait à bonne distance. Personne ne remarqua non plus les deux nageurs qui s'étaient mis à l'eau avec des sacs étanches et s'approchaient du rivage, à une centaine de mètres de la villa. Le général Souleiman était en train d'accueillir ses invités pour un dîner amical sur la terrasse. Quand ils atteignirent la proximité du rivage, les deux nageurs s'orientèrent sans hésiter vers la villa. Ils s'installèrent derrière des rochers et montèrent leur matériel. Assis au milieu de ses invités, Souleiman leur faisait face au loin. Vers 21 heures, le dîner était bien avancé et l'obscurité dissimulait les environs. Au signal, les deux hommes sortirent de l'eau, s'avancèrent et mirent leur cible en joue. Le premier coup à la tête fut mortel. Souleiman s'écroula sur la table devant ses invités stupéfaits : avec les silencieux, ils n'avaient pas entendu les coups de feu. Ce n'est qu'en voyant la tache de sang qui s'étendait rapidement sur la table qu'ils prirent peur et se dispersèrent en criant. La panique laissa aux snipers le temps de regagner la mer. Quelques minutes plus tard, le yacht qui les avait amenés faisait demi-tour et gagnait la haute mer.

La nouvelle de l'assassinat frappa de stupeur les Syriens : ainsi, personne n'était à l'abri ! La presse arabe, aussi bien que la presse israélienne et occidentale, attribua cette opération aux services israéliens. C'est une possibilité sérieuse, mais ce n'est pas la seule. De leur côté plusieurs services de renseignement occidentaux, dont la DGSE[1], voient dans cette élimination un règlement de comptes interne au régime. Le nom du frère de Bachar al-Assad, Maher, qui dirige les forces militaires loyalistes, revient avec insistance comme le possible commanditaire de l'opération. S'il a bien donné son accord pour laisser tuer Souleiman, Bachar aurait considéré que son maître-espion devenait gênant après le fiasco du nucléaire. Autre facteur possible suggéré par le Quai d'Orsay : le général Souleiman en savait sans doute trop

---

1. AFP, « *Wikileaks: France said Syrian General killed in Regime Feud* », 25 août 2011.

sur l'implication syrienne dans l'assassinat du Premier ministre libanais Rafic Hariri[1].

Nous pouvons ajouter une troisième hypothèse qui n'exclut pas les précédentes : si Moughnieh a bien été « donné » au Mossad par le patron du renseignement militaire Assef Shawkat, comme l'en accusait le général Souleiman, ce dernier constituait donc une menace pour Shawkat. Serait-ce de nouveau Shawkat qui aurait fait d'une pierre trois coups : favoriser l'élimination d'un rival qui en savait trop, offrir aux Américains et aux Israéliens un gage d'abandon des ambitions nucléaires, et acheter la modération internationale dans l'enquête sur l'assassinat d'Hariri ? En tout cas, cet épisode n'a fait qu'accentuer la défiance à son égard et sa mise à l'écart. Maher al-Assad, qui commande la garde républicaine, est devenu après cet épisode le véritable patron des services secrets syriens, avant de prendre la tête en 2011 de la répression sauvage contre les opposants du régime.

---

1. AFP, *op. cit.*

Chapitre 11

Dubaigate

Le dimanche 29 mars 2009, deux hommes se trouvaient à bord d'un vol Lufthansa en provenance de Tel-Aviv et à destination de Cologne en Allemagne. En apparence, ils ne se connaissaient pas. Ils avaient pris place à bonne distance l'un de l'autre et, lors du contrôle des passeports, ils empruntèrent des files différentes. Pourtant, une fois à destination, ils descendirent dans le même hôtel et se rendirent ensemble chez leur contact, un avocat. L'un des deux hommes se présenta sous le nom de «Michael Bodenheimer». Son compagnon, Alexander Varin, était son avocat. Il avait déjà présenté avec l'aide de son confrère allemand une demande de réintégration dans la citoyenneté allemande pour le père de Michael, Hans Bodenheimer, présenté comme une victime du nazisme. À présent le fils de son client, né en Israël en 1967, souhaitait à son tour devenir citoyen allemand selon une disposition particulière de la Constitution allemande : toute victime du nazisme, ainsi que ses enfants et petits-enfants nés à l'étranger peuvent obtenir la citoyenneté allemande.

L'avocat allemand accepta bien volontiers d'accomplir les démarches pour Bodenheimer junior. Rendez-vous fut pris trois mois plus tard pour accomplir les ultimes formalités. Lors de leur deuxième visite à Cologne, les deux hommes du Mossad descendirent au même hôtel que la fois précédente. Mais «Varin» utilisa cette fois l'identité de «Youri Brodsky». Il ne faudrait pas longtemps à la police allemande pour détecter cette anomalie. De son côté, Bodenheimer se mit en quête d'un appartement et loua un petit deux-pièces près de la gare. Il se présenta comme entraîneur sportif et paya son loyer plusieurs mois d'avance en liquide. Le 18 juin 2009, il obtint son passeport : il était désormais un authentique citoyen allemand.

19 janvier 2010 au matin

La voiture avec chauffeur et garde du corps atteignit l'aéroport de Damas alors que les premières lueurs du soleil pointaient à l'horizon. Traité comme un VIP, l'homme n'avait pas besoin de faire la queue au guichet : il se rendit directement dans la salle d'attente des premières classes, pendant que son chauffeur se chargeait de l'enregistrement et des bagages. Le garde du corps l'accompagnait, mais seulement jusqu'à l'embarquement : il s'agissait en réalité d'un agent des services syriens qui escortait Al-Mabhouh lorsqu'il se trouvait dans le pays. Al-Mabhouh voyagerait seul. Il était habitué aux voyages internationaux, se rendant fréquemment en Iran, au Soudan, en Chine et à Dubai.

Mahmoud al-Mabhouh figurait sur la «liste rouge» des ennemis d'Israël à assassiner depuis 1989. À cette date, alors chef de l'unité 101 du Hamas, il avait assassiné avec un complice deux soldats israéliens dans le désert du Néguev. Il s'était même vanté de cet exploit lors d'une interview à la chaîne Al-Jazeera en 2009. Même si son visage avait été brouillé, la voix était suffisamment reconnaissable pour les équipes du Mossad. Mais ce n'était pas pour exercer une vengeance tardive que Al-Mabhouh était ce jour de janvier 2010 la cible du Mossad. Dans les années 1990, Al-Mabhouh était devenu l'armurier du Hamas, son principal pourvoyeur en matériel offensif. Il collectait des fonds en Iran, ainsi que des dons de riches Arabes du Golfe, puis négociait au marché noir l'achat de roquettes, et bientôt de missiles longue portée. En 2008, il se trouvait dans un convoi sur une route soudanaise quand un drone israélien surgit et prit pour cibles les camions remplis de roquettes iraniennes. Al-Mabhouh s'en tira miraculeusement. Mais il savait à quoi s'en tenir.

Compte tenu des pays qu'il fréquentait, et de son absence d'habitudes, Al-Mabhouh n'était pas un client facile pour Césarée, le service «action» du Mossad. Après examen de ses allées et venues, on avait décidé de le frapper à Dubai. La ville était un centre régional de tourisme et d'affaires où il était plus facile de faire pénétrer discrètement des agents munis de passeports occidentaux. Peut-être aussi considérait-on la police locale comme peu efficace, ce qui allait s'avérer une grave erreur.

En 2009, une première opération contre Al-Mabhouh échoua sans faire de vagues. Un commando parvint à s'introduire dans sa chambre d'hôtel et badigeonna sur les poignées de porte et les commutateurs électriques un poison à action lente. De fait, Al-Mabhouh tomba malade, mais la dose n'était pas suffisante et il se remit, sans soupçonner qu'il avait frôlé la mort.

La deuxième tentative aurait donc lieu au même endroit. Les hommes de l'équipe de Césarée qui arrivèrent à l'aéroport de Dubai le matin du 19 janvier en étaient, pour certains, à leur cinquième visite. Après l'opération manquée d'empoisonnement, les hommes et femmes du Mossad étaient revenus surveiller les faits et gestes d'Al-Mabhouh lors de ses trois précédentes visites à Dubai. Cette fois, ils avaient le feu vert pour agir. Ils ne pouvaient pas savoir dans quel hôtel Al-Mabhouh descendrait, mais ils savaient quels hôtels leur cible fréquentait habituellement. Ils connaissaient son heure d'arrivée et son emploi du temps de la journée, grâce à un cheval de Troie informatique introduit dans son ordinateur personnel (par l'intermédiaire d'une taupe au sein du Hamas qui fournit sans doute d'autres précieux renseignements). Toutefois il n'était pas possible de suivre un plan strict : dans ce genre d'environnement où la cible ne suit pas une routine quotidienne, il faut la surveiller et attendre un moment propice.

Plus de 100 000 passagers transitent chaque jour par le gigantesque aéroport international de Dubai. Les 18 et 19 janvier au matin, les vingt-sept passagers qui arrivèrent dans la matinée par des vols séparés en provenance d'Europe passèrent totalement inaperçus. Mais à la différence des autres, ils n'étaient pas là pour explorer les *shopping malls* géants, ou pour se dorer au soleil. Douze d'entre eux avaient des passeports britanniques, six irlandais, quatre français, quatre australiens et un allemand : Michael Bodenheimer. Seul le passeport de ce dernier était authentique. Les autres provenaient soit du marché noir, soit de copies effectuées à partir de véritables passeports présentés par des voyageurs à l'aéroport de Tel-Aviv. Les passeports britanniques, canadiens, irlandais, français, allemands et néo-zélandais étaient les plus prisés : on n'y accordait qu'une attention rapide dans les pays arabes, tandis que les passeports américains étaient examinés sous toutes les coutures. La seule femme de l'équipe, Gail Folliard, portait un passeport irlandais.

L'équipe qui débarqua ce jour-là représentait une part considérable du département Césarée : ces hommes et cette femme avaient conscience qu'ils risquaient leur peau dans cette mission. Contrairement aux opérations en pays occidentaux, ils ne pourraient trouver refuge dans une ambassade, ni compter sur une expulsion après négociation par leurs chefs. Ils ne pouvaient compter que sur eux seuls. La décision de les envoyer avait été prise par Meir Dagan après consultation du Premier ministre Netanyahou, qui s'était rendu tout spécialement au QG pour écouter les explications de Dagan et des responsables de Césarée. Les raisons pour lesquelles le Mossad plaçait autant d'agents en terrain hostile étaient d'une part l'incertitude concernant l'hôtel dans lequel Al-Mabhouh descendrait, et d'autre part la nécessité d'improviser très rapidement. Une partie de l'équipe s'était déjà rendue à Dubai en février, mars et juin 2009, lors des précédentes visites de leur cible.

Ils se répartirent par petits groupes entre différents hôtels, et réglèrent leur chambre à l'avance, soit en espèces, soit avec une carte de paiement prépayée, émise par une société américaine, Payoneer. L'usage de cette carte très rare dans les Émirats allait plus tard trahir leur appartenance aux yeux de la police de Dubaï, surtout lorsqu'on apprendrait que la société Payoneer avait été fondée par Yuval Tal, un ancien des forces spéciales israéliennes. La deuxième erreur consista pour les membres de l'équipe à communiquer d'un portable à l'autre par l'entremise d'un numéro de téléphone autrichien. Il s'agissait de ne pas laisser de traces incriminant le réseau au cas où l'un d'entre eux serait capturé. Mais l'usage intensif par tous les groupes du même numéro autrichien devait ultérieurement les désigner tout aussi sûrement.

19 janvier après-midi

Al-Mabhouh était attendu à l'aéroport de Dubaï à 15 heures. Lui aussi voyageait sous une fausse identité, et sans que les autorités de Dubaï soient informées de sa venue. Ce simple fait évita sans doute le pire à l'équipe du Mossad. Dès 14 h 30, une équipe de surveillance l'attendait à l'aéroport, tandis que les autres étaient postés par petits groupes dans les halls de tous les hôtels où il était déjà descendu. Dans le hall du luxueux *Al-Bustan Rotana*, deux hommes en polo et short blanc de tennis, raquettes à la main, signalèrent l'arrivée de la cible à 15 h 25. Ils le suivirent dans l'ascenseur et à son étage, pour repérer son numéro de chambre : le 230. Depuis le centre d'affaires d'un autre hôtel, un des membres de l'équipe nommé Peter Elvinger reçut l'information par SMS et appela alors le *Rotana* pour réserver une chambre au même étage : il obtint la 237, située de l'autre côté. À 16 h 23, la cible ressortit de l'hôtel et se rendit dans un *mall*. À ce moment-là, la police de Dubaï perd sa trace sur les vidéos de télésurveillance, ou peut-être est-elle prise d'un trou de mémoire diplomatique. En effet, les agents de Césarée suivirent Al-Mabhouh jusqu'à son rendez-vous avec le banquier qu'il rencontrait régulièrement à Dubai. Celui-ci l'assistait dans ses transactions avec divers marchands d'armes et dans ses rapports avec les services iraniens. La police de Dubai préféra logiquement ignorer cet aspect des activités d'Al-Mabhouh sur son territoire.

À 16 h 37, Elvinger se présenta à la réception du *Rotana* pour retirer la clé de sa chambre. Il la passa à un complice et quitta l'hôtel. Sa mission était achevée : il se rendit immédiatement à l'aéroport pour quitter le pays. L'équipe des quatre tueurs entra dans l'hôtel à 18 h 34 et gagna la chambre 237. L'équipe de surveillance en tenue de tennis fut relayée par une autre équipe de touristes britanniques. Vers 20 heures, les agents qui attendaient dans la chambre 237 en sortirent. Deux d'entre eux se postèrent chacun à un bout du couloir pour surveiller d'éventuelles allées et venues. Un homme se plaça devant la porte 230 et sortit un petit appareil. En deux minutes, il reprogramma la serrure électronique de la chambre : celle-ci continuerait à s'ouvrir normalement avec la carte de son occupant, mais elle s'ouvrirait désormais aussi pour les tueurs. La rapidité avec laquelle cette opération fut accomplie indique que cet exercice avait été répété, sans doute des dizaines de fois dans tous les hôtels concernés de Dubai. L'équipe s'apprêtait à pénétrer dans la chambre d'Al-Mabhouh pour une reconnaissance lorsqu'un client de l'hôtel sortit de l'ascenseur au deuxième étage. Un des membres de l'équipe s'avança vers lui et engagea la conversation, le temps pour ses complices de disparaître.

À 20 h 25, Al-Mabhouh regagna sa chambre. Il avait pris le temps de s'acheter une nouvelle paire de chaussures. Sorti de l'ascenseur, il ne remarqua pas un homme moustachu portant l'uniforme de l'hôtel, ni une femme à perruque sombre qui faisait les cent pas dans le couloir depuis une demi-heure. Peu après, le commando pénétrait dans sa chambre. Il fallait que sa mort paraisse la plus naturelle possible, sans quoi Dubai serait quadrillé par la police avant même que l'équipe du Mossad ait pu quitter le pays. Selon le rapport de la police, Al-Mabhouh reçut une piqûre de succinylcholine – un poison qui entraîne une paralysie des muscles en moins d'une minute – puis il fut étouffé avec un oreiller. Après sa mort, il fut placé dans son lit en position de sommeil, les rideaux tirés. L'équipe sortit, plaça un écriteau *do not disturb* sur sa porte et rejoignit la chambre 237. Après un bref débriefing, elle quitta l'hôtel. Quatre heures plus tard, la plupart des membres du commando avaient quitté le pays.

Tout s'était déroulé selon le plan.

Du 20 au 25 janvier

Ce n'est que le lendemain en début d'après-midi que le corps fut découvert par une femme de chambre. Et il fallut encore quatre jours à la police de Dubai pour comprendre qu'il s'agissait d'une opération du Mossad. Lorsque le Hamas commença à s'inquiéter de ne pas voir reparaître Al-Mabhouh, ses responsables se résignèrent à informer la police. Le lieutenant général Dahi Khalfan Tamim, chef de la police de Dubai, n'est pas un homme commode ni un diplomate. Il ne dépend que d'un seul homme : le cheikh Mohammed bin Rashid al-Maktoum, chef de l'État. Tamim s'est taillé une solide réputation de « superflic » en luttant contre le crime organisé qui aimerait bien mettre le pied dans l'Émirat. Tamim ne fait pas de politique et n'aime pas les idéologues. Il trouve même normal que les Juifs puissent se défendre contre leurs ennemis. Mais sa compréhension ne va pas jusqu'à accepter qu'ils viennent assassiner des gens à quelques dizaines de mètres de ses bureaux. Lorsqu'il eut un responsable du Hamas au téléphone, Tamim commença par passer ses nerfs sur lui et hurla dans le téléphone : « Vous pouvez tout remballer, vous, vos comptes en banque, vos armes, vos putains de faux passeports et ficher le camp de mon pays ! » Il reporta ensuite son énergie sur l'enquête, qui bénéficia de ressources exceptionnelles :

Tamim fit établir des listes de toutes les personnes qui étaient arrivées à Dubai peu avant le meurtre et en étaient parties peu après. Les noms furent comparés à ceux des passagers qui étaient venus au cours des précédents voyages d'Al-Mabhouh en février, mars, juin et novembre 2009, puis comparés avec ceux des registres d'hôtels. La police se procura les enregistrements de près de mille caméras de surveillance placées dans l'aéroport, les hôtels et les *malls*. Par recoupements, son équipe parvint ainsi à identifier la plupart des membres de l'équipe du Mossad. C'est à ce stade que l'usage des cartes Payoneer et les appels depuis le numéro viennois leur furent précieux. La police de Dubai disposait désormais d'une image vidéo pour chaque agent du Mossad, qu'elle put ensuite utiliser pour étudier à fond les enregistrements du *Rotana*. Au bout de quelques jours, Tamim disposait d'une base de données très complète sur les actions des uns et des autres entre leur arrivée et leur départ. Il décida de crucifier publiquement le Mossad.

Scandale à la une

Le 15 février, Tamim tenait une première conférence de presse annonçant l'assassinat d'Al-Mabhouh par une équipe du Mossad. Deux autres allaient suivre. Prenant goût aux médias, Tamim se fit un plaisir de diffuser de nombreux extraits des vidéos, et de fournir aux télévisions du monde entier les gros plans dévoilant les visages des tueurs. Il dénonça leur amateurisme, faisant remarquer que de vrais joueurs de tennis ne se promènent pas avec leur raquette sans protection et ne restent pas plusieurs heures en tenue de sport dans le hall d'un hôtel. Il détaillait les traces laissées par les uns et les autres : tel agent chauve filmé à son entrée dans les toilettes d'un hôtel en ressortait avec une perruque grossière. Il mentit peut-être sur un seul point : l'usage de la succinylcholine, un poison qui laisse des traces dans le sang, paraît incompatible avec l'objectif de faire croire à une mort naturelle. De deux choses l'une : soit les *kidon* (tueurs du Mossad) ont péché par arrogance envers la police de Dubai, comptant qu'il n'y aurait même pas d'autopsie, soit la police n'a pas trouvé le poison qui a tué Al-Mabhouh sans vouloir le reconnaître publiquement.

Quoi qu'il en soit, Tamim avait réussi à assembler presque toutes les pièces du puzzle et à exposer aux yeux du monde entier une importante équipe du Mossad, qui serait désormais interdite de déplacements internationaux. Il apostropha Meir Dagan et Benyamin Netanyahou, les traitant d'assassins, les mettant au défi de se comporter «comme des hommes et de venir se constituer prisonniers». Dans les capitales arabes et iranienne, plusieurs manifestations de protestation furent organisées. À Damas, Khaled Mechaal, le leader du Hamas, qui avait survécu lui-même à une tentative d'assassinat du Mossad, lança un appel pour que «le sang de [notre] frère soit vengé». À Beyrouth, au Yémen et dans la Corne de l'Afrique, plusieurs groupes terroristes firent savoir qu'Israël paierait cher cet attentat.

Ce n'était là qu'un des problèmes du Mossad, qui devait faire face, en même temps, à la colère de plusieurs services de renseignement alliés. C'est avec les Britanniques que le choc fut le plus violent. En 1986 déjà, la découverte dans une cabine téléphonique d'un lot de faux passeports anglais abandonné par un messager du Mossad avait provoqué la rupture des relations entre les services des deux pays. Il avait fallu que les Israéliens s'engagent par écrit à ne plus opérer sur le sol britannique et à ne plus utiliser de faux passeports de la Couronne pour que le lien soit rétabli. À présent, le Mossad était pris «la main dans le sac» en train de trahir son engagement. La situation fut encore envenimée par un article du *Daily Mail* suggérant que les Israéliens avaient prévenu à l'avance le MI6 de leurs projets. On pouvait supposer que le chef de poste du Mossad à Londres était une des sources de l'article. David Milliband, le ministre des Affaires étrangères, dut fermement démentir et qualifia l'utilisation de faux passeports britanniques de «scandaleuse». De son côté, sir John Sawers, le patron du MI6, fut contraint de nier à son tour avoir eu connaissance du moindre indice avant l'opération. Une enquête fut ouverte par Scotland Yard sur l'usage des faux passeports, qui conclut à des faux d'excellente qualité. Lorsque les résultats furent rendus publics, Milliband dénonça «l'inacceptable mésusage de passeports britanniques», qui montrait «un profond mépris pour la souveraineté britannique». En conséquence de quoi un membre de l'ambassade israélienne de Londres fut immédiatement expulsé. Le choix se porta sur le chef de poste du Mossad. L'épisode a assurément laissé des traces. Lors d'une conférence donnée en mars 2011 à l'occasion des soixante ans de la relation anglo-israélienne, sir Richard Dearlove, qui fut le patron du MI6 de 1999 à 2004, n'hésita pas à dire publiquement que les Israéliens ne jouaient pas selon les mêmes règles que les services européens, et que les services britanniques se sont toujours interrogés sur les informations qu'ils pouvaient partager sans risque avec leurs confrères du Mossad[1]. Ce genre de déclaration, rare dans le monde de l'espionnage, était en priorité destiné aux agents israéliens.

De son côté, la police allemande se mit, dès la révélation de l'affaire, à enquêter sur l'unique «allemand» du commando de Dubai, Michael Bodenheimer. Elle ne mit pas longtemps à établir que si le passeport était authentique, son détenteur n'était pas le véritable fils de Hans Bodenheimer, un rescapé de la Shoah qui ignorait tout de l'affaire, et au nom duquel les démarches avaient été entreprises auprès des autorités allemandes. Le 4 juin 2010, l'avocat israélien qui avait accompagné à Cologne le faux Michael Bodenheimer fut arrêté alors qu'il se trouvait en transit à Varsovie, en route pour Vilnius. Il voyageait cette fois avec un passeport au nom de Youri Brodsky. Il ignorait sans doute que la justice allemande avait connaissance de cet alias. En réalité, la

---

1. « *U.K. didn't always feel safe to share intelligence with Israel* », *Haaretz*, 31 mars 2011.

police allemande avait reconstitué ses nombreux déplacements des mois précédents en Autriche, Lituanie, Turquie, République tchèque, etc. Il était en charge de nombreuses missions logistiques pour le Mossad en Europe. S'il n'avait pas commis l'erreur d'utiliser le nom de Brodsky au lieu de Varin lors de sa seconde visite à Cologne, il n'aurait pas été repéré. Bien entendu, l'Allemagne demanda son extradition. Bien entendu, Israël fit pression sur la Pologne pour qu'elle refuse. Finalement les Polonais décidèrent d'extrader Varin-Brodsky, mais à condition que les Allemands ne le poursuivent que pour utilisation de faux passeport. L'ambassade d'Israël en Allemagne engagea alors pour sa défense deux des meilleurs avocats allemands et paya aussitôt la caution fixée par la justice à 100 000 euros pour la libération de l'espion. Celui-ci quitta aussitôt le pays. Son cas fut « arrangé » moyennant une amende de 60 000 euros. Quant à la relation de travail entre le BND et le Mossad, elle aussi subit pendant plusieurs mois un net refroidissement. Les responsables du BND étaient choqués, non pas par l'assassinat d'Al-Mabhouh, mais par les méthodes employées et par l'apparent dédain manifesté envers les services secrets arabes et occidentaux.

Tous les pays concernés ne réagirent pas aussi vigoureusement que l'Allemagne et la Grande-Bretagne. La France fut beaucoup plus discrète. Selon la police de Dubai, le patron de toute l'opération était pourtant l'un des porteurs de passeports français, à savoir Peter Elvinger. En tout, quatre faux passeports français avaient servi à l'opération : selon les enquêteurs, il s'agissait de copies de documents authentiques qui avaient été scannés lors de passages à l'aéroport de Tel-Aviv. Le 12 mars, le parquet de Paris ouvrit une simple enquête préliminaire pour « faux et usage de faux », qui fut confiée à la Brigade de répression de la « délinquance astucieuse » (sic), un service de la PJ parisienne peu au fait des affaires de renseignement[1]. On ignore si cette

---

1. *Intelligence online* n° 615 du 8 avril 2010.

enquête a abouti depuis lors. Cet aiguillage indiquait en tout cas que les autorités françaises avaient décidé de ne pas «faire tout un plat» de cet épisode.

Du point de vue israélien, l'opération n'était pas un complet fiasco, puisqu'elle avait atteint son but premier, l'élimination d'Al-Mabhouh. Mais son coût s'avérait exorbitant: vingt-sept agents du département d'élite Césarée exposés dans les médias internationaux se trouvaient assignés à résidence; de nombreuses complications diplomatiques s'ensuivaient, les modes opératoires du Mossad étaient révélés... Ce n'était pas exactement une mission sans bavure. Au plus fort du scandale, le patron de Césarée se sentit tenu de présenter sa démission, qui fut refusée, mais il cessa d'être considéré comme le favori pour prendre la tête du Mossad après le départ de Dagan. De son côté, le patron du Mossad qui avait déjà vu son mandat prolongé à plusieurs reprises savait désormais qu'il n'y aurait pas de nouvelle prorogation.

Sans le dire officiellement, nombre de responsables sécuritaires israéliens et européens attribuaient ces bavures au caractère autocratique de Meir Dagan. Ronen Bergman, le spécialiste du journal *Yediot Aharonot*, résuma ainsi leur sentiment: «Pourquoi le Mossad a-t-il laissé les choses si mal tourner à Dubai? En un mot, la réponse est sa direction. Parce que Dagan a remodelé le Mossad à son image, et parce qu'il a mis dehors tous ceux qui mettaient en cause ses décisions, il n'y avait plus personne dans l'agence pour lui dire que l'opération de Dubai était pauvrement conçue et pauvrement planifiée. Ils ne pensaient tout simplement pas qu'un nain du renseignement tel que la police de Dubai puisse être un adversaire à la hauteur des combattants de Césarée[1].»

---

1. «The Dubai Job», *GQ*, janvier 2011.

Chasse aux trafics

Quelles que soient les conséquences pour les uns et les autres des erreurs passées, le combat devait se poursuivre. Le Hamas ne mit que peu de temps à désigner un nouveau responsable de l'armement : Abdel Latif al-Ashkar allait reprendre le poste d'Al-Mabhouh. Les hommes du Mossad en furent vite informés et le placèrent sous surveillance. Compte tenu du récent exemple de Dubai, sa sécurité avait été renforcée comparée à celle de son prédécesseur. Il serait difficile de rééditer une opération «furtive» comme celle qui avait eu lieu précédemment. Pour obtenir plus d'informations sur la filière d'armement du Hamas, les services israéliens décidèrent de capturer et d'interroger Dirar Musa Abu Sisi, un ingénieur qui travaillait dans l'unique usine de production d'électricité de Gaza. En février 2011, lors d'une visite à sa belle-famille, il se trouvait dans un train de nuit en Ukraine lorsque des hommes du Shin Bet et des services ukrainiens le capturèrent. Il fut alors interrogé très sévèrement dans les locaux de la police secrète à Kiev, avant d'être rapatrié en Israël par un vol secret, puis traduit devant le tribunal de Beer Sheva, où il fut inculpé d'activités terroristes et de production illégale d'armes. L'avocat israélien d'Abu Sisi, Smadar Bar Natan, dénonça pour sa part une arrestation arbitraire et des actes de torture subis par son client. La motivation première de cette opération était que les services israéliens le soupçonnaient de détenir des informations sur la détention du soldat Gilad Shalit, capturé près de Gaza cinq ans auparavant par le Hamas. Abu Sisi ne fournit aucune information à ce sujet. En revanche, ce docteur en ingénierie électronique semblait au fait des achats et expérimentations d'armes par le Hamas : il avait apporté son concours pour étendre la portée des Qassam, les roquettes artisanales du Hamas ; il avait aidé au développement d'un missile antichar ; enfin il avait été associé à de nombreux tests de missiles à longue portée, du moins selon les documents produits par l'accusation.

Le Shin Bet disposait d'un moyen de pression commode sur lui : il menaça de révéler, preuves à l'appui, des éléments gênants sur le passé de sa femme, une Ukrainienne de 32 ans, mère de ses six enfants. De telles informations saliraient à jamais son honneur dans la société gazaouie et au sein du Hamas. Abu Sisi craqua et se mit à dévoiler ce qu'il savait sur les transferts d'armes depuis l'Iran jusqu'à la bande de Gaza.

Trois mois plus tard, une Hyundai Sonata faisait route entre Port-Soudan et la capitale. À son bord avaient pris place un chauffeur et son passager, Abdel Latif al-Ashkar, le nouveau trafiquant d'armes du Hamas. Il était venu surveiller une nouvelle livraison. Le matériel iranien était d'abord chargé sur un cargo dans le port de Bandar Abbas en mer Rouge, puis débarqué au Soudan. Là, des camions le transportaient vers la péninsule du Sinaï. Les caisses étaient ensuite passées en contrebande par des tunnels vers la bande de Gaza. Ces transferts étaient à haut risque : en janvier 2009, un convoi semblable avait été bombardé près de la frontière soudano-égyptienne par des avions non identifiables. L'attaque avait fait cent dix-neuf morts.

Le nouveau convoi présentait donc une importance particulière pour le Hamas. Hélas pour lui, Al-Ashkar devait encore échouer. Bien au-dessus de sa voiture, un drone israélien armé de missiles américains air-sol s'était positionné, calant son allure sur la sienne. À des centaines de kilomètres de là, dans un centre de contrôle de l'armée de l'air à Tel-Aviv, le commandant en chef des forces aériennes Ido Nehushtan suivait sur un écran de contrôle le film des événements et donna l'ordre de tirer. En quelques secondes, la Hyundai se transforma en boule de feu. On retrouva les corps carbonisés sur leur siège. Le Soudan dénonça aussitôt une violation de son territoire, faisant remarquer que seul Israël disposait de ce modèle de roquettes dans la région.

La route maritime n'était pas moins risquée pour les convois d'armes, comme l'illustra l'affaire du *Francop* en 2009. Fin octobre, un navire iranien avait appareillé de Bandar Abbas en direction du canal de Suez, pour accoster dans le port égyptien de Damiette (à l'ouest de Port-Saïd). Le stock d'armes qui se trouvait à son bord – 600 tonnes d'armes et de munitions, dont trois mille roquettes « Katioucha » – furent dissimulées dans des conteneurs, lesquels furent mélangés à la cargaison d'un autre navire, le *Francop*. Ce bateau appartenait à une compagnie allemande, mais était opéré par un armateur chypriote et battait pavillon d'Antigua. Il devait appareiller quelques jours plus tard pour le port de Lattaquié en Syrie. Selon l'armée israélienne, les armes étaient destinées au Hezbollah, ce que ce dernier dément. Le navire fut assailli en cours de route par la Marine israélienne sans que l'équipage oppose de résistance, et détourné vers le port d'Ashdod, au sud de Tel-Aviv. C'était de loin la plus grosse interception maritime depuis qu'en janvier 2002 l'armée israélienne avait intercepté le cargo *Karine A* en mer Rouge, avec à son bord 50 tonnes d'armes et de munitions destinées aux Palestiniens. Cette fois, la cargaison du *Francop* semblait indiquer que le Hezbollah était en train de reconstituer son arsenal entamé par la guerre de 2006 au Sud-Liban. Si d'aventure une opération militaire était lancée contre l'Iran, non seulement Téhéran répliquerait par des tirs de missiles, mais il ferait aussi donner le feu par ses alliés du Hezbollah et du Hamas pour noyer Israël sous un déluge de roquettes. Jusqu'à présent celles du Hamas étaient capables de frapper seulement les zones frontalières d'Israël, mais selon le renseignement militaire, l'arsenal en voie de modernisation permettrait bientôt de frapper les centres urbains.

Mois après mois, les services israéliens faisaient la preuve de leur efficacité dans la lutte contre le trafic d'armes à destination du Liban et des territoires palestiniens. Mais ils n'étaient pas (ou mal) préparés pour faire face à des actions d'un nouveau genre...

La flottille pour Gaza

En mai 2010, un enquêteur du programme de lutte contre le financement du terrorisme, hébergé par le Département du Trésor américain, fit une découverte intéressante dans la base de données Swift, qui gère les transferts de fonds entre 8 500 banques et institutions financières du monde entier. Plusieurs comptes réputés appartenir au Hamas étaient à l'origine de virements à destination d'une banque turque hébergeant le compte de l'IHH, fondation d'aide humanitaire qui planifiait l'envoi de navires de ravitaillement à Gaza, en opposition avec le blocus mis en place par Israël et l'Égypte. L'information fut aussitôt transmise aux services occidentaux et au Mossad. Ce dernier avait une relation de travail clandestine mais efficace avec les services secrets turcs. Les Israéliens avaient accompli beaucoup d'efforts pour cela.

En novembre 1998, le premier ministre turc Ecevit demanda à son homologue israélien si le Mossad ne pourrait pas l'aider à capturer Abdullah Öcalan, leader du PKK, parti indépendantiste kurde. Depuis 1984, le PKK menait des attaques en Irak, en Syrie, en Iran et en Turquie dans le but de constituer un État kurde indépendant. La Syrie décida bientôt d'accueillir l'état-major du PKK. Mais en 1998, la Turquie la menaça pour qu'elle cesse ce soutien. Öcalan fut alors expulsé en Russie, puis il se déplaça dans plusieurs pays d'Europe avant de s'établir au Kenya. Pour Israël, il était très important de maintenir une relation de travail avec la Turquie. Les services de renseignement des deux pays travaillaient ensemble depuis les années 1950. La Turquie fut le premier pays musulman à reconnaître Israël. Avec la fin de la guerre froide, les deux pays s'étaient rapprochés jusqu'à conclure en 1996 un accord militaire. Tous deux sont relativement isolés dans leur région, pro-occidentaux et tous deux craignent l'islamisme radical, ainsi que la Syrie et l'Iran.

Netanyahou donna alors instruction à Ephraïm Halevy, le patron du Mossad, de lancer la chasse contre Öcalan. Cette décision n'était pas évidente à prendre car le Mossad avait depuis longtemps aidé les mouvements kurdes à avoir leurs entrées en Iran, en Syrie et en Irak. Livrer Öcalan aux Turcs revenait à sacrifier le réseau kurde.

Six agents furent envoyés à Rome, où la cible venait d'être repérée. Son appartement près du Vatican était inoccupé. On diffusa alors son signalement à tous les postes du Mossad. On apprit que Öcalan avait tenté de pénétrer aux Pays-Bas où il avait été refoulé. Les sources du Mossad au sein de la sécurité de l'aéroport de Schiphol révélèrent qu'il avait alors repris un avion en partance pour le Kenya, où le Mossad disposait d'une équipe. Celle-ci localisa la cible, protégée par des gardes du corps, dans une résidence proche de l'ambassade grecque. On la mit sur écoutes et on envoya un agent pouvant passer pour un Kurde au contact d'un des gardes du corps. Il se présenta comme un sympathisant, expliqua que la présence d'Öcalan commençait à être connue et qu'il serait bien plus en sécurité dans les montagnes d'Irak du Nord. C'était précisément, d'après les conversations téléphoniques du chef kurde, le projet qu'il était en train de former. En février 1999, Öcalan prit place à bord d'un jet qui devait l'emmener dans sa nouvelle retraite. Mais au lieu d'arriver en lieu sûr, il découvrit que l'avion faisait route pour la Turquie. Jugé et condamné à mort, Öcalan accepta d'appeler son mouvement à mettre fin aux hostilités pour obtenir que sa peine soit commuée en réclusion à perpétuité.

Malheureusement pour le Mossad, les bénéfices de ce rapprochement avec les services turcs allaient bientôt s'évanouir.

Lors d'un raid au QG de la fondation IHH, la police turque avait découvert un important stock d'armes et d'explosifs ainsi que de faux documents. Plusieurs responsables avaient été arrêtés et les locaux fermés. Mais la fondation bénéficiait d'appuis haut placés au sein même du gouvernement turc qui la décrivaient comme une institution charitable sans lien avec le terrorisme et elle put rouvrir ses bureaux.

La nouvelle opération en préparation à la fondation, baptisée « Une flottille pour la paix », n'avait en effet rien d'une entreprise terroriste. Mais elle menaçait d'altérer la relation de travail entre services israéliens et turcs, et d'endommager l'image d'Israël dans les médias internationaux. Il s'agissait de transporter sur une dizaine de navires près de 10 000 tonnes de nourriture, de médicaments et de matériaux de construction vers Gaza. À bord des navires devaient prendre place des activistes de tous pays ainsi que des représentants de la presse mondiale. Soit les navires parvenaient à destination, et ce serait une victoire pour l'organisation, soit ils étaient stoppés par la Marine israélienne, et le scandale servirait tout autant la cause défendue. Dans tous les cas, Israël aurait le mauvais rôle. Lorsque ce projet fut annoncé en février 2010, le Mossad décida d'intensifier ses efforts pour pénétrer la fondation IHH. Il n'était d'ailleurs pas le seul : les services égyptiens, iraniens et turcs faisaient exactement la même chose.

Les efforts du renseignement israélien ne s'arrêtaient pas là : peu après le départ de navires basés à Héraklion en Crète, on s'aperçut que deux d'entre eux au moins, *Challenger I* et *Challenger II*, présentaient exactement les mêmes problèmes mécaniques : ils durent gagner immédiatement Chypre. Meir Dagan reconnut plus tard avoir prévu de saboter les autres navires alors qu'ils se trouvaient en haute mer. Mais il avait dû reculer devant les risques que les navires laissés à la dérive dans les eaux internationales puissent devenir le théâtre d'une crise humanitaire. Une autre action consista à brouiller les communications entre les navires et à partir des téléphones portables pour les empêcher de se coordonner. Enfin, le site de l'IHH qui diffusait en direct des images vidéo prises à bord du convoi fit l'objet d'une attaque informatique par déni de service et resta inactif pendant toute la phase suivante.

À 4 heures du matin le 31 mai commença l'opération militaire, baptisée « Souffle marin ». Elle avait été approuvée au plus haut niveau. Les commandos de marine Flottille 13 s'attendaient à une opération simple, sans résistance particulière de la part des militants, qui étaient censés ne pas porter d'armes. Lorsque les premiers soldats sautèrent de l'hélicoptère à bord du navire amiral du convoi, le *Mavi Marmara*, un coup de feu retentit d'on ne sait où et l'opération dérapa. Un message fut envoyé par le commando au QG comme quoi il était pris sous un tir ennemi. L'ordre fut donné de riposter. D'après les vidéos postées par l'armée israélienne elle-même sur YouTube, les soldats israéliens donnent l'impression de paniquer devant une situation qu'ils n'avaient pas du tout anticipée. Le bilan de leur riposte fut lourd : neuf morts et soixante blessés. Il fut surtout désastreux pour l'image d'Israël sur le plan international. L'État hébreu se retrouvait complètement isolé. La Turquie décida de rompre ses relations diplomatiques.

Devant la commission d'enquête parlementaire qui étudia le fiasco, Meir Dagan tenta de justifier l'action de son service et suggéra que ce genre d'action commando peut déraper à tout moment (la responsabilité revenait donc selon lui au commandement militaire). Néanmoins les médias israéliens le mettaient en cause personnellement : « Le Mossad est censé produire du renseignement, pas semer la mort », titra *Haaretz*. Trois adjoints de Dagan démissionnèrent dans les semaines qui suivirent. Le sort de leur patron semblait scellé.

Pour l'IHH, c'était un énorme succès en matière de relations publiques, qui montrait la voie à suivre. Il n'est donc pas étonnant qu'un an plus tard, une nouvelle « Flottille pour Gaza » ait été organisée. En juin 2011, celle-ci s'apprêtait à prendre la mer quand de nouvelles anomalies furent constatées. En Turquie, des activistes irlandais accusaient Israël d'avoir endommagé leur navire, le *MV Saoirse*, pour l'empêcher de rejoindre la flottille. Le *Mavi Marmara*, qui faisait à nouveau partie de l'aventure, dut aussi renoncer pour des raisons techniques. Deux autres navires mouillés au Pirée, le port d'Athènes, étaient incapables de prendre la mer. L'arbre d'hélice du *Juliano*, affrété par des militants suédois, était à moitié sectionné en deux endroits différents, ce qui risquait de lui faire perdre tout moyen de propulsion une fois en mer. Sur un autre navire, les circuits d'alimentation des machines étaient endommagés. D'autre part les organisateurs se plaignaient de difficultés récurrentes rencontrées avec les autorités grecques. La diplomatie israélienne avait au cours des semaines précédentes intensifié ses efforts auprès des gouvernements grec et chypriote pour empêcher le rassemblement des navires ou du moins retarder leur départ. Plusieurs mois après la date de départ prévue, la «Flottille 2 pour Gaza» était toujours à quai, incapable de prendre la mer. Les actions clandestines qui avaient abouti à sa paralysie étaient attribuées sans ambiguïté au Mossad. Ses responsables pouvaient répondre que si telle était bien leur œuvre, elle avait au moins évité un nouveau carnage.

Chapitre 12

Révolutions

« Les révolutions démocratiques dans les pays arabes ? Une vaste farce et une source d'ennuis ! » Cet ancien du Mossad, toujours actif dans le secteur privé, ne fait pas dans le politiquement correct. Mais sous-couvert d'anonymat, il exprime assez bien l'embarras des services israéliens qui n'ont pas vu grand-chose arriver et qui ont surtout vu bon nombre de leurs interlocuteurs disparaître les uns après les autres. On en viendrait presque à regretter le bon vieux temps des dictateurs : eux au moins étaient prévisibles. Alors que les nouveaux dirigeants sont pour une part inconnus, dépourvus de culture de gouvernement et souvent novices en matière de renseignement, ils ignorent encore le fonctionnement très oriental qui consiste à maudire Israël en public tout en négociant discrètement avec le Mossad certains arrangements. Au fil des décennies, le Mossad, tout comme la CIA, a consacré beaucoup d'énergie à établir des relations avec des responsables du renseignement qui, sans devenir des agents israéliens, pouvaient accepter des échanges limités d'informations dans l'intérêt bien compris des deux parties. Avec un peu de chance, ce canal officieux pouvait être complété par le recrutement d'une ou plusieurs taupes dans l'appareil militaire du pays.

Tunisie

La révolution tunisienne a fourni une première source de déception au Mossad, très présent dans le pays. Avant la révolution, l'agence y disposait de trois bases, notamment en raison de l'importante communauté juive dans la région. C'est du moins ce que détaille un rapport du renseignement égyptien qui a opportunément fuité dans le journal *Al-Musawar*. Selon ce rapport, la station de Tunis gérait en priorité les affaires algériennes, celle de Djerba les affaires libyennes et celle de Sousse se concentrait sur les questions tunisiennes. Il est probable que le Mossad a disposé d'agents dans l'entourage du président Ben Ali et de son épouse Leila Trabelsi. Le service s'était constitué des appuis haut placés lors de l'installation à Tunis de l'OLP : sans eux, certaines éliminations ciblées auraient été plus difficiles, sinon impossibles. Ainsi le 16 avril 1988, un an après l'arrivée de Ben Ali au pouvoir, le chef palestinien Abou Jihad était exécuté dans sa villa de Sidi Bou Saïd, à quelques centaines de mètres du palais présidentiel. Les rues avaient été vidées peu avant par la police, les fils du téléphone coupés, etc. Les tueurs, qui disposaient du plan détaillé des lieux – puisqu'ils avaient pu s'entraîner dans une réplique de la villa – purent opérer en toute tranquillité. Selon la presse israélienne, ils disposaient de complicités évidentes au plus haut niveau[1].

En avril 2011, Abdel Rahman Sobeir, l'ancien garde du corps de l'ex-président Ben Ali, a désigné Leila Trabelsi comme une agente israélienne qui aurait été recrutée en 1990. L'affairisme et la vénalité de l'épouse du président déchu sont désormais bien connus. Mais de là à se laisser recruter ? L'ancien ministre Tahar Belkhodja qui fut responsable pendant dix ans de la sécurité présidentielle a révélé dans une interview au journal panarabe *Asharq Al-Awsat* que ses hommes avaient suivi une formation dispensée par le Mossad et supervisée par le général

---

1. Voir par exemple *Maariv*, 4 juillet 1997.

Ali Seriati. Ce type de prestation est bien connu pour permettre de resserrer les liens d'Israël avec des régimes autoritaires. Il est plausible que ces formations aient permis, comme cela s'est fait ailleurs en Afrique, en Asie ou en Amérique du Sud, de recruter des « sources » parmi les responsables de la police tunisienne. Plusieurs sont sans doute encore en poste aujourd'hui, et tentent de faire disparaître toute trace de collaborations passées. Selon l'officier de police tunisien Samir Feriani, une semaine après la chute de Ben Ali en janvier 2011, des véhicules du ministère de l'Intérieur se sont rendus dans un local d'archives du ministère pour emporter des dossiers et des cassettes, une partie étant directement détruite sur place. Ces dossiers comprenaient notamment quelques-unes des archives de l'OLP récupérées quand l'organisation a quitté Tunis en 1994. Selon Feriani, les services de l'OLP très irrités par le double jeu de leur hôte avaient identifié et décrit les points d'entrée du Mossad dans l'appareil sécuritaire tunisien. Pour avoir dénoncé la destruction d'archives auprès de sa hiérarchie, Feriani a été aussitôt emprisonné en juin 2011, situation dénoncée par l'organisation internationale des droits de l'homme Human Rights Watch[1]. Le 26 mars 2012, il a été condamné par le tribunal de première instance de Tunis à 200 dinars d'amende pour accusations sans preuves contre un fonctionnaire de l'État, et à un millime[2] symbolique dans la procédure civile intentée par le ministère de l'Intérieur.

Égypte

En Égypte, la situation était sensiblement différente : Omar Souleiman, le chef du moukhabarat, était non pas un agent mais un interlocuteur respecté et apprécié du Mossad : dans les années 1990, lorsque l'Égypte est devenue une cible du terrorisme islamiste, la CIA et le Mossad ont mobilisé toutes leurs bases

---

1. Communiqué de Human Rights Watch, 9 juin 2011.
2. C'est un millième de dinar, l'équivalent d'un centime.

de données pour l'aider à démanteler les réseaux d'Ayman al-Zawahiri, le futur bras droit de Ben Laden. Et ils ne se sont pas exagérément émus de l'usage intensif de la torture par le moukhabarat contre les islamistes. La CIA lui a même sous-traité des interrogatoires dans la foulée du 11 Septembre, mais aussi à l'époque Clinton, ce qui est moins connu. En retour, et sans pour autant trahir les intérêts égyptiens, Souleiman a discrètement renvoyé l'ascenseur tant aux Américains qu'aux Israéliens. Il a par exemple joué un rôle-clé dans les longues négociations pour la libération du soldat Gilad Shalit. Quand les émeutes de la place Tahrir ont débuté en janvier 2011, elles ont pris tout le monde de court, y compris Souleiman.

Selon le Mossad, Moubarak a compris assez vite que la fin de son règne était venue : les messages des Américains étaient assez clairs à ce sujet. S'il s'est accroché au pouvoir, ce n'était donc pas par entêtement, mais pour des raisons financières : dès le début de la révolution, le service d'écoutes du Aman enregistra des conversations entre divers membres de la famille Moubarak sur la meilleure façon de protéger leur patrimoine. Il fallait virer les avoirs financiers à l'étranger, mais où ? L'exemple de Ben Ali en Tunisie avait montré que la Suisse accepterait, une fois le chef d'État déchu, de geler ses comptes en banque à la demande des nouvelles autorités du pays. L'enjeu était de taille : selon les estimations concordantes du Mossad et de la CIA, la famille Moubarak avait accumulé près de 70 milliards de dollars sous le règne d'Hosni. C'était son fils Gamal qui en gérait la plus grande partie. Gamal était une espèce très particulière d'investisseur avisé : dès qu'une entreprise lui plaisait, il rendait visite à son propriétaire et lui proposait de prendre vingt à cinquante pour cent des parts, gratuitement. En échange, il s'assurerait que rien de désagréable ne viendrait perturber les activités de l'entreprise. Il s'était ainsi constitué un impressionnant portefeuille de participations, qu'il allait devoir abandonner, tout comme les participations familiales dans l'immobilier : la famille Moubarak était ainsi l'un des premiers propriétaires d'hôtels de luxe dans la région touristique de Charm el-Cheikh. Mais il restait de quoi voir venir avec les comptes en banque.

La première décision prise fut de vider les comptes suisses vers d'autres destinations, pour éviter leur éventuelle saisie. La famille Moubarak détenait également de nombreux avoirs en Grande-Bretagne (l'épouse d'Hosni, Suzanne, parfois surnommée la Marie-Antoinette d'Égypte, avait la double nationalité). Là encore, décision fut prise de transférer ce qui pouvait l'être hors d'Europe. La destination la plus sûre était encore celle des pays du Golfe : Arabie saoudite et Émirats arabes unis étaient les lieux de dépôt les plus fréquemment cités lors des conversations familiales.

Et lorsque Moubarak accepta enfin de quitter le pouvoir, il entraîna son chef espion Omar Souleiman dans sa chute. Le Raïs essaya bien de le nommer vice-président, mais cette solution n'était pas au goût des manifestants. Mis à la retraite d'office, l'Égyptien se reconvertit sans problème comme conseiller en sécurité pour un monarque du Golfe, où il devait lui aussi conserver quelques avoirs[1].

« Dans le renseignement, le travail de liaison est basé en grande partie sur la qualité des relations personnelles, explique notre ancien espion. Avant, on travaillait avec des gens en place pour plusieurs décennies et qui avaient en tête l'image d'ensemble du Moyen-Orient et des mouvements terroristes. Maintenant on a des gens qui parfois apprennent leur métier en le faisant et qui sont surtout focalisés sur l'instabilité politique interne, avec comme objectif premier de conserver leur boulot. Et beaucoup se disent qu'il vaut mieux éviter d'être vu en train de discuter avec

---

1. Toutefois, on apprenait début avril 2012 qu'Omar Souleiman se présenterait à la prochaine élection présidentielle égyptienne, ayant recueilli deux fois plus que les 30 000 signatures nécessaires. Le candidat soulignait qu'il n'était pas soutenu par l'armée. Il avait cependant peu de chances.

la CIA, et encore plus le Mossad. Ils n'ont pas encore assimilé la Realpolitik du renseignement.»

La chute du régime Moubarak sembla en tout cas compliquer la tâche des services israéliens sur le front du blocus imposé par Israël sur les trafics d'armes. En février 2011, deux navires de guerre iraniens étaient autorisés à traverser sans encombre le canal de Suez pour pénétrer en Méditerranée, à destination du port syrien de Lattaquié. Toutefois, la tension internationale sur le dossier nucléaire iranien ainsi que les combats déclenchés par l'opposition syrienne obligèrent le nouveau pouvoir égyptien à choisir son camp, après une période de flottement. En avril 2011, un autre bâtiment iranien avec à son bord des armes chimiques destinées à la Syrie fut cette fois stoppé par les Égyptiens à l'entrée du canal.

Les changements brusques ont aussi pour inconvénient d'exposer de façon imprévisible certains réseaux patiemment établis par le Mossad. En décembre 2010, déjà, deux Israéliens et un Égyptien étaient arrêtés pour espionnage. Mais avec les soulèvements populaires, l'espionnite a grimpé de plusieurs crans dans la population. C'est ainsi que le 12 juin 2011, un jeune homme de nationalité israélo-américaine, Ilan Grapel qui avait participé aux événements de la place Tahrir en tant que journaliste a été arrêté. Selon l'accusation, il aurait semé le chaos pendant les manifestations, au sein desquelles il se déplaçait avec un appareil photo en bandoulière, et aurait «cherché à porter atteinte aux intérêts économiques et politiques du pays». Plus exactement, il aurait cherché à attiser les tensions entre les révolutionnaires et l'armée, entre musulmans et coptes. Le quotidien *Al-Ahram* décrit Grapel comme un ancien de l'armée israélienne qui a participé à la guerre du Liban en 2006, tandis que le *Jerusalem Post* le voit en activiste pro-arabe d'extrême gauche qui s'est rendu en Égypte comme volontaire d'une agence d'aide aux réfugiés. On sait qu'il est arrivé en Égypte au début des manifestations pour suivre de près les événements, sans cacher sa nationalité. Le jeune homme semble avoir des amis puissants puisque trois mois plus tard, révèle le quotidien *Al-Hayat*, le secrétaire américain à la Défense, Leon Panetta, en visite dans le pays a proposé des compensations financières pour pouvoir repartir aux États-Unis avec lui. Finalement, il faudra qu'Israël relâche pas moins de quatre-vingt-un prisonniers égyptiens pour obtenir sa libération. La nouvelle est passée un peu inaperçue car elle a coïncidé avec la libération de Gilad Shalit à la mi-octobre 2011[1]. Loin d'être un agitateur, Grapel était plus probablement chargé de suivre en direct la révolution égyptienne et de faire connaissance avec ses principaux «animateurs»… pour préparer la suite. L'affaire illustre en tout cas une nouvelle donne des relations israélo-égyptiennes : elle intervient peu après que l'Égypte a suspendu ses livraisons à destination d'Israël en gaz naturel à bas prix et qu'elle a rouvert le terminal de Rafah, permettant d'alléger le blocus sur Gaza. Des initiatives saluées par l'opinion publique égyptienne, qui se déclare majoritairement favorable à une renégociation du traité de paix avec Israël.

Dans le contexte des révolutions arabes, Internet offre une nouvelle source de renseignement : pour obtenir le type d'informations recherchées par Grapel, il suffisait dans un premier temps de consulter les sites sociaux et les blogs qui ont fleuri pendant les manifestations. Selon notre témoin passé dans une société de renseignement privé : «Aujourd'hui, si vous voulez connaître l'état de la contestation dans un régime hostile, il est plus simple de surveiller les réseaux sociaux et de s'appuyer sur la diaspora. Les ingrédients de la révolution étaient lisibles à qui voulait les voir. Ils n'ont pas été pris en compte parce qu'on surestimait la capacité d'intimidation du pouvoir sur la société civile.» Peut-être aussi parce que ce travail de surveillance des réseaux sociaux était jusqu'à présent sous-traité par les services israéliens à des sociétés privées. C'est en tout cas ce que révélait

1. AFP, le 17 octobre 2011.

Haaretz fin janvier 2012, à la surprise générale. On apprenait ainsi qu'en raison «de priorités fluctuantes», le Aman sous-traitait depuis plusieurs mois la surveillance des blogs et réseaux palestiniens à des sous-traitants, tandis que le Mossad aurait délaissé la surveillance des Palestiniens au profit de celle des mouvements révolutionnaires arabes après l'épisode égyptien, faute de pouvoir mener les deux de front. Cette fuite a provoqué une réaction vigoureuse de la part du bureau du Premier ministre Netanyahou qui a immédiatement demandé une réorganisation aux patrons des services concernés.

Libye

En Libye, la situation est encore plus confuse. C'étaient surtout les services britanniques et américains qui avaient des liens étroits avec l'un des maîtres espions de Kadhafi, le désormais célèbre Moussa Koussa, un homme aussi raffiné dans ses tenues anglaises qu'il pouvait être impitoyable dans la torture de jihadistes. On sait aujourd'hui que Moussa Koussa allait un peu plus loin que la simple défense des intérêts de son maître, en acceptant des rémunérations de ses amis occidentaux (même s'il s'en défend encore aujourd'hui). Indirectement, le Mossad bénéficiait *via* la CIA et le MI6 des informations du Libyen susceptible de l'intéresser. Mais la chute de Kadhafi a tout changé : Moussa Koussa est désormais un exilé de luxe à Londres, et les prisons libyennes ont été vidées de tous leurs combattants de l'islam. Et de gros stocks d'armes, y compris des missiles sol-air, sont désormais enfouis dans les divers arsenaux d'Al-Qaida au Maghreb islamique. Sur le terrain, les services français et britanniques ont été bien obligés de travailler avec des groupes islamistes opposants à Kadhafi. Cette liaison dangereuse n'a pas du tout été du goût des services israéliens qui ont fait savoir leurs réticences. Eux-mêmes avaient leurs entrées, officieuses, dans le pays, *via* une société de sécurité israélienne que nous avons déjà croisée en Colombie, la Global CST d'Israel Ziv, désormais considérée par les spécialistes comme «un prolongement privé du Mossad, qui intervient aussi en Algérie», selon un expert français. Il ne sera pas simple à ses animateurs de reconduire leurs activités avec le nouveau régime...

Une autre figure-clé des services secrets libyens n'a pas eu la même chance que Moussa Koussa. Abdallah al-Senoussi, surnommé le «boucher de Tripoli», était au cœur du système puisqu'il avait épousé une sœur de l'épouse de Kadhafi et dirigeait ses services de sécurité extérieure tout en jouant le rôle de conseiller pour le fils du leader, Saïf al-Islam. Senoussi est recherché par la Cour pénale internationale pour crimes contre l'humanité commis lors de l'insurrection libyenne en février 2011. Il est aussi accusé d'être à l'origine du massacre de plus de mille prisonniers dans la prison d'Abou Salim en 1996. À l'époque où le colonel Kadhafi se voulait le grand sponsor du terrorisme international, Senoussi était l'homme qui versait les subventions des différents groupes et qui, parfois, passait commande d'un kidnapping ou d'un attentat. Un tribunal français l'a condamné par contumace pour un attentat à la bombe contre un vol UTA qui a fait cent soixante-dix victimes en 1989. La justice britannique de son côté aimerait bien l'interroger sur l'attentat de Lockerbie qui a fait deux cent soixante-dix victimes en 1988.

Avec un tel curriculum vitae, Senoussi avait quelques raisons de se faire discret après la chute de son maître. Il a bien failli disparaître dans la nature. On sait aujourd'hui qu'il se cachait au Mali, où certaines autorités avaient accepté de lui donner asile. Mais le coup d'État militaire intervenu à Bamako en mars 2012 l'a obligé à changer ses plans. Il a alors accepté la proposition d'un ancien allié, la tribu nomade des Al-Me'edani, de gagner la Mauritanie sous sa protection. Cette tribu a longtemps accepté les subsides libyens et fut faite citoyenne libyenne d'honneur par le colonel Kadhafi. Hélas pour lui, Senoussi est tombé dans un piège : ses anciens alliés l'ont livré aux services secrets mauritaniens et il a été transféré à Nouakchott sous bonne garde. Selon une enquête de Reuters publiée à Londres[1], c'est le résultat d'une discrète collaboration entre les services secrets français et mauritaniens.

Beaucoup de gens réclament l'extradition de Senoussi : la Libye et la Cour pénale internationale en premier lieu, et aussi la France, officiellement pour l'affaire du vol UTA. Mais il peut y avoir d'autres raisons à l'empressement des uns et des autres à mettre la main sur lui. Senoussi est décrit comme la « boîte noire » du régime libyen : il a la mémoire, sinon les archives, de tous les complots, de tous les financements occultes et de tous les investissements secrets du colonel Kadhafi. Selon le patron d'un service de renseignement arabe cité par Reuters, Senoussi est « le témoin principal de la corruption financière et des accords passés avec de nombreux pays et responsables politiques, y compris en France. Il sait tout, de l'attentat de Lockerbie et de l'arrangement qui a suivi, du financement par Kadhafi des chefs d'État et de leurs campagnes électorales. Il était au cœur du système de corruption qui a existé pendant les quarante ans de règne de Kadhafi ». Dans une interview donnée à la chaîne Euronews, Saïf al-Islam a affirmé sans apporter de preuves que son père avait financé à hauteur de 50 millions de dollars la campagne présidentielle de 2007 de Nicolas Sarkozy. Ce que ce dernier a fermement démenti. Selon l'enquête de Reuters, ce pourrait être dans le but de faire taire Senoussi que la France a agi de concert avec la Mauritanie : « Une unité des services français a établi le contact avec la tribu des Al-Me'edani et les a convaincus de livrer Senoussi[2]. » Un autre homme semble avoir joué un rôle important dans l'opération : Bachir Saleh Bachir, autre homme-clé du régime Kadhafi qui dirigeait le fonds souverain libyen et gérait tous les paiements occultes, est mystérieusement sorti de

---

1. « *Gaddafi's "black box" in French-Mauritanian trap* », 22 mars 2012.
2. *Op. cit.*

sa prison de Tripoli, où il attendait de passer en jugement, pour reparaître libre à Paris. Puis il a gagné le Niger où il a reçu un passeport diplomatique, avant de se rendre en Mauritanie pour tenter de persuader les autorités de livrer Senoussi à la France. De retour à Paris, Bachir Saleh semble mener une vie agréable avec sa famille, sous la protection de policiers parisiens. Il est vrai qu'il a été à partir de 2007 l'interlocuteur privilégié de Claude Guéant sur les affaires libyennes : libération des infirmières bulgares, visite de Kadhafi à Paris, etc. Selon *Le Canard enchaîné*[1], les réseaux de la Françafrique auraient été mis à contribution pour trouver un nouveau statut à l'homme qui est toujours réclamé par la justice de son pays : d'où l'obtention du passeport nigérien. Une chose est sûre : Saleh et Senoussi méritent apparemment toute l'attention des dirigeants européens.

Mais que vient faire la Mauritanie là-dedans ? Le président mauritanien, Mohamed Ould Abdel Aziz, un général arrivé au pouvoir par un coup d'État en 2008, doit en partie sa réhabilitation sur la scène internationale à la diplomatie française. Il a remporté en 2009 des élections dont la régularité a été contestée. La décision française d'en faire un « partenaire-clé » l'a notamment aidé à obtenir un programme d'aide de la part du FMI. Et le gouvernement Fillon ne manqua jamais une occasion de louer l'action de la Mauritanie dans la lutte contre le terrorisme international. Si la Mauritanie décidait d'extrader Senoussi vers la France plutôt que vers la Libye ou la Cour pénale internationale, certains observateurs ne manqueraient pas d'y voir un « retour d'ascenseur » pour les services rendus. Seul hic : devant l'incertitude du scrutin présidentiel français de 2012, le président mauritanien a jugé qu'il était urgent d'attendre avant de prendre une décision. Le suspense reste donc entier sur le futur point de chute de Senoussi…

---

1. « Le caissier de Kadhafi câliné par Guéant », 4 avril 2012.

Comme on ne prête qu'aux riches, Senoussi a également été accusé par divers articles reprenant des informations parues sur le Web d'avoir eu recours aux services de la société Global CST pour recruter des mercenaires pendant la révolution libyenne[1]. Nous n'avons trouvé aucune source sérieuse confirmant cette accusation, que Global CST dément de son côté alors qu'elle reste plus discrète sur d'autres exploits, évoqués plus haut[2]. Si cette société a bien effectué des missions pour la Libye avant la révolution, on ne voit pas bien quelle aurait été la logique de soutenir pendant la révolution un dictateur condamné par l'allié américain, faisant face aux services de plusieurs pays européens, et qui n'avait pas de mal à trouver lui-même des mercenaires. Des accusations similaires ont fleuri contre les services israéliens à propos de la Syrie. Selon nos sources, le Mossad a plutôt été pris de court par les mouvements d'opposition à Bachar al-Assad, dont il ne pensait pas qu'ils puissent menacer sérieusement son régime, ni s'imposer durablement. C'est donc l'attentisme qui a dominé les premiers mois selon notre témoin : «Même si le régime baasiste est un ennemi d'Israël, on sait à peu près à quoi s'en tenir sur lui et comment traiter avec lui. On ne sait rien de ce que serait le comportement d'un régime islamiste sunnite qui s'installerait à sa place.»

Côté syrien, l'attentisme du Mossad a prédominé pendant toute l'année 2011 et le début de 2012. Le service israélien s'est apparemment abstenu de participer à la réunion des services secrets qui a eu lieu à Tunis en février 2012 en marge de la conférence diplomatique sur l'avenir de la Syrie. Étaient présents la CIA, le MI6, la DGSE, ainsi que les services turcs, saoudiens et qataris. Au menu de leurs discussions : comment faire partir Bachar al-Assad. Plusieurs responsables de la sécurité

---

1. Voir notamment Thierry Meyssan : «*Israel flies to the rescue of ally Khadafi, reaping millions*», *Réseau Voltaire*, 5 mars 2011.
2. Voir le chapitre «Trafics d'armes».

seraient désormais persuadés que la famille Assad ne peut plus se maintenir face aux révoltes de l'intérieur et aux sanctions internationales. De fait, les services des pays sunnites disposent de moyens quasi illimités pour armer la résistance, et ne s'en privent pas. Sur ce front, Israël se contenterait pour le moment de compter les points. En réalité, Tsahal s'entraîne déjà à faire face à un scénario du pire : si la Syrie tombait dans le chaos, le Mossad et le Aman redoutent un afflux de réfugiés syriens sur le plateau du Golan, qu'ils auraient bien du mal à contrôler. Des groupes armés pourraient s'infiltrer parmi les réfugiés, puis en territoire israélien pour commettre des attentats[1]. À l'évidence, les révolutions arabes sont en train de changer la donne régionale, sans qu'Israël et ses services secrets aient déjà pu en analyser toutes les conséquences. Elles sont porteuses de nouvelles menaces : par exemple la frontière égyptienne n'est plus totalement hermétique aux groupes terroristes qui veulent pénétrer en Israël. C'est pourquoi un nouveau « mur » de barbelés est en train d'être édifié à marche forcée le long de la frontière entre l'Égypte et Israël. La nouvelle Égypte cherche à se repositionner dans le monde arabe. Il est probable que tant que les militaires détiendront la réalité du pouvoir, le traité israélo-égyptien de 1979 ne sera pas remis en cause. Au total, les révolutions arabes sont donc perçues surtout comme une source de menaces supplémentaires qui justifient une intransigeance accrue du gouvernement Netanyahou, soutenu par son opinion publique. Il est encore trop tôt pour en percevoir les opportunités.

---

1. Voir *Le Nouvel Observateur*, 8 décembre 2011.

Chapitre 13

La bombe iranienne

L'ayatollah Khomeini a toujours officiellement condamné l'usage de la bombe atomique comme «anti-islamique». Mais son successeur, l'ayatollah Ali Khameini, développa une attitude beaucoup plus pragmatique, faisant remarquer qu'aucun texte islamique ne proscrit l'arme atomique (ce qui n'est guère étonnant). À partir de 1989, les agents iraniens commencèrent à approcher leurs compatriotes scientifiques qui avaient émigré lors de la chute du Shah, et leur proposèrent de confortables sommes pour rentrer au pays et vivre comme des privilégiés, à condition de contribuer à l'édification d'une force de frappe iranienne. Beaucoup se laissèrent séduire, et c'est ainsi que plusieurs universités iraniennes se dotèrent de départements d'études nucléaires de pointe. En 1974, à la demande du Shah, la compagnie allemande Siemens avait commencé à construire deux réacteurs dans la centrale de Bouchehr avant de s'interrompre en 1979. Les Allemands refusant de reprendre leurs travaux après 1989, les Iraniens se tournèrent vers l'ex-URSS. À l'époque, le pays était en pleine déliquescence et regorgeait de scientifiques qualifiés que l'on pouvait recruter pour 1000 dollars par mois. Il était également facile de se procurer toutes sortes d'équipements, et jusqu'à des matériaux fissiles. Après la défaite de Saddam Hussein face aux Américains en 1991, l'Irak fut aussi un terrain de chasse pour les Iraniens : nombre de ses savants atomistes avaient été formés aux États-Unis.

Amis atomiques

En 1995, la Russie vendit à l'Iran un réacteur nucléaire à l'eau lourde destiné à produire exclusivement de l'électricité, et qui fut construit sur le site de Bouchehr. Le contrat provoqua une levée de boucliers aux États-Unis et en Israël : rien n'empêchait les Iraniens de produire du plutonium à partir de ces installations. Les Israéliens étaient bien placés pour savoir qu'il serait possible aux Iraniens de dissimuler la partie moins légitime de leur activité aux inspecteurs de l'AIEA : eux-mêmes avaient fait exactement cela en développant leur programme nucléaire dans les années 1960 !

Toutefois, en 1992, les inspecteurs de l'agence découvrirent en Iran des stocks d'uranium très importants. Ils pointèrent aussi du doigt la formation de nombreux scientifiques iraniens dans des laboratoires russes, et la contribution russe, aux côtés de la Corée du Nord, au programme iranien de lance-missiles de longue portée. Les Shahab iraniens sont une version adaptée des missiles coréens Nodong. Selon le Mossad, ils ont été élaborés avec l'aide très active de deux entreprises russes.

La Russie n'avait pas une position univoque sur le dossier iranien. Les considérations financières, politiques et diplomatiques s'entrechoquaient, de même que les clans à l'intérieur du pouvoir. En septembre 1994, un attaché militaire de l'ambassade israélienne à Moscou se vit remettre un rapport du SVR (le service de renseignement extérieur russe), selon lequel un groupe de hauts fonctionnaires du ministère de la Défense aurait pris l'engagement, moyennant d'importants pots-de-vin, de livrer à l'Iran des centrifugeuses destinées à enrichir de l'uranium, sans en informer leurs supérieurs ni le reste du gouvernement. Sans un espion russe bien placé à Téhéran, l'affaire n'aurait pas transpiré. La fureur des autorités russes fut telle qu'elles autorisèrent la divulgation du rapport auprès des Israéliens, et par contrecoup à la CIA. Après une petite explication entre les présidents

Clinton et Eltsine, ce dernier enterra le projet. Il subsista pourtant un climat de suspicion envers la Russie au sein du Mossad et de la CIA sur le dossier iranien. Même si les Russes ne cessaient d'assurer les uns et les autres qu'ils n'avaient nulle intention de mener à bien les travaux entrepris à la centrale de Bouchehr... juste de facturer le plus possible.

La Russie n'était pas seulement sur la sellette pour cette unique raison. Courant 2006, des photos satellites fournies par les services américains indiquèrent qu'une nouvelle usine de production d'eau lourde était entrée en activité sur la base d'Arak. Fin 2006, on distinguait clairement le réacteur en construction. Le site était désormais protégé par des missiles russes S-300 antiaériens pour prévenir tout bombardement.

Un autre fournisseur-clé des Iraniens pour leur programme nucléaire n'est autre que le Pakistan. Dans *1979, guerres secrètes au Moyen-Orient*[1], nous avons raconté comment Abdul Qadeer Khan est devenu le « père » de la « bombe islamique » après avoir travaillé au sein du centre de recherche nucléaire d'Almelo aux Pays-Bas, où il a dérobé les documents nécessaires pour construire le premier réacteur à uranium pakistanais, tandis que des agents pakistanais parcouraient l'Europe pour acheter clandestinement les composants et ressources nécessaires. Abdul Qadeer Khan ne s'est pas contenté de doter son pays de l'arme nucléaire : il a aussi commercialisé son savoir-faire auprès d'autres clients, notamment la Libye, la Corée du Nord et l'Iran. C'est peu après la mort de l'ayatollah Khomeini qu'un intermédiaire de Khan et Massoud Naraghi, un proche d'Hachemi Rafsandjani, s'accordèrent sur l'achat des plans d'un réacteur et sur une « shopping list » de matériaux à acquérir, avec en regard une liste de fournisseurs pas trop regardants.

Courant 2003, la CIA apprit que Khan avait commercialisé son savoir-faire auprès de plusieurs pays. Avoir doté son pays

---

1. Nouveau Monde éditions, 2009.

de l'arme nucléaire était une chose, sur laquelle on ne pouvait plus revenir, mais vendre cette technologie aux plus offrants des États-voyous, et peut-être demain à des organisations terroristes, en était une autre. George Tenet, alors patron de la CIA, décida d'aborder le sujet directement avec le président pakistanais Mucharraf, lors d'une visite à New York, comme il le raconte dans ses Mémoires[1] :

« Je commençai par le remercier pour son soutien courageux dans la guerre contre le terrorisme, et lui dis que j'avais de mauvaises nouvelles à lui annoncer : "A.Q. Khan a trahi votre pays. Il a volé les secrets les plus précieux de votre nation et les a vendus aux plus offrants. Khan a volé vos secrets nucléaires. Nous le savons parce que nous les lui avons volés aussi." J'ouvris ma mallette, en sortis des plans et diagrammes d'installations nucléaires issus d'institutions pakistanaises. Je ne suis pas expert en physique nucléaire, et le président Mucharraf non plus, mais mon équipe m'avait suffisamment bien briefé pour que je lui prouve en désignant certaines marques que ces plans étaient censés se trouver dans un coffre à Islamabad plutôt que dans une chambre d'hôtel à New York. Je sortis le plan d'une centrifugeuse pakistanienne P1 : "Il a vendu ceci à l'Iran […]" Bien qu'il ait plus tard décrit cette scène comme l'un des moments les plus embarrassants de sa présidence, Mucharraf ne trahit aucune émotion. Je lui dis que je savais qu'en mars 2001, il avait tenté de restreindre les déplacements de Khan. Je lui sortis alors la liste d'une douzaine de voyages qu'il avait entrepris malgré les ordres. Au moment où nous parlions, Khan était en déplacement. "M. le président, dis-je, si un pays comme la Libye ou l'Iran ou, à Dieu ne plaise, une organisation comme Al-Qaida obtient un outil nucléaire en état de marche et que le monde apprend que cela vient de votre pays, j'ai bien peur que les conséquences soient dévastatrices." Je suggérai quelques mesures que nous pourrions

---

1. George Tenet, *At the Center of the Storm*, Harper Collins, 2007.

prendre de concert pour dévoiler la corruption de Khan et mettre fin à ses activités. Le président Mucharraf posa encore quelques questions et conclut simplement : "Merci George, je vais m'occuper de cela." »

Quelques mois plus tard, en 2004, Khan fut suspendu, assigné à résidence et contraint de se confesser en direct à la télévision, revendiquant d'être le seul responsable de la prolifération. Il reçut aussitôt un pardon présidentiel et ne fut pas traduit en justice. Il faut croire qu'un procès aurait pu dévoiler des aspects fort embarrassants de ce dossier…

Pour autant, le réseau international mis sur pied par Khan resta actif. Il allait falloir une dizaine d'années aux services américains et britanniques pour le démanteler. L'affaire Khan fut aussi mise à profit pour faire pression sur la Libye, *via* des rencontres secrètes de la CIA et du MI6 avec Moussa Koussa, le chef des services secrets libyens. De leur côté, les Iraniens interrogés par les responsables de l'AIEA reconnurent avoir fait affaire avec Khan.

Actions clandestines

En 1996 le Mossad envoya en Iran deux agents déguisés en touristes. Ceux-ci rapportèrent dans leurs chaussures des échantillons de terre pour analyse. Le résultat confirmait une activité atomique mais on ne sut pas exactement laquelle avant 2003. Meir Dagan, devenu patron du Mossad en 2002, renforça dès cette époque les capacités d'action à destination de l'Iran. Plus de vingt ans après la révolution islamique, le Mossad ne disposait plus sur place d'un réseau digne de ce nom : il allait lui falloir se trouver des alliés à l'intérieur du pays. Des contacts furent alors pris avec des groupes susceptibles d'apporter du renseignement et un appui tactique.

Le plus important était celui des Mujahedin e-Khalq (MEK) ou Moudjahidine du peuple avec qui le Mossad, comme la CIA et d'autres services occidentaux, entretenait des relations en raison de leurs réseaux d'information dans le pays. Cette relation s'intensifia à partir de 2003, après la chute de Saddam Hussein. Les Moudjahidine du peuple étaient au départ un groupe marxiste-islamique associé à la révolution iranienne de 1979, mais qui se trouva bientôt pris dans une guerre sans merci avec les mollahs. Du coup le mouvement fut mis hors la loi, et l'Iran parvint même à obtenir qu'il figure sur les listes d'organisations terroristes internationales, notamment celle du Département d'État américain. Cela n'empêcha pas le Mossad et la CIA de développer de bonnes relations de travail avec le mouvement. Nombre d'informations sur le programme nucléaire iranien leur parvinrent par ce canal et furent transmises à l'Agence internationale de l'énergie atomique.

En 2005 une base d'entraînement fut créée pour les volontaires des MEK dans le désert du Nevada, non loin de Las Vegas[1]. Elle était placée sous la férule du Joint Special Operations Command (JSOC), une unité d'élite, qui commençait elle-même à pratiquer des missions d'infiltration et d'espionnage en Iran, à la demande de l'administration Bush. Désormais les MEK recevaient de plusieurs services occidentaux et du Mossad des armes, des fonds et du matériel d'écoutes. Selon Robert Baer, un ancien de la CIA qui a travaillé de nombreuses années au Moyen-Orient, en 2004, une société militaire privée qui œuvrait pour le compte de l'administration Bush recrutait des anciens des services parlant le farsi pour partir en mission depuis l'Irak en territoire iranien, avec des équipes des MEK[2].

L'autre allié du Mossad, révèle Georges Malbrunot dans *Le Figaro*[3], fut les groupes d'opposants kurdes au régime iranien, qui étaient réfugiés dans les régions kurdes d'Irak. L'auteur cite

---

1. L'existence de cette base a été révélée par Seymour Hersh dans *The New Yorker*, 6 avril 2012.
2. *Op. cit.*
3. 11 janvier 2012.

une «source sécuritaire à Bagdad», expliquant que le Mossad opère librement au sein du Kurdistan irakien : «La collaboration entre le Mossad et les services de renseignement kurdes d'Irak n'est pas nouvelle. Elle était assez forte sous le Shah, avant de connaître un ralentissement à l'avènement de la république islamique d'Iran en 1979. Mais profitant de l'invasion américaine de l'Irak en 2003, les espions israéliens ont de nouveau infiltré les régions kurdes du nord de l'Irak, avec l'aval des autorités locales, en particulier de Massoud Barzani, le chef de la région kurde autonome. Sur place, les agents du Mossad ou d'anciens militaires israéliens entraînent discrètement les forces de sécurité kurdes. Mais ces dernières années, avec une menace nucléaire iranienne de plus en plus pressante, l'État hébreu s'est surtout servi du Kurdistan comme d'une base à partir de laquelle ses agents pouvaient recruter des opposants kurdes iraniens réfugiés dans le secteur, avant de les envoyer en mission de l'autre côté de la frontière en Iran.»

En 2006 déjà, la BBC avait diffusé un reportage établissant la présence de formateurs israéliens qui enseignaient les techniques de guérilla aux milices kurdes. En septembre 2010, les forces de police libanaises avaient arrêté à Jounieh trois Kurdes accusés de travailler pour le Mossad. Tous trois étaient membres du PKK.

Récemment, le *Sunday Times* a braqué le projecteur sur une autre base utilisée par le Mossad pour ses opérations clandestines en Iran : Bakou en Azerbaïdjan serait le centre principal des opérations dans la région, selon un agent affirmant travailler pour le Mossad : «Notre présence ici est tranquille, mais consistante. Nous avons accru notre présence, durant l'année passée, et cela nous rapproche énormément de l'Iran. C'est un pays merveilleusement poreux[1].» Et pour cause : environ 16% des Iraniens sont azéris. De ce fait, ils ont le droit de voyager sans visa entre les deux pays. Historiquement, ce petit État niché

---

1. « *Spy vs Spy: The Secret Wars waged in new spooks' playground*», 11 février 2012.

entre la Russie et l'Iran a beaucoup servi comme poste d'écoutes. Mais les tensions avec l'Iran l'ont fait accéder au rang de zone de front des guerres de l'ombre. En quelque sorte l'équivalent de Casablanca pendant la Seconde Guerre mondiale. La tension monte depuis quelques années entre l'Azerbaïdjan et l'Iran, qui maltraiterait les Azéris et soutiendrait l'Arménie, avec qui l'Azerbaïdjan a des disputes frontalières. Depuis deux décennies, Israël en profite pour renforcer les liens militaires et commerciaux avec l'Azerbaïdjan, à qui il achète une partie de son pétrole. Israël a également installé près de Bakou une usine qui fabrique quelques-uns de ses drones. Ce rapprochement avec Israël repose sur un calcul politique de l'Azerbaïdjan, qui souhaite améliorer ses liens avec Washington pour obtenir un règlement en sa faveur du conflit du Haut-Karabakh (région disputée à l'Arménie) et faire taire les critiques relatives aux droits de l'homme et à la corruption.

Mais la plus stupéfiante et inattendue des alliances passées par le Mossad dans la région a été avec le groupe sunnite Joundallah basé au Balouchistan iranien et responsable de plusieurs attentats contre des installations militaires iraniennes et contre des membres du gouvernement iranien. C'est à Londres que des émissaires du Mossad munis de passeports américains et se faisant passer pour des hommes de la CIA ont rencontré les responsables de Joundallah. Ces derniers n'auraient sans doute jamais accepté de contact avec le Mossad, mais pouvaient se laisser séduire par les Américains, notoirement en recherche d'appuis dans le monde sunnite. En 2007, la CIA finit par découvrir la manœuvre. Selon un ancien de l'agence, les officiers impliqués rédigèrent un mémo qui remonta toute la chaîne hiérarchique jusqu'à la Maison-Blanche. Le président Bush se montra tout d'abord irrité de la nouvelle mais ses conseillers le persuadèrent de ne pas réagir officiellement, pour ne pas compromettre les opérations conjointes en cours. Les équipes de la CIA, de leur côté, étaient furieuses : de leur point de vue, ces actions unilatérales mettaient en danger la vie de tous les agents américains dans la région. À partir du moment où Téhéran serait convaincu que la CIA s'était alliée au groupe Joundallah, plus aucun de ses agents passant à la portée de ses services ne serait en sécurité.

En 2007, le Joundallah avait capturé vingt et un conducteurs de camion, en décembre 2008 c'est seize gardes-frontières qui furent exécutés. En mai 2009, un kamikaze du Joundallah s'était fait sauter dans une mosquée de Zahedan, la capitale d'une région frontalière du Pakistan. La bombe avait fait vingt-cinq morts et des dizaines de blessés. En juillet 2010, une double attaque-suicide près de la même mosquée fit des dizaines de victimes. Et de fait, plusieurs enquêtes publiées dans la presse américaine en 2008-2009 suggéraient avec prudence que la CIA pourrait bien soutenir le Joundallah. Plusieurs anciens de la CIA enragent encore de cette confusion des rôles.

Les actions clandestines de la CIA et celles du Mossad n'étaient pas parfaitement coordonnées. Celles de la CIA visaient surtout à recueillir des renseignements, par les moyens quelquefois les plus inattendus, en s'appuyant sur les premières promotions de militants des MEK formés dans le Nevada. Selon un ancien de la CIA, son service parvint à introduire dans le pays un bon nombre de capteurs sous divers camouflages. Pour cela, une poignée d'hommes du JSOC pénétrèrent dans le pays et s'y déplacèrent incognito. Ils disposaient dans leur sac à dos de fausses briques contenant des appareils miniatures de mesure de radiations. Leur mission consistait, pour une liste de bâtiments répartis sur plusieurs villes, à s'en approcher de nuit, à retirer une vraie brique du mur et à la remplacer par une fausse. Dans certains cas, les appareils de mesure étaient dissimulés dans de faux panneaux de rue : il fallait alors dévisser celui que l'on voulait remplacer et poser le faux sans se faire repérer. L'intérêt de ces plaques posées à des endroits stratégiques était de pouvoir mesurer le passage de camions transportant des déchets radioactifs. Enfin, pour les zones les moins peuplées, les capteurs étaient dissimulés dans de fausses pierres que l'on abandonnait au bord des routes.

Bien entendu, les nombreux satellites sophistiqués de la NSA étaient aussi mis à contribution pour étudier tous les mouvements de construction, de transport, etc. Mais les Iraniens ont appris à déjouer cet espionnage venu du ciel. Il a donc fallu envisager l'usage de drones pour étudier le terrain de plus près. Or, la technologie est encore imparfaite. En décembre 2011, un drone Sentinel RQ 170 qui effectuait une mission de reconnaissance à la frontière iranienne pour le compte de la CIA a échappé au contrôle de ses maîtres, qui ont perdu sa trace. Le plus grand silence a été observé sur cet incident : on espérait que le drone se soit écrasé au sol dans un endroit isolé, voire qu'il ait explosé. De nombreuses discussions ont alors eu lieu à l'état-major de l'armée de l'air américaine, qui avait prêté le drone à la CIA. Il fut envisagé de monter une opération commando, soit pour le récupérer, soit pour le faire sauter. Une autre possibilité était d'envoyer un missile le pulvériser. Mais ces scénarios n'ont pas été poursuivis, en raison de la forte tension entre les deux pays : une incursion ou même un tir de missile en territoire iranien aurait pu être considéré par Téhéran comme un « acte de guerre ». Il fut donc décidé de ne rien faire : avec un peu de chance, le drone était tombé dans un endroit isolé et ne serait jamais découvert. Hélas pour la CIA et l'US Air Force, les Iraniens ont trouvé le drone quasiment intact et s'en sont emparés. Cette prise ne leur permettrait sans doute pas de fabriquer leurs propres drones par imitation. En revanche, elle les a alertés sur le phénomène, auquel ils sont désormais attentifs, et en examinant les images capturées par la machine, le Vevak a eu tout loisir de découvrir ce qui intéresse le renseignement américain dans son pays.

Du côté du Mossad, l'heure était à l'action encore plus offensive. Lors de sa reconduction à la tête du service en 2007, après un premier mandat de cinq ans, Meir Dagan avait fait de l'Iran *sa* priorité. À l'époque, l'aggravation de la situation dans les territoires palestiniens et les surprises de la guerre du Liban en 2006 conduisaient à faire de l'Iran la cible privilégiée de ses efforts. La défection d'Ali Reza Asgari, général des pasdarans passé au service de la CIA, fournit des éléments capitaux pour la suite des opérations. Vice-ministre de la Défense, Asgari avait été écarté du pouvoir après l'élection de Mahmoud Ahmadinejad à la présidence en 2005. Il livra des cartes militaires, le détail des installations nucléaires et de leur dispositif de sécurité (par exemple l'existence d'un second site nucléaire [clandestin] près de Natanz), les filières de livraisons d'armes au Hezbollah. Un mois après, ce fut au tour du consul d'Iran à Dubai de faire défection : il livra d'importantes informations sur les opérations de déstabilisation des monarchies du Golfe.

Peu après, la série noire commença. Entre février 2006 et mars 2007, trois avions de la flotte des Gardiens de la Révolution s'écrasèrent. Chaque fois, ils avaient à leur bord des techniciens du nucléaire. L'état-major de la force terrestre des pasdarans fut même décapité dans l'un de ces crashs.

Outre des assassinats ciblés de membres-clés du programme iranien (ce volet restant le seul apanage du Mossad), Dagan mit en place bon nombre d'actions clandestines en partenariat avec les services américains, mais aussi allemands, britanniques et français. Son plan prévoyait non seulement une audacieuse opération de cyber-guerre, mais aussi le recrutement d'agents doubles, l'utilisation de sociétés écrans, et selon un ancien de la CIA, les services européens, américains et israéliens s'étaient concertés pour créer plusieurs sociétés commercialisant du matériel et des services à usage nucléaire. Ces sociétés avaient une véritable activité, chaque pays membre du programme veillant à leur fournir des marchés véritables. Elles employaient des équipes à plein temps, une grande partie des employés ignoraient d'ailleurs l'objet réel de leur travail. Ces structures affichaient donc des bilans réguliers sur plusieurs années, disposaient de bureaux permanents, inséraient même des publicités dans la presse professionnelle, bref donnaient toutes les apparences de sociétés authentiques. Évidemment, leurs commerciaux avaient pour objectif principal de recruter un client en particulier : l'Iran. Les intermédiaires iraniens en charge de l'approvisionnement faisaient bien sûr l'objet d'une étroite surveillance des services. Lorsqu'on les pensait corruptibles, on tentait de les approcher pour les convaincre moyennant finances d'orienter leurs achats dans la bonne direction. S'ils ne l'étaient pas, c'était aux commerciaux de se débrouiller pour les séduire. Ils jouissaient d'une large autonomie pour négocier des remises susceptibles de leur faire emporter le marché, mais ils devaient éviter de casser les prix pour ne pas éveiller les soupçons. Une fois le marché conclu, on commençait par livrer au client des matériels de bonne qualité, pour endormir sa méfiance. Ce n'est qu'après plusieurs livraisons que l'on glissait des composants et mécanismes subtilement modifiés pour poser des problèmes par la suite. Les vices cachés devaient rester indétectables pour ne pas «brûler» le fournisseur. Le deuxième objectif était ensuite d'obtenir prétexte pour envoyer un représentant de la société sur un site du client, soit à des fins de maintenance technique, soit pour une visite commerciale. Cette mission à haut risque avait pour but de prendre sur place des photos et de recueillir tous autres éléments utiles, le tout sous bonne garde comme on s'en doute. L'information ainsi recueillie était ensuite transmise aux services alliés et à l'Agence internationale de l'énergie atomique.

Une autre source, européenne cette fois, évoque le recrutement par le BND allemand en 2002 d'un homme d'affaires iranien dont l'entreprise participait à la construction de l'usine d'enrichissement d'uranium de Natanz. L'homme accepta de transmettre des plans et photos de l'usine, en échange d'une promesse de pouvoir fuir le pays et bénéficier de l'asile politique en Allemagne. Hélas pour lui, il fut démasqué et tout simplement abattu en 2004. Son épouse, qui était dans la confidence, eut alors la présence d'esprit de quitter le pays en emportant l'ordinateur portable de son mari. Ce «sésame» contenait des centaines de documents que les services allaient mettre plusieurs mois à analyser. Ils y trouvèrent notamment la preuve que les Iraniens travaillaient sur la technologie des ogives nucléaires, assez éloignée des usages civils du nucléaire que la république islamique a toujours revendiqués comme son unique objectif.

À la même époque, une série d'explosions et de morts mystérieuses frappa les sites de Natanz et Ispahan. Dès avril 2006, deux transformateurs avaient explosé lors de la première tentative d'enrichissement de l'uranium à Natanz – cinquante centrifugeuses furent endommagées. Le 18 janvier 2007, le professeur Ardeshir Hassanpour, expert en électromagnétique travaillant sur le site d'Ispahan, fut retrouvé mort dans son appartement. Hassanpour était un physicien nucléaire de 44 ans qui travaillait à la production d'hexafluorure d'uranium, un gaz utilisé dans le processus d'enrichissement de l'uranium, notamment à l'usine de Natanz. Il avait reçu le grand prix de la recherche militaire iranienne en 2004, ce qui en faisait un des scientifiques vedettes du pays. Sa mort fut annoncée en janvier 2007 comme la conséquence d'un «empoisonnement au gaz», sans plus de précision.

Ces actions ne restèrent pas sans réplique de la part des Iraniens. Les services secrets de la république islamique renouèrent avec les opérations d'assassinats en Europe dont ils étaient coutumiers dans les années 1980-1990. Dans la nuit du 21 janvier 2007, le chef de la mission militaire israélienne à Paris, David Dahan, disparut avant d'être retrouvé un mois plus tard dans la Seine. On parla d'un suicide causé par la demande de divorce de son épouse. Mais Dahan avait pour mission l'achat de matériel militaire en Europe et était tout sauf un cœur sensible, comme on peut l'imaginer à ce niveau de responsabilités au sein de l'armée israélienne. Même si l'affaire n'a pas fait de vagues dans les médias, les analystes du renseignement militaire français restent aujourd'hui persuadés que sa mort n'est pas naturelle. Quelques mois plus tard, le 28 juin, ce fut au tour de l'attaché militaire américain en poste à Nicosie de se « suicider »... en se tranchant la gorge dans sa voiture. Là encore l'épisode ne fit pas la une des médias, mais laissa perplexe[1].

Stuxnet

L'usine de Dimona dans le désert du Néguev est bien connue pour abriter le centre stratégique des activités nucléaires israéliennes. Mais depuis 2009, elle hébergeait également une équipe de techniciens en lien permanent avec son homologue américaine : toutes deux étaient chargées de saper le programme nucléaire iranien. Sur le site de Dimona, les services israéliens avaient bâti une réplique de la centrale de Natanz, où les savants iraniens s'efforçaient d'enrichir de l'uranium. Si la réplique israélienne était si fidèle à l'original, c'est d'abord parce que cette centrale avait une origine commune avec celle de Dimona : toutes deux ont été bâties à partir de la même technologie française. Ce qui facilita le travail des Israéliens pour modéliser et tester leurs stratégies offensives. Ensuite, les services israéliens avaient réussi à se procurer sur le marché noir des centrifugeuses d'un modèle ancien utilisé par les Iraniens. Cet aspect de l'opération avait été confié à un marchand d'armes israélien, proche du Mossad, qui parvint à se procurer une partie de l'ancien stock libyen (le colonel Kadhafi avait renoncé en 2003 à son programme nucléaire après la défaite de Saddam Hussein).

Les centrifugeuses issues du stock libyen furent montées en série dans un bunker de Dimona. C'étaient des tubes de 1,80 m

---

1. Voir Alain Rodier, « Guerre secrète contre l'Iran », note d'actualité, 1er novembre 2007, CF2R.

de long et 10 centimètres de diamètre. Ils servaient à augmenter progressivement la proportion d'uranium 235, l'isotope fissile de l'uranium. Dans chaque centrifugeuse se trouvait un rotor qui tournait à 1000 tours par seconde. En augmentant la fréquence à 1400 tours par seconde, on pouvait faire exploser le tube. Les techniciens israéliens connaissaient exactement le matériel et la configuration de Natanz, et purent donc reproduire quasiment à l'identique l'installation qu'ils souhaitaient pirater. Selon un responsable du renseignement américain cité par le *New York Times*, c'est parce que les Israéliens ont pu le tester en situation réelle que le virus Stuxnet a été efficace[1]. Pour conduire cette expérience, les services israéliens n'ont pas hésité à rappeler des techniciens et scientifiques à la retraite : ayant travaillé dans les années 1950 et 1960, ils étaient mieux à même de faire fonctionner du matériel ancien, au plus proche du savoir-faire iranien.

Il fallut deux ans à l'équipe israélo-américaine pour développer Stuxnet et le rendre imparable. Le projet était né pendant les derniers mois de l'administration Bush : à l'époque déjà, les autorités israéliennes réclamaient aux Américains des bombes capables de percer des bunkers souterrains, dans le but de s'en servir en Iran. L'administration Bush refusa mais proposa en échange de monter un programme secret destiné à saboter l'usine de Natanz, centre névralgique des activités iraniennes. L'idée était de retarder le programme iranien de plusieurs années, mais sans acte de guerre. Barack Obama fut informé de ce programme quelques jours avant de prêter serment et le confirma sitôt en poste. La conception informatique du virus lui-même allait résulter d'une collaboration entre le laboratoire du Homeland Security (département de sécurité nationale, créé dans la foulée des attentats du 11 septembre 2001) et une unité ultra-secrète du Aman dédiée à la cyber-guerre.

---

1. « *Israeli Test on Worm Called Crucial in Iran Nuclear Delay* », 15 janvier 2011.

En 2008, la société allemande Siemens avait accepté de coopérer avec le Homeland Security, afin de lui permettre de rechercher les failles de ses ordinateurs utilisés par les Iraniens. Siemens fabrique en particulier des « contrôleurs », c'est-à-dire des ordinateurs qui gèrent le fonctionnement de vastes installations industrielles ou énergétiques. Depuis le milieu des années 2000, ces ordinateurs sont au cœur de la réflexion stratégique américaine sur la cyber-guerre : un État ou un groupe terroriste qui réussirait à prendre la main sur ce type d'appareils pourrait infliger des dommages considérables au pays. C'est d'ailleurs le scénario du film *Die Hard 4, retour en enfer* avec Bruce Willis, sorti en 2007 !

Or il se trouve que ce sont des ordinateurs Siemens qui contrôlaient les installations de Natanz. Officiellement, Siemens dit avoir accepté un partenariat avec un laboratoire de recherche pour détecter et corriger d'éventuelles failles dans ses systèmes. Ce genre de partenariat est pratiqué par tous les constructeurs pour améliorer à peu de frais leurs produits. La réalité est un peu plus compliquée : selon nos informations, c'est le BND allemand, partenaire des services américains et israéliens, qui a sollicité Siemens à leur demande. Depuis quelques années, les ordinateurs de type « contrôleur » font l'objet d'interdiction à l'exportation vers l'Iran. Certains mémos du Département d'État dévoilés par Wikileaks révèlent qu'en avril 2009 les services américains ont déployé de grands efforts pour empêcher la livraison à l'Iran d'une cargaison de 111 boîtes Siemens, bloquées dans le port de Dubai.

Après une étude minutieuse, les chercheurs américains et israéliens mirent donc au point une forme primitive du virus, apparue sur le Web en juin 2009 sans que l'on puisse en identifier la source. De mois en mois, des versions plus pointues furent lâchées dans la nature. Avec peu d'effet : le virus, d'une conception très sophistiquée, est programmé pour ne se déclencher que lorsqu'il rencontrerait le système d'exploitation d'un «contrôleur» Siemens, et encore avec une configuration très particulière, qui ne se trouve que dans un seul site en Iran. Comment les concepteurs du virus ont pu apprendre le détail de la configuration informatique dans l'usine de Natanz est un autre mystère non résolu à ce jour. Ce n'est peut-être pas sans lien avec l'analyse que nous en livre un expert informatique français : «La dissémination de Stuxnet sur le Web est un effet secondaire et même indésirable de son action. Chaque version disponible du virus contient la trace des autres ordinateurs infectés, ainsi que la date et l'heure de chaque infection. On peut donc "remonter la chaîne" pour retrouver le lieu et la date d'introduction dans le circuit. On constate que le virus a été introduit en même temps dans cinq sites iraniens, dont celui de Natanz. Il est probable que cela s'est fait à l'aide d'une modeste clé USB.» Ce qui revient à dire que le Mossad a disposé d'un agent dans la centrale.

Ce ne serait pas la première fois : en 2008, un expert informatique iranien du nom d'Ali Ashtari avait été condamné et exécuté pour avoir collaboré avec le Mossad. Ashtari était chargé de voyager à l'étranger pour y acquérir de l'équipement de pointe à destination du programme nucléaire. Recruté par le Mossad lors d'un de ses déplacements, il avait accepté de laisser apporter quelques subtils ajouts aux logiciels qu'il ramenait avec lui. Selon une source du renseignement européen, le Mossad a disposé de «deux ou trois» Ashtari, vraisemblablement des hommes des Moudjahidine du peuple qui lui ont permis de développer une connaissance intime des matériels utilisés à Natanz et dans d'autres centres (le Mossad a toujours nié jusqu'ici qu'Ashtari ait travaillé pour lui).

L'action de Stuxnet consiste d'abord, comme pour un logiciel espion classique, à aspirer toutes les données disponibles sur la configuration de la machine et du réseau. Les données sont ensuite transmises à des sites en apparence anodins, hébergés pour l'un en Malaisie, pour l'autre au Danemark. Elles incluent les adresses IP des ordinateurs du réseau, leurs noms, systèmes d'opération, etc. Quelques semaines plus tard, Stuxnet va prendre l'ascendant sur une batterie de centrifugeuses, afficher sur les moniteurs de contrôle des signes d'activité «normale», tout en envoyant des instructions qui font accélérer et «dérailler» les centrifugeuses. Un peu comme ces cambrioleurs de banque qui connectent les caméras de surveillance à une vidéo montrant une salle des coffres déserte pour forcer les coffres en toute tranquillité. Pour être accepté par le système, le virus dispose de deux certificats d'identité authentiques, émis pour l'un par le fabricant taïwanais Realtek Semiconductor, pour l'autre par un deuxième taïwanais, JMicron Technology. Ces clés d'authentification ont visiblement été dérobées soit par piratage informatique, soit par intrusion physique dans les locaux de ces sociétés, basées sur le même campus.

Le taux normal de «casse» dans une usine comme celle de Natanz, qui disposait de 8700 centrifugeuses en 2009, ne devrait pas dépasser 10 % par an. Début 2010, les inspecteurs de l'AIEA comprirent que quelque chose clochait : en un trimestre les techniciens avaient dû remplacer entre 1000 et 2000 centrifugeuses ! Ce procédé du cheval de Troie destructeur n'est pas une innovation : il a déjà servi, notamment pendant la guerre froide. En 1982, les Américains recevaient de leurs collègues français des informations détaillées sur le pillage de leurs technologies par les espions soviétiques, grâce aux informations livrées par la taupe «Farewell». Ils décidèrent alors de laisser les Soviétiques acquérir de fausses puces informatiques, qui se comportèrent normalement pendant plusieurs mois avant de «dérailler» subitement, causant de gros dégâts dans un gazoduc et diverses usines chimiques et militaires[1].

---

1. Voir «Les suites inattendues de l'affaire Farewell» dans Yvonnick Denoël, *Histoire secrète du XXᵉ siècle*, Nouveau Monde poche, 2012.

Si le but de Stuxnet était de stopper l'enrichissement d'uranium et la production de bombes atomiques, il n'a pas été atteint. En revanche, l'opération a réussi selon Meir Dagan à repousser la production d'une arme nucléaire à 2015. Mais certains experts estiment cette affirmation trop optimiste. Il est confirmé que l'Iran a réussi à remplacer les 1000 ou 2000 centrifugeuses endommagées, donc la production d'uranium enrichi a pu reprendre. Et selon l'estimation de différents services, les Iraniens disposeraient encore d'une réserve de 8000 centrifugeuses. Produire Stuxnet a demandé des ressources très importantes, côté américain et côté israélien : on estime le temps de programmation à plusieurs milliers de jours, ce qui représente un coût de plusieurs millions de dollars. Le virus était censé pouvoir frapper plusieurs fois avant de s'autodétruire sans laisser de traces, mais du fait de sa dissémination sur le Web, il a rapidement été passé au crible par la communauté des informaticiens spécialistes. Ceux-ci ont posté leurs analyses sur les forums, permettant aux informaticiens iraniens de réagir en conséquence. Ils auraient eu beaucoup plus de mal à s'en défaire si le virus était resté confiné à quelques centres iraniens. Selon les experts qui se sont penchés après coup sur le code de Stuxnet, celui-ci est très disparate. Les fonctions du virus étant très diverses, il a fallu faire appel à beaucoup de profils différents qui n'étaient clairement pas tous de même niveau. Mais l'erreur la plus grave fut sans conteste de n'avoir pas empêché la prolifération du virus sur le Web, sans quoi il fonctionnerait peut-être encore.

La demi-réussite, ou le demi-échec, de cette opération a en tout cas convaincu les dirigeants d'Israël qu'il fallait muscler et professionnaliser les capacités du pays en la matière. En août 2011, on a appris la création au sein de l'armée israélienne d'un centre de cyber-guerre qui dépend directement du Premier ministre et est hébergé par l'unité 8200, déjà en charge des écoutes et de la surveillance du Web. Lors de son inauguration, Benyamin Netanyahou a déclaré : « Israël doit devenir une superpuissance du cyberespace. »

Chasse aux scientifiques

12 janvier 2010. Massoud Ali Mohammedi, professeur en physique des particules à l'université de Téhéran, quitta son domicile pour se rendre à la fac. Son épouse l'accompagna sur le perron, le regarda monter dans sa Peugeot 405, et referma la porte. Quelques secondes plus tard, la façade de la maison fut soufflée par une explosion. Une moto piégée avait foncé sur la voiture et explosé. Le meurtrier présumé fut aussitôt arrêté : c'était un champion de kickboxing du nom de Majid Jamali Fashi, qui passa aux aveux et reconnut travailler depuis deux ans pour le Mossad. Sous couvert de compétitions sportives, il accomplissait des séjours de formation en Thaïlande. Avec lui, dix autres personnes furent interpellées par le Vevak, qui put enfin se targuer de démanteler un réseau israélien.

12 octobre 2010. Une explosion ébranla la base iranienne Imam Ali près de Khorramabad, dans l'ouest du pays. La version officielle des autorités iraniennes fut qu'un incendie accidentel avait touché un dépôt de munitions. Cette base n'était pas anodine, puisqu'elle stockait une grande partie des missiles de moyenne portée Shahab-3, de conception nord-coréenne. Il est donc difficilement imaginable qu'elle ne soit pas correctement protégée contre ce genre d'accidents.

29 novembre 2010. Ce lundi matin, l'aube était tout juste en train d'éclairer l'horizon et les rues de Téhéran étaient déjà paralysées par le trafic routier. La pollution obligeait les cyclistes à porter un masque. Dans la rue Artesh, au milieu d'un fouillis d'immeubles en construction, Majid Shahriari se trouvait avec sa femme et son garde du corps à bord d'une Peugeot, en route pour le travail. Une motocyclette s'arrêta à leur hauteur. Il y eut un petit bruit contre la portière, et la moto redémarra aussitôt. Quelques secondes plus tard, la bombe fixée sur la portière explosa, tuant sur le coup le scientifique et blessant les autres passagers.

Quelques minutes plus tard, à quelques kilomètres de là, dans les montagnes résidentielles d'Alborz, une autre moto s'arrêta à côté du véhicule d'un autre scientifique, Fereydoun Abbasi Davani. Ce très ancien membre des Gardes révolutionnaires était un spécialiste des missiles. Lorsqu'il entendit le bruit de ventouse contre sa portière, il eut la présence d'esprit de sortir de sa voiture, entraînant sa femme avec lui. Ils ne furent que blessés par l'explosion. Quelques mois plus tard, Abbasi fut nommé à la tête de l'organisation iranienne de l'énergie atomique, ce qui en dit long sur son importance.

Le même jour, dans l'après-midi, le président Mahmoud Ahmadinejad tint une conférence de presse impromptue, dans laquelle il accusa «le régime sioniste et les gouvernements occidentaux». Il révéla aussi pour la première fois que les installations iraniennes étaient victimes de cyber-attaques qui avaient réussi à «causer des problèmes pour un nombre limité de centrifugeuses».

23 juin 2011. Cinq scientifiques russes qui contribuaient à la recherche nucléaire iranienne sur le site de Bouchehr décédèrent dans le crash de leur avion, un Tupolev 134 qui ne présentait aucune défaillance technique. Les cinq hommes étaient des salariés de Hydropress, une filiale de la société nucléaire d'État de Russie. Ils avaient officiellement pour mission de s'assurer que l'installation résiste à une éventuelle catastrophe nucléaire. L'agence de presse Novosti déplora que «ces morts portent un grand coup à l'histoire de l'industrie nucléaire russe».

23 juillet 2011. Un nouvel expert nucléaire iranien, Darius Rezainejad fut abattu à Téhéran de deux balles dans la gorge par des hommes à moto, alors qu'il se rendait avec sa femme au jardin d'enfants pour récupérer leur fille. Les officiels iraniens tentèrent d'abord de faire passer cette mort pour une «erreur»: Darius était un simple étudiant que les tueurs auraient confondu avec un véritable savant. Mais il fut vite établi que Rezainejad était bien un expert électronicien, spécialiste des commutateurs pour têtes nucléaires. Selon *Der Spiegel*, qui cite comme source un «haut responsable de la sécurité israélien», ce fut la première opération publique du nouveau patron du Mossad, Tamir Pardo.

12 novembre 2011. Une explosion retentit dans une base de missiles des Gardiens de la Révolution à Bid Ganeh, à l'ouest de Téhéran, pendant un transfert d'explosifs. La base abritait notamment des Shahab-3. Elle fut entièrement détruite par la déflagration, qui fut perçue jusqu'à Téhéran, à 25 kilomètres de là : les habitants crurent qu'il s'agissait d'un tremblement de terre. Elle fit de nombreuses victimes (officiellement dix-sept), parmi lesquelles le général Moghadam, l'expert des pasdarans en missiles balistiques et cheville ouvrière du programme iranien. Moghadam avait également joué un rôle-clé dans le transfert d'armes aux groupes alliés de l'Iran comme le Hezbollah ou le Hamas (il était ainsi l'interlocuteur de Mahmoud al-Mabhouh, l'armurier du Hamas décédé à Dubai). Cette explosion intervint quelques jours seulement après la publication d'un rapport de l'AIEA qui affirmait pour la première fois que l'Iran développait bien une arme nucléaire.

28 novembre 2011. Une nouvelle explosion détruisit un centre d'enrichissement d'uranium situé près d'Ispahan, la troisième ville d'Iran. Les officiels iraniens tentèrent de nier l'information, qui arrivait deux semaines après l'explosion majeure de Bid Ganeh : ils s'en tinrent à la version d'un simple «accident». On n'en saurait donc pas plus sur les dégâts et les victimes éventuelles.

Janvier 2012. Un ingénieur nucléaire iranien, Mostafa Ahmadi Roshan, fut tué dans l'explosion d'une bombe magnétique collée sur sa voiture alors qu'il circulait près de l'université Tabatabai à l'est de Téhéran. Roshan, chimiste de formation, issu d'une famille très pieuse, était considéré par le régime comme un élément sûr. Il travaillait sur le site de Natanz sur un projet sensible de membranes polymères utilisées pour la séparation des gaz. Des témoins ont par la suite raconté avoir vu deux hommes à mobylette s'arrêter à hauteur de sa voiture et y poser la bombe.

L'opération avait requis la participation de plusieurs groupes d'hommes postés à des endroits stratégiques sur le parcours qu'empruntait quotidiennement la cible. Une maison avait même été louée à proximité de son domicile pour surveiller ses allées et venues. Lorsque Roshan s'engouffra dans sa voiture, son chauffeur et garde du corps s'était déjà assuré qu'elle n'était pas piégée. Il l'attendait tranquillement au volant. Dès qu'ils démarrèrent, un message texto codé en informa les autres équipes. Leur chef donna alors le feu vert définitif de l'opération.

Les mobylettes sont omniprésentes dans les rues de Téhéran, encombrées par la circulation. Avantage supplémentaire, les conducteurs ont pris l'habitude de porter un masque pour se protéger de la pollution. Il est donc possible de frapper sans être reconnu et de prendre la fuite rapidement : c'est pourquoi tous les assassinats ciblés de scientifiques à ce jour ont utilisé ce mode opératoire. Les deux hommes chargés de l'exécution avaient reconnu à plusieurs reprises le parcours, aux heures prévues pour l'opération. Leur deux-roues évoluait donc avec agilité entre les voitures à l'arrêt. À 8 h 20, ils repérèrent la 405 qu'ils cherchaient et vinrent se porter à sa hauteur, avant de repartir à toute vitesse. La bombe était réglée pour exploser 9 secondes après son amorçage. Le scientifique mourut sur le coup, son chauffeur décéda à l'hôpital.

La campagne d'élimination de scientifiques n'avait rien d'une nouveauté pour le Mossad. Dès les années 1960, on avait eu recours à ce type d'actions. En juillet 1962, le président égyptien Nasser prit le monde par surprise en annonçant avoir effectué un test de quatre missiles capables de frapper « n'importe où au sud de Beyrouth ». Le Mossad n'avait pas détecté ce programme de missiles, ou n'avait pas pris au sérieux les scientifiques égyptiens. D'un seul coup, le spectre de l'Holocauste venait planer au-dessus d'Israël. Le Aman établit que l'Égypte disposait d'une base secrète dans le désert, où elle hébergeait des scientifiques allemands, les mêmes que ceux qui avaient développé les missiles V1 et V2 pour les nazis. Israël décida de lancer une campagne d'assassinats contre ces scientifiques, en faisant tout le nécessaire pour faire déguerpir ceux qui ne seraient pas touchés en premier. On implanta également dans leur communauté un espion juif d'origine allemande se faisant passer pour un ancien SS. Accueilli à bras ouverts par les Égyptiens et leurs invités allemands, il fournit de précieuses informations avant d'être découvert[1]. En septembre 1962, l'un d'eux disparut à Munich. En novembre, deux bombes arrivèrent par colis postal au bureau du directeur de l'usine, et firent cinq morts égyptiens. En février 1963, un autre scientifique fut agressé en Suisse, mais parvint à s'échapper. Les Allemands s'émurent de cette campagne. Pour calmer le jeu, le BND accepta de faire pression lui-même sur les savants allemands pour qu'ils quittent l'Égypte, moyennant un bon poste pour eux en Allemagne. La plupart acceptèrent et le projet de missiles égyptiens fut abandonné.

La situation iranienne des années 2000 était bien différente : les services iraniens étaient encore plus redoutables que le moukhabarat égyptien des années 1960. Pour opérer en Iran, le Mossad avait besoin de s'appuyer sur des groupes d'opposants au régime déjà présents dans le pays. Toutes ces opérations nécessitaient une préparation minutieuse, des ressources techniques et financières importantes, des agents et relais sur le terrain. Mais le résultat était là : le Mossad s'était montré capable

---

1. Voir le témoignage de cet espion, Wolfgang Lotz, dans *Histoire secrète du XXᵉ siècle*, *op. cit.*

d'accomplir une série d'assassinats en plein cœur de Téhéran, sans subir de pertes majeures.

Un officier du renseignement américain pondère l'effet de ces opérations : « Les cibles n'étaient pas des Einstein. Le but du Mossad est avant tout de porter un coup au moral de la population et plus particulièrement de ceux qui travaillent sur le projet nucléaire. » En tout cas, les États-Unis se sont nettement désolidarisés de ces actions par la voix du secrétaire à la Défense Leon Panetta : « Les États-Unis ne font pas ce genre de choses. » Certains osent même critiquer les conséquences possibles de la stratégie du Mossad, comme le montre un récent rapport de l'ISIS, une société américaine de sécurité privée : « Les assassinats de scientifiques et ingénieurs nucléaires iraniens se sont succédé avec une fréquence accrue, mais doivent maintenant cesser. Ils comportent un risque trop élevé de rétorsion et impliquent des actions terroristes contre des civils. De plus les assassinats ne semblent pas avoir d'effet pour retarder significativement le programme nucléaire, qui comprend des milliers de spécialistes. Plus grave, l'Iran pourrait estimer que les assassinats équivalent à des attaques militaires et en tirer argument pour de nouvelles provocations[1]. »

Cette prise de distance n'est peut-être pas sans lien avec le fait que les États-Unis ont dû entrer en négociation avec les Iraniens fin 2011 pour réclamer, sans succès, la libération d'un citoyen américain d'origine iranienne, Amir Mirzaï Hekmati, que l'on a vu à la télévision iranienne avouer être un agent de la CIA. Hekmati, né dans une famille d'émigrés iraniens installée en Arizona, s'est engagé dans l'armée américaine en 2001 et a servi en Irak. Repéré pour ses états de service, il a été incorporé au sein de la DARPA (Defense Advanced Research Projects Agency), l'agence de recherche et développement ultra-secrète du Pentagone. En 2009, il a été transféré à la CIA, qui recherchait à l'époque des

---

1. *Huffington Post*, 12 avril 2012.

profils similaires au sien pour infiltrer des hommes en Iran. La mission d'Hekmati était à haut risque : il devait gagner Téhéran et se présenter comme un défecteur américain prêt à renseigner les Iraniens sur les agences américaines. On le transféra d'abord à la base américaine de Bagram en Afghanistan, puis à Dubai, où la CIA lui remit ses faux papiers. Mais les Iraniens disposaient d'au moins un agent infiltré dans la base de Bagram, qui alerta les services iraniens. Hekmati fut interpellé peu après avoir passé la frontière. Comme si cela ne suffisait pas, ce même mois de décembre 2011 un groupe de quinze espions présumés au service de la CIA fut inculpé à Téhéran. Cette affaire faisait suite au démantèlement d'un réseau iranien de trente personnes accusées de travailler pour les Américains.

Dans le même temps, au Liban, c'est toute l'équipe de la CIA en poste à Beyrouth qui était exposée par la télévision du Hezbollah, Al-Manar, et devait quitter précipitamment le pays. Ancien officier de la CIA en poste au Liban dans les années 1980, Robert Baer fit ce commentaire : «Traditionnellement dans un cas comme celui-là on doit faire une étude des dégâts directs et collatéraux. Il faut fermer le poste et étudier ce qui s'est passé, et qui d'autre a été compromis. Il faut aussi considérer que l'ambassade et tous les locaux utilisés par l'équipe sont compromis. C'est un processus laborieux qui peut prendre des années. Vous devez renvoyer une nouvelle équipe sous couverture, et leur faire apprendre l'arabe[1].» Selon Baer, c'est grâce à des technologies sophistiquées d'analyse du trafic téléphonique local que le groupe de la CIA a été démasqué. L'ironie du sort est que ces technologies avaient été fournies par la CIA elle-même aux services libanais pour les aider à trouver les assassins de Rafic Hariri !

Le Mossad semble avoir entendu l'appel au calme des États-Unis puisque l'on annonçait fin mars dans le magazine *Time*

---

1. Interview au *Daily Star*, 15 décembre 2011.

qu'il réduisait ses opérations clandestines en Iran[1]. Selon les sources de l'article, ce serait sur instruction du Premier ministre Benyamin Netanyahou lui-même. Celui-ci a en tête l'épisode pénible de l'assassinat raté de Khaled Mechaal à Amman et ne veut pas se retrouver dans une situation aussi embarrassante, ce qui pourrait faire diversion alors que les pressions internationales sur l'Iran atteignent un niveau critique. De fait, l'attention semble désormais se concentrer sur l'option militaire d'un bombardement des sites nucléaires, annoncé à cor et à cri par les autorités israéliennes depuis 2011.

Attaquer l'Iran ?

Si Israël décide de lancer l'attaque, son aviation pourra compter sur une aide inattendue : le *Sunday Times* a ainsi révélé que l'Arabie saoudite serait d'accord pour un survol de son territoire par les avions israéliens en route pour bombarder les usines iraniennes[2] ! Pour s'assurer que les avions israéliens pourraient traverser sans incident le moment venu, Riyad a même autorisé son armée à procéder à des tests de désactivation particlle de son très coûteux système de défense aérienne. L'arrangement a été négocié par le biais du Département d'État américain. Bien qu'Israël et l'Arabie saoudite soient officiellement ennemis, ils partagent le même objectif d'empêcher l'Iran d'obtenir l'arme nucléaire. Les avions israéliens devront parcourir jusqu'à 2200 kilomètres pour atteindre leurs cibles les plus reculées, ce qui représente le rayon d'action maximal de leurs bombardiers, même avec un ravitaillement en route. Une permission de traverser l'Arabie saoudite par le nord permettrait de réduire sensiblement la distance. Compte tenu de la diversité des cibles, les avions israéliens devraient aussi traverser les espaces aériens

---

1. « *Mossad Cutting Back on Covert Operations Inside Iran, Officials Say* », 30 mars 2012.
2. « *Saudi Arabia gives Israel clear skies to attack Iranian nuclear sites* », 12 juin 2010.

de la Jordanie et de l'Irak. Pour ce dernier, il serait nécessaire d'avoir au moins l'accord tacite des États-Unis.

Israël a également déployé des navires lance-missiles et trois sous-marins nucléaires de fabrication allemande en mer Rouge en 2010. Depuis lors, ils se relayent pour assurer une présence permanente à portée de tir de l'Iran. Chacun peut rester en mer au moins cinquante jours d'affilée, et passer jusqu'à une semaine en profondeur. Accessoirement, les sous-marins permettent aussi d'infiltrer discrètement des commandos par la mer.

Les oppositions au projet de bombardement restent importantes au sein du pouvoir israélien : on cite dans la presse les cas du général Benny Gantz, chef d'état-major de l'armée, Tamir Pardo, patron du Mossad, et Yoram Cohen, directeur du Shin Bet. Formellement la décision doit être prise par un « cabinet restreint » composé notamment du Premier ministre, du ministre de la Défense, du ministre des Affaires étrangères, du chef d'état-major des armées, des chefs du Aman, du Shin Bet et du Mossad. Les responsables politiques sont favorables au raid. Les responsables des services civils (qui ont été changés en 2011) y sont plutôt opposés. Tamir Pardo, le nouveau patron du Mossad, a pris position de façon plus discrète que son prédécesseur, mais assez claire : lors d'une conférence devant les ambassadeurs israéliens (tenue en principe à huis clos mais dont les propos ont fuité dans la presse), il a déclaré qu'un Iran doté de capacités nucléaires ne constituerait pas une « menace existentielle » pour l'État hébreu. Voici ses propos, reproduits par *Ha'aretz* : « Est-ce qu'un Iran nucléaire constitue une menace pour Israël ? Certainement. Cependant, si nous devions dire qu'une arme nucléaire en possession de l'Iran est une menace existentielle pour Israël, cela voudrait dire que nous n'avons plus qu'à arrêter nos opérations et rentrer chez nous. Mais ce n'est pas le cas. Le terme "menace existentielle" est utilisé à toutes les sauces. »

À tout cela, les responsables du renseignement militaire opposent que le Mossad a certes fait du bon travail contre le programme nucléaire iranien, mais qu'il n'a pas empêché les Iraniens de progresser : ils sont même parvenus à remplacer les scientifiques assassinés. Selon les derniers rapports, l'Iran dispose désormais de 10 000 centrifugeuses en état de marche et suffisamment de matériel fissile pour produire cinq ou six bombes. On estime qu'il faudra aux scientifiques neuf mois pour fabriquer leur première bombe à partir du moment où ils en recevront l'ordre, et encore six mois pour la réduire aux dimensions d'une charge de Shahab-3. Le matériel fissile est surtout entreposé à Fordow près de la ville sainte de Qom, dans un bunker à plus de deux cents pieds de profondeur. Du point de vue des autorités militaires, il reste à peine un an pour produire une bombe. L'Iran approche de la « zone d'immunité », terme inventé par Ehud Barak pour désigner le moment où l'Iran aura accumulé assez de savoir-faire, de matériel, d'expérience et d'équipement pour que plus rien ne puisse stopper son programme. Avec une puissance de feu supérieure à celle d'Israël, les Américains ont peut-être six mois de plus avant que l'Iran devienne, selon les militaires israéliens, intouchable.

Le journaliste israélien Ronen Bergman a publié dans le *New York Times Magazine* de janvier 2012 un long article titré « Israël va-t-il attaquer l'Iran ? » et qui se termine ainsi : « Après avoir discuté avec de nombreux responsables politiques et chefs militaires et du renseignement israélien, j'en suis venu à penser qu'Israël va bien frapper l'Iran en 2012. » Peut-être s'agit-il d'abord d'un message destiné à l'administration américaine. Israël aurait en effet tout intérêt à ce que les États-Unis bombardent les installations iraniennes. Or, il ne peut en être question pendant une campagne électorale. Mais certains responsables israéliens (Meir Dagan est de ceux-là) pensent que Barack Obama, qui a su faire preuve de courage pour lancer un raid contre Ben Laden au Pakistan, saurait faire preuve du même courage si on lui démontrait que l'Iran a menti et est en train de franchir le pas de l'arme nucléaire. Selon certains experts militaires, une attaque américaine aurait d'ailleurs de bien meilleures chances de succès en raison de moyens plus importants, notamment en bombes capables de percer les sites lourdement fortifiés.

De leur côté, les agences de renseignement américaines estiment qu'il n'est plus pertinent de chercher à stopper une capacité nucléaire iranienne qui existe *de facto* : l'Iran aurait selon des estimations convergentes déjà produit assez de combustibles pour équiper trois ou quatre ogives… à condition que ce combustible transite par les centrifugeuses de Fordow. Pour les États-Unis, la «ligne rouge» à ne pas franchir est l'amorce du développement d'une arme nucléaire. Pour le secrétaire à la Défense Leon Panetta, les Iraniens mettraient «environ un an» à produire suffisamment d'uranium enrichi nécessaire à une bombe, ce qui constituerait le franchissement de la ligne rouge. Il leur faudrait en revanche au moins un an, voire deux, pour l'installer de façon viable sur un missile, ce qui laisserait une fenêtre suffisante pour organiser des frappes. Dans son rapport annuel devant le Congrès, le directeur national du renseignement James Clapper a bien précisé début 2012 que l'Iran a maintenant la capacité de développer une bombe mais n'a pas encore décidé de le faire. Selon ce rapport, il y a actuellement des dissensions au sein du régime sur cette question. Le prestige régional que donnerait la bombe à l'Iran contrebalancerait-il les effets de plus en plus vifs des sanctions économiques et le risque d'attaque militaire par Israël ou les États-Unis? Si l'Iran se sent acculé, il pourrait se lancer dans une série d'actions terroristes, à l'image du complot pour assassiner l'ambassadeur saoudien qui a été démantelé en octobre 2011 par les services américains.

C'est bien l'idée d'une vague terroriste qu'ont donnée en février 2012 les attentats simultanés commis en Inde, en Azerbaïdjan et en Thaïlande contre des Israéliens. La femme de l'attaché militaire israélien à New Delhi a été blessée par une bombe magnétique placée sur sa voiture, selon un mode opératoire similaire aux attentats contre les scientifiques iraniens. Le même jour, à Tbilissi en Géorgie, une employée de l'ambassade israélienne découvrait une bombe placée sur une voiture de l'ambassade, et qui put être désamorcée. Quelques heures plus tard, le gouvernement thaïlandais déclarait avoir mis sous les verrous deux Iraniens suite à l'explosion d'une maison à Bangkok : les deux maladroits préparaient un attentat mais l'un d'eux a été blessé par sa propre bombe et son complice a été arrêté alors qu'il tentait de quitter le pays. Selon un responsable du renseignement américain cité par l'agence Bloomberg, le même jour ont été contrés des attentats contre des cibles israéliennes à Bakou, en Azerbaïdjan. Et le lendemain un journal koweïtien annonçait que les forces de sécurité de Singapour venaient de déjouer une tentative d'attentat contre Ehud Barak, en visite dans la région (Barak a ensuite démenti avoir été la cible d'un attentat). Plusieurs bombes étaient donc destinées à frapper le même jour ! Mais au final, il y a eu seulement une victime. Cette vague d'actions peu abouties donne à la fois une impression d'improvisation (en dehors de l'opération indienne) et d'escalade de la terreur entre Israël et l'Iran. Il semble que le Guide de la Révolution Ali Khamenei, qui a la haute main sur les Gardiens de la Révolution et leur force d'élite Al-Qods, soit en train de se radicaliser sous l'effet des pressions économiques accrues, qui font sentir leurs effets de plus en plus durement sur la population. Une autre explication, complémentaire plus que contradictoire, serait que les opérations du Mossad en Iran ont à ce point entamé le prestige des Gardiens de la Révolution qu'il devient urgent pour eux de laver leur honneur... quitte à donner des raisons à ceux qui en Occident veulent frapper l'Iran militairement. L'attentat de New Delhi lève aussi le voile sur une alliance ancienne mais discrète entre Israël et l'Inde, qui partagent la même inquiétude vis-à-vis d'un Pakistan à capacité nucléaire et dont la population et l'armée semblent en voie de radicalisation.

Avant de lancer une attaque, il faut être certain de toucher tous ses objectifs en un seul raid. Instruits par l'exemple irakien, les Iraniens ont pris soin de disperser leurs installations, au point que personne ne peut être sûr de les connaître toutes. Leur programme nucléaire n'a donc rien à voir avec ceux de l'Irak ou de la Syrie, dans lesquels il suffisait de frapper un unique réacteur pour ramener l'ennemi dix ou vingt ans en arrière. Et même en admettant que le renseignement israélien ait identifié toutes les cibles, en admettant que l'armée de l'air dispose d'autorisations tacites de survol de l'Irak, de la Turquie et de l'Arabie saoudite, il faudrait encore disposer de cent à cent vingt bombardiers, et que ceux-ci puissent se ravitailler en vol et voler jusqu'à leurs objectifs sans encombre. Selon Michael Hayden, qui a dirigé la CIA de 2006 à 2009, des frappes sur l'ensemble des sites nucléaires iraniens seraient «au-delà des moyens d'Israël», même si selon un autre haut gradé américain «personne n'a une visibilité totale sur l'arsenal israélien[1]». En admettant qu'Israël dispose de suffisamment d'avions ravitailleurs (une douzaine minimum, par comparaison avec les huit officiellement détenus), il faudrait qu'ils soient correctement protégés contre les missiles iraniens par une noria d'avions de combat. Il faudrait également déployer plusieurs avions de combat électronique pour parvenir à brouiller les radars et les systèmes de défense antiaérienne. Reste encore le problème des installations en profondeur comme à Natanz ou sous une montagne comme à Fordow. Israël détient des bombes américaines à forte capacité de pénétration (GBU-28 et GBU-31), mais on ne dispose pas de données sur leur efficacité potentielle dans ces cas précis.

Reste ensuite à anticiper et gérer la riposte probable. Téhéran pourrait dès le début de l'attaque lancer des missiles contre Israël.

---

1. *New York Times*, 21 février 2012.

Ses dirigeants ont aussi menacé de fermer le détroit d'Ormuz par où transite une grande partie du trafic pétrolier mondial. Outre les conséquences économiques (augmentation du prix du pétrole), cela conduirait à une confrontation armée avec les pays du Golfe qui ne pourraient tolérer pareil blocus.

En représailles, Téhéran a sans doute les moyens de créer de fortes agitations au sein des minorités chiites : on en a eu un échantillon à Bahreïn et en Arabie saoudite pendant la révolution égyptienne. Enfin, le Hezbollah attaquerait sans nul doute le nord d'Israël. Mais ses actions seraient loin de se limiter au territoire de l'État hébreu. Les différents services occidentaux estiment que le Hezbollah disposerait actuellement d'une quarantaine de cellules dans le monde. Certaines se trouvent dans les Caraïbes et en Amérique du Sud, d'où elles pourraient organiser des attentats en territoire américain. Téhéran dispose de relais au Venezuela, en Bolivie, en Équateur et au Nicaragua, tous pays qui entretiennent des relations cordiales avec la république islamique. D'autre part, comme on l'a vu dans l'enquête sur les attentats de Buenos Aires, la zone des « trois frontières » entre le Brésil, le Paraguay et l'Argentine constitue une base d'opérations traditionnelle pour les groupes chiites.

Les taliban en Afghanistan et les chiites d'Irak sont aussi des alliés de l'Iran, qui leur fournit armes et entraînement.

Plus surprenant, selon une dépêche d'Associated Press de février 2012, un haut responsable pakistanais aurait déclaré à un diplomate européen que si l'Iran est attaqué, « les dirigeants militaires pakistanais n'auront pas d'autre choix que de lancer des représailles immédiates ». Le Pakistan est le seul pays musulman à disposer de la bombe atomique.

On pourrait enfin s'attendre à de nombreux attentats en Europe, où l'Iran surveille de près les groupes d'opposants, dont la plupart sont sans doute noyautés par le Vevak iranien. Il serait donc possible de renouer avec les campagnes d'assassinats comme il y a vingt ans.

L'heure des choix approche, et chaque acteur semble enfermé dans le rôle qu'il s'est choisi. C'est pourquoi il peut être intéressant, à ce stade, d'écouter un autre ancien patron du Mossad, Ephraïm Halevy, qui publie dans le *New York Times*, décidément très prisé par le gratin israélien, une surprenante tribune titrée «Le talon d'Achille de l'Iran». Fidèle à sa réputation de diplomate inventif, Halevy propose de faire un pas de côté et de sortir de l'alternative infernale dans laquelle s'est placé Israël. Selon lui, il existe un moyen «oblique» d'affaiblir l'Iran sans pour autant déclencher le pire: appuyer discrètement le renversement de Bachar al-Assad en Syrie. L'Iran a beaucoup investi dans son alliance avec la Syrie: en armes, en Gardiens de la Révolution, en conseillers militaires. La république islamique a un besoin vital de rester présente en Syrie, même si au fond le sort de M. Assad lui importe peu. À l'inverse Israël a besoin de couper l'Iran de la Syrie, ce qui empêchera du même coup la République islamique d'alimenter le Hezbollah et le Hamas en armes et en argent. Pour l'instant la Russie soutient le régime Assad, sans enthousiasme, mais afin de conserver un important client et surtout l'accès stratégique pour elle aux ports méditerranéens de Tartous et Lattaquié. Si les États-Unis garantissent ces deux points à la Russie, elle pourrait reconsidérer son soutien et lâcher Assad. Ne rien faire peut conduire à un changement de régime «non contrôlé» dans lequel la Syrie resterait l'alliée de l'Iran. Et conserverait son arsenal de missiles de longue portée à têtes chimiques. «La Syrie a ouvert une troisième option. Nous n'avons pas le luxe de l'ignorer», conclut Halevy.

De son côté, Meir Dagan se montre plus bavard que jamais. Désormais reconverti comme dirigeant d'une firme énergétique, Gulliver Energy Oil and Gas Exploration, il a mis quelques gouttes d'eau dans son vin et regrette l'usage du mot «stupide» pour qualifier l'idée de bombarder l'Iran. Mais sur le fond il n'a rien changé à ses positions du début 2011. Pour lui, une attaque aérienne contre l'Iran déclencherait une guerre régionale menée par les «marionnettes» de l'Iran, le Hezbollah, le Hamas, le Jihad islamique. Cette solution doit donc être considérée comme un ultime recours. Car les sanctions et autres actions économiques contre l'Iran semblent porter leurs fruits en compliquant la vie quotidienne des Iraniens, ce dont ils rendent leurs dirigeants responsables. Attaquer l'Iran reviendrait à ressouder la population derrière ses leaders : «Ils vont pouvoir dire : "Regardez, nous sommes attaqués par un État décrit par les médias occidentaux comme doté de la capacité nucléaire. Jusqu'à maintenant nous cherchions simplement à développer des usages pacifiques du nucléaire, sous la surveillance de l'AIEA. Et on attaque des installations qui sont sous la surveillance des instances internationales? Puisque c'est ainsi, il nous faut nous aussi nous doter d'une capacité de dissuasion nucléaire, pour notre protection." Non seulement on ne va pas stopper leur projet, on va leur donner la justification pour le développer[1].»

Désormais, on débat officiellement à Jérusalem du nombre de morts que ferait une guerre entre Israël et ses voisins. Des tirs massifs de missiles sur le centre du pays durant trois semaines ne provoqueraient la mort «que» de trois cents personnes, a affirmé un dirigeant de Tsahal devant le cabinet de sécurité. Auparavant, Ehud Barak avait cité le chiffre de cinq cents victimes. Ces estimations qui se veulent rassurantes n'ont pas l'effet escompté sur la population. Une seule chose est sûre : même si demain c'est aux militaires d'agir, le Mossad restera encore longtemps au centre du jeu.

---

1. « *The Art of Espionage* », *Jerusalem Post*, 5 avril 2012.

Conclusion

Le Mossad au centre du jeu

L'histoire du Mossad est une des plus denses que puissent offrir les services secrets de notre époque, et elle reste bien entendu incomplète tant que les archives ne sont pas ouvertes aux historiens, ce qui ne semble pas près d'être le cas. Malgré ce handicap, beaucoup d'opérations nous sont désormais connues, même si la prudence s'impose parfois sur leur interprétation : le « grand jeu » moyen-oriental donne parfois le tournis, à force de manipulations et faux-semblants. En tout cas, rares sont les récits dans le monde du renseignement qui accumulent autant de succès audacieux, d'échecs cuisants et de gros titres de presse.

Le Mossad a toujours réussi jusqu'ici à se placer au premier rang des services de renseignement, notamment grâce à son savoir-faire en termes de renseignement humain. Ce qui est particulièrement difficile quand on navigue dans un monde arabe si uniformément hostile, du moins en apparence. Une des plus grandes réussites du Mossad est de parvenir à recruter non seulement des informateurs de qualité dans le monde arabe, mais aussi des agents qui parlent couramment arabe et peuvent même passer pour des Arabes. Dans certaines occasions qui ne sont pas toutes connues, le Mossad a même réussi à établir des liens occultes avec des services dits « ennemis », en échange de discrets services.

On l'a vu, le Mossad est un service «couteau suisse» à qui on a toujours confié non seulement du renseignement et des opérations spéciales classiques (sabotage, assassinats), mais aussi des tâches beaucoup moins usuelles, comme d'organiser l'émigration clandestine de Juifs menacés de mort dans leur pays, de se procurer des armes, de la technologie ou des matériaux nucléaires, d'espionner des services amis ou de mener une guerre psychologique et médiatique à l'échelle internationale. Cette polyvalence – voulue par les dirigeants politiques – confine parfois à la schizophrénie : elle explique en partie les scandales et tensions diplomatiques qui émaillent cette histoire, notamment en cas d'espionnage dans des pays alliés ou d'assassinats commis sur des territoires «neutres».

La multiplicité de ses tâches parfois contradictoires n'en rend que plus frappante la centralité du Mossad, qui a toujours réussi à rester «au milieu du jeu» des services secrets israéliens et mondiaux. Il est intéressant de constater que le Mossad, qui a souvent subi au cours de son histoire des pressions et instrumentalisations politiques, est aujourd'hui en train de prendre sa revanche *via* plusieurs de ses anciens chefs, en occupant une position de contre-pouvoir, peut-être même d'arbitre du jeu politique israélien, au sujet du dossier iranien. Central dans le monde du renseignement, le Mossad serait-il en train de le devenir dans le monde politique ? Ce serait un exemple sans précédent dans les pays occidentaux, où l'on imagine mal d'anciens patrons de la CIA ou de la DGSE débattre dans les médias de ce que devrait faire le chef de leur État.

Au moment d'achever la rédaction de cet ouvrage, la «guerre secrète» contre le programme iranien semblait suspendue : on laissait filtrer dans la presse que le Premier ministre israélien avait ordonné une pause des opérations clandestines en territoire iranien. Ce n'était peut-être pas sans lien avec l'annonce côté iranien qu'un réseau de quinze espions à la solde d'Israël venait d'être démantelé alors qu'il préparait de nouveaux assassinats de «spécialistes». Un tel dénouement était sans doute inévitable vu la fréquence et le danger des missions accomplies jusqu'au début 2012. Mais l'annonce d'une pause dans la guerre secrète avec l'Iran était aussi le résultat d'une rencontre à Washington, le 5 mars 2012, entre Benyamin Netanyahou et Barack Obama au cours de laquelle fut passé, selon nos informations, un accord satisfaisant pour les deux parties : pour sa part, le président américain ne pouvait pas se permettre de gérer, en pleine campagne pour sa réélection, un conflit Israël-Iran. Et il voulait aller jusqu'au bout du processus de négociation diplomatique qui devait reprendre quelques semaines plus tard à Istanbul. De son côté, le Premier ministre israélien avait beaucoup fait monter les enchères au cours des mois précédents en laissant dire qu'on approchait du «point de non-retour» qui justifiait une attaque préventive de l'aviation israélienne contre les sites nucléaires iraniens. Mais, en joueur de poker, Netanyahou savait qu'il valait mieux qu'une telle attaque soit menée par les Américains, bien mieux équipés pour cela et moins vulnérables aux foudres du Hezbollah et du Hamas. Le marché s'imposait donc de lui-même : si Netanyahou acceptait d'observer une relative modération jusqu'à l'élection présidentielle, Obama s'engageait à faire du problème nucléaire iranien une des priorités du début de son second mandat. Soit, d'ici l'élection américaine, les négociations diplomatiques conjuguées aux pressions économiques donnaient des résultats, et tout le monde s'en réjouirait, soit la preuve serait faite fin 2012 que les mollahs au pouvoir ne pouvaient être raisonnés et l'on pourrait alors songer à une action militaire concertée : Obama n'avait pas l'intention de rester dans l'histoire comme celui qui avait laissé l'Iran se doter de la bombe après avoir promis le contraire.

Toutefois, cet accord laissait perplexes les plus «durs» du gouvernement israélien, qui jugeaient Netanyahou trop crédule et arrangeant : selon ces derniers, une fois acquise sa réélection,

Obama deviendrait imperméable aux pressions et donc moins sensible aux intérêts d'Israël. On s'inquiétait aussi qu'en marge des négociations multilatérales d'Istanbul, d'autres discussions, plus secrètes, aient lieu entre Iraniens et Américains, seuls à seuls dans une capitale européenne. Vraie ou fausse, cette rumeur réactivait le scénario d'une intervention anticipée d'Israël.

Quoi qu'il arrive, pour les mois à venir, la feuille de route pour le Mossad de Tamir Pardo était toute tracée : d'une part intensifier les actions de renseignement sur les cellules dormantes ou clandestines du Hezbollah dans le monde entier, susceptibles d'être activées contre les intérêts américains et israéliens en cas de conflit. Continuer à affaiblir le Hamas en combattant ses sources d'approvisionnement en armes et en argent. Enfin, développer encore les sources d'informations sur le programme nucléaire iranien. Début 2012, le Mossad et la CIA étaient d'accord sur le fait que les Iraniens n'avaient pas encore commencé à assembler une bombe nucléaire : il faudrait pour cela que le Guide suprême en donne l'ordre, et c'est précisément cet ordre qu'il fallait guetter, car neuf mois plus tard l'Iran aurait la bombe. Aussi bien le Mossad que la CIA estimaient être en mesure d'obtenir cette information en temps réel. Leur engagement dans le diagnostic serait crucial et ce diagnostic déciderait, dans une certaine mesure, du futur pour le Moyen-Orient.

Les analystes d'autres services, notamment européens, se montraient plus prudents quant à cette perspective. Ils savaient que l'un et l'autre service ne pouvaient disposer que d'un petit nombre de sources de confiance suffisamment bien placées en Iran. Et que le risque de mal interpréter des signaux ou de se laisser manipuler était élevé. Par conséquent pesait sur les épaules du Mossad et de la CIA une responsabilité considérable, au regard des conséquences possibles : l'exemple des armes de destruction massive attribuées à l'Irak en 2003 était là pour le rappeler.

Conclusion

Toujours sur le fil : telle semble être la situation du Mossad, sans doute plus qu'aucun autre service secret. Mais cet équilibrisme permanent, ces missions homicides si fréquentes, cette audace de procédés parfois choquants pour ses alliés, ne font que dévoiler la précarité d'un petit État qui est placé dos au mur, et le restera tant qu'une solution durable de coexistence pacifique n'aura pas été inventée.

Bibliographie

Meir Amit, *A Life in Israel's intelligence Service: An Autobiography*, Valentine Mitchell, 1995.

– Joel Bainerman, *Inside the Covert Operations of the CIA and Israel's Mossad*, SPI Books, 1994.

– Michel Bar-Zohar, *J'ai risqué ma vie, Isser Harel, le numéro 1 des services secrets israéliens*, Fayard, 1971.

– Michel Bar-Zohar et Eitan Haber, *Le Prince rouge*, Fayard, 1983.

– Benjamin Beit-Hallahmi, *The Israeli Connection: Who Israel Arms and Why*, IB Tauris, Pantheon Books, 1987.

– Ari Ben-Menashe, *Profits of War, Inside the Secret US-Israeli Arms Network*, Sheridan Square Press, 1992.

– Ronen Bergman, *The Secret War with Iran*, Free Press, 2008.

– Ian Black et Benny Morris, *Israel's Secret Wars, A History of Israel's Intelligence Services*, Grove Press, 1991.

– Alhadji Bouba Nouhou, *Israël et l'Afrique, une relation mouvementée*, Karthala, 2003.

– Burchard Brentjes, *Geheimoperation Nahost : Zur Vorgeschichte der Zusammenarbeit von Mossad und BND*, Das Neue Berlin, 2001.

– Andrew et Leslie Cockburn, *Dangerous Liaison: The Inside Story of the US-Israeli Covert Relationship*, Harper Collins, 1991.

– Uri Dan, *Mossad, cinquante ans de guerre secrète*, Presses de la Cité, 1995.

– Richard Deacon, *The Israeli Secret Service*, Sphere Books, 1979.

– Wilhelm Dietl, *Die Agentin des Mossad: Operation Roter Prinz*, Econ Verlag, 1992.

– Dennis Eisenberg, Uri Dan, Eli Landau, *The Mossad Inside Stories: Israel's Secret intelligence Service*, Paddington Press, 1978.

– Steve Eytan, *L'œil de Tel-Aviv*, Publications premières, 1970.

– Eric Frattini, *Mossad, Historia del Instituto*, EDAF, 2006.

– Amos Gilboa et Ephraïm Lapid, *Israel's Silent Defender: an Inside Look at Sixty Years of Israeli Intelligence*, Gefen Publishing House, 2012.

– Ephraïm Halevy, *Man in the Shadows: Inside the Middle East Crisis with the Man who led the Mossad*, St Martin's Press, 2006.

– Seymour Hersch, *The Samson Option*, Random House, 1991.

– Ephraïm Kahana, *The A to Z of Israeli Intelligence*, Scarecrow Press, 2009.

– Neil C. Livingstone et David Halevy, *Inside the PLO*, William Morrow, 1990.

– Paul McGeough et Kill Khalid, *The Failed Mossad Assassination of Khalid Mishal and the Rise of Hamas*, New Press, 2009.

– Yossi Melman, *The CIA Report on the Israeli Intelligence Community*, Tel-Aviv, Zmora Bitan, 1982.

– Yossi Melman et Dan Raviv, *The Imperfect Spies: The History of the Israeli Intelligence Community*, Sidgwick et Jackson, 1989. Id : *Every Spy a Prince: The Complete History of Israel's Intelligence Community*, Houghton Mifflin, 1990.

– Aldo Musci et Marco Minicangeli, *Breve Storia Del Mossad*, Datanews, 2001.

– Victor Ostrovsky, *The Other side of Deception: A Rogue Agent Exposes the Mossad's Secret Agenda*, Harper Collins, 1994.

Bibliographie

– Victor Ostrovsky et Claire Hoy, *Mossad, un agent des services secrets israéliens parle*, Presses de la Cité, 1992.

Ronald Payne, *Mossad: Israel's Most Secret Service*, Bantam Press, 1990.

– Ami Pedahzur, *The Israeli Secret services and the Struggle Against Terrorism*, Columbia University Press, 2009.

– Sasha Polakow-Suransky, *The Unspoken Alliance: Israel's Secret Relationship with Apartheid South Africa*, Pantheon Books, 2010.

– Abraham Rabinovich, *The Boats of Cherbourg: The Secret Israeli Operation that Revolutionized Naval Warfare*, Naval Institute Press, 1997.

– Michael Ross, *The Volunteer: My Secret Life in the Mossad*, Vision Paperbacks, 2007.

– Eric Salerno, *Mossad base Italia. Le azioni, gli intrighi, le verità nascoste*, Il Saggiatore, 2010.

– Gad Shimron et Victor Malka, *Histoire secrète du Mossad*, Dagorno, 1995.

– Stephen Spector, *Operation Solomon: The Daring Rescue of the Ethiopian Jews*, Oxford University Press, 2005.

– Stewart Steven, *The Spymaster of Israel: The Definitive Inside Look of the World's Best Intelligence Service*, Ballantine, 1980.

– George Tenet, *At the Center of the Storm: My Years at the CIA*, Harper Collins, 2007.

– Gordon Thomas, *Histoire secrète du Mossad*, Nouveau Monde éditions, 2006 ; *Mossad les nouveaux défis*, Nouveau Monde éditions, 2006.

– Matt Webster, *Inside Israel's Mossad: The Institute for Intelligence and Special Tasks*, Rosen Publishing Group, 2003.

– Gerald Westerby, *In Hostile Territory, Business Secrets of a Mossad Combatant*, Harper Business, 1998.

Annexes

Organigramme des services de renseignement israéliens

NSC — Conseil des ministres — Cabinet ministériel

Ministre de la Défense — Ministère de la Défense — DSDE

Chef d'état-major — DMI — MI

Premier ministre

Agence de lutte contre le terrorisme

Ministère de l'Intérieur — Inspecteur général de la Police — Police

Ministère des Affaires étrangères

Bureau du Premier ministre — Directeur général

Directeur de l'ISA — ISA

Directeur du Mossad — Mossad

Nativ

VARASH

Directeur général — Centre de Recherches en politique — Bureau de liaison

DMI Directeur des services de renseignement militaire
DSDE Directeur du service de sécurité du ministère de la Défense (Acronyme en hébreu : Malmab)
ISA Agence de sécurité israélienne (Acronyme en hébreu : Shin Bet ou Shabak)
MI   Services de renseignement militaire (Acronyme en hébreu : Aman)
NSC Conseil de sécurité nationale
VARASH Comité des chefs de services de renseignement

393

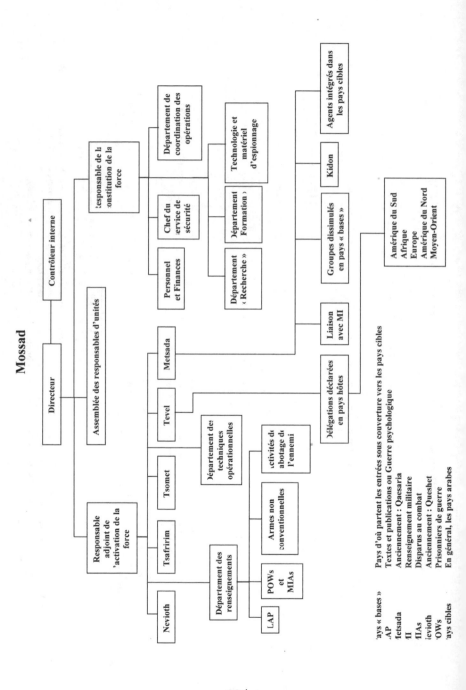

Mossad

Contrôleur interne

Directeur

Assemblée des responsables d'unités

Responsable de la constitution de la force

Responsable adjoint de l'activation de la force

Département de coordination des opérations

Chef du service de sécurité

Personnel et Finances

Technologie et matériel d'espionnage

Département « Formation »

Département « Recherche »

Agents intégrés dans les pays cibles

Kidon

Groupes dissimulés en pays « bases »

Liaison avec MI

Délégations déclarées en pays hôtes

Nevioth

Tsafririm

Tsomet

Tevel

Metsada

Département des renseignements

Département des techniques opérationnelles

Activités de sabotage de l'ennemi

Armes non conventionnelles

LAP

POWs et MIAs

Amérique du Sud
Afrique
Europe
Amérique du Nord
Moyen-Orient

Pays « bases » : Pays d'où partent les entrées sous couverture vers les pays cibles
LAP : Textes et publications ou Guerre psychologique
Metsada : Anciennement : Qaesaria
MI : Renseignement militaire
MIAs : Disparus au combat
Nevioth : Anciennement : Queshet
POWs : Prisonniers de guerre
Pays cibles : En général, les pays arabes

Directeurs des organisations de renseignement israéliennes

Directeurs du Mossad	
1951-1952	Reuven Shiloah
1952-1963	Isser Harel
1963-1968	Meir Amit
1968-1974	Zvi Zamir
1974-1982	Yitzhak Hofi
1982-1990	Nahum Admoni
1990-1996	Shabtai Shavit
1996-1998	Danny Yatom
1998-2003	Ephraïm Halevy
2003-2011	Meir Dagan
2011-	Tamir Pardo

Directeurs de l'Agence de sécurité israélienne (Shin Bet)	
1948-1952	Isser Harel
1952-1953	Izi Dorot
1953-1963	Amos Manor
1964-1974	Yosef Harmelin
1974-1981	Avraham Ahituv
1981-1986	Avraham Shalom
1986-1988	Yosef Harmelin
1988-1994	Yaacov Peri
1994-1996	Carmi Gillon
1996-2000	Ami Ayalon
2000-2005	Avi Dichter
2005-2011	Yuval Diskin
2011-	Yoram Cohen

Directeurs du renseignement militaire (Aman)	
1948-1949	Lieutenant-colonel Isser Be'eri
1949-1950	Colonel Chaim Herzog
1950-1955	Colonel Binyamin Gibli
1955-1959	Major général Yehoshafat Harkabi
1959-1962	Major général Chaim Herzog
1962-1963	Major général Meir Amit
1964-1972	Major général Aharon Yariv
1972-1974	Major général Eliyahu (Eli) Zeira
1974-1978	Major général Shlomo Gazit
1979-1983	Major général Yehoshua Saguy
1983-1985	Major général Ehud Barak
1986-1991	Major général Amnon Lipkin-Shahak
1991-1995	Major général Uri Saguy
1995-1998	Major général Moshe Ya'alon
1998-2001	Major général Amos Malka
2002-2005	Major général Aharon Ze'evi
2006-2010	Major général Amos Yadlin
2010-	Major général Aviv Kochavi

Table des matières

Cet ouvrage a été achevé d'imprimer en juillet 2012
dans les ateliers de Normandie Roto Impression s.a.s.
61250 Lonrai (Orne)
N° d'impression : 122555
Dépôt légal : mai 2012

Imprimé en France